JOE SPEEDBOOT

TOMMY WIERINGA

Alles over Tristan (roman, 2002)
Ik was nooit in Isfahaan (reisverhalen, 2006)

DE BEZIGE BIJ

Tommy Wieringa

Joe Speedboot

ROMAN

2007
DE BEZIGE BIJ
AMSTERDAM

Met dank aan het Fonds voor de Letteren te Amsterdam.

Copyright © 2005 Tommy Wieringa
Eerste tot en met twaalfde druk 2005
Dertiende tot en met zevenentwintigste druk 2006
Achtentwintigste druk (gebonden) februari 2007
Negenentwintigste druk (gebonden) maart 2007
Dertigste druk april 2007
Eenendertigste druk juni 2007
Tweeëndertigste druk november 2007
Omslagontwerp Studio Jan de Boer
Omslagillustratie Elspeth Diederix, *California*
Foto auteur René Koster
Zetwerk Peter Verwey, Heemstede
Druk Hooiberg, Epe
ISBN 978 90 234 1433 9
NUR 301

www.debezigebij.nl

Voor Rutger Boots

Er wordt gezegd dat de samoerai
een tweevoudige Weg heeft,
van het penseel en het zwaard.

MIYAMOTO MUSASHI

PENSEEL

Het is een warm voorjaar, in de klas bidden ze voor me omdat ik al meer dan tweehonderd dagen van de wereld ben. Ik heb doorligplekken over mijn hele lichaam en een condoom-katheter om mijn fluit. Dit is het stadium van de coma vigil, legt de dokter mijn ouders uit: ik heb weer een beperkte ont-vankelijkheid voor mijn omgeving. Het is goed nieuws, zegt hij, dat ik weer reageer op pijn- en geluidsprikkels. Reageren op pijn is onmiskenbaar een teken van leven.

Ze hangen eindeloos rond mijn bed, pa, ma, Dirk en Sam. Ik hoor ze al wanneer ze de lift uit komen – een zwerm spreeu-wen die de hemel verduistert. Ze ruiken naar olie en schrale tabak, ze hebben nog net de moeite genomen om hun overall uit te doen. Hermans & Zn., voor al uw sloopwerken. De fa-milie Lood om Oud IJzer.

Wij slopen autowrakken, fabrieksinstallaties, industriële werk-tuigen en af en toe een café-interieur als mijn broer Dirk het op z'n heupen krijgt. In Lomark mag Dirk bijna nergens meer in, maar in Westerveld nog wel. Daar scharrelt hij met een meid. Als hij thuiskomt ruikt hij naar chemische viooltjes. Je kunt al-leen maar medelijden hebben met zo'n griet.

Meestal hebben ze het over het weer, het oude liedje, de handel is slap en dat komt door het weer, maakt niet uit wat voor weer het nou is. Dan vloeken ze, eerst pa, dan Dirk en Sam. Dirk haalt zijn neus op en in zijn mond zit nu een ro-chel. Hij weet niet waar hij ermee naartoe moet zodat hij hem moet doorslikken – en hup, daar gaat ie al.

Maar sinds kort is er meer aan de hand in Lomark dan het weer. Sinds ik er een tijdje tussenuit ben is het trapgevelpand van de familie Maandag verwoest door een verhuiswagen en schrikt iedereen zich om de zoveel tijd een ongeluk door een enorme ontploffing ergens. Deze dingen schijnen te maken te hebben met een jongen die Joe Speedboot heet. Hij is nieuw in Lomark, ik heb hem nog nooit gezien.

Ik spits mijn oren wanneer het over Joe Speedboot gaat – hij klinkt als een goeie als je het mij vraagt, maar niemand vraagt mij wat. Ze weten zeker dat Speedboot die bommen maakt. Niet dat ze hem ooit hebben betrapt bij het maken van zo'n ding, maar voordat hij er was waren er nooit ontploffingen in Lomark en nu opeens wel. Dus. Ze zijn er goed chagrijnig van, kan ik je zeggen. Soms zegt ma 'stil toch, us Fransje zou 't 's horen', maar daar trekken ze zich niks van aan.

– Even roken, zegt pa.

Dat mag hierbinnen niet.

– Heet hij echt Speedboot? vraagt Sam, mijn broertje van twee jaar ouder.

Van Sam heb ik het minst te vrezen.

– Niemand heet Speedboot van zichzelf, zegt Dirk. Met z'n grote bek.

Dirk, de oudste. Een schooier. Over hem kan ik jullie verhalen vertellen.

– Och, die jongen is net z'n vader kwijt, zegt ma. Laat 'm toch es met rust.

Dirk snuift.

– Speedboot… achterlijke…

Ik heb er zowaar jeuk van, echt lekkere krabjeuk. Joe Speedboot, wat een bak.

Weken later liggen de wereld en ik nog altijd ademloos achterover, de eerste van de warmte en ik van het ongeluk. En ma huilt. Van geluk nu eens.

– Och, daar ben je weer m'n menneke, daar ben je weer.

Ze heeft elke dag een kaars voor me gebrand en denkt echt

dat het geholpen heeft. In de klas menen ze dat zij het waren met hun gebeden. Zelfs die schijnheil van een Quincy Hansen deed mee, alsof ik ooit in zijn gebeden had willen voorkomen. Niet dat ik al uit bed mag, of naar huis. Zou niet eens kunnen. Ze moeten nog onderzoek doen aan mijn wervelkolom, want zoals het nu is kan ik alleen mijn rechterarm bewegen.

– Dat is net genoeg om te rukken, zegt Dirk.

Praten kan ik voorlopig ook vergeten.

– Het was toch nooit veel wat eruit kwam, zegt Sam.

Hij kijkt of Dirk daarom moet lachen maar die lacht alleen om zijn eigen grappen. Hij moet wel want niemand anders doet het.

– Jongens! waarschuwt mijn moeder.

Dit is de stand van zaken: ik, Fransje Hermans, één functionele arm met veertig kilo lam vlees eraan. Ik heb er weleens beter voor gestaan. Maar ma is er godsblij mee; die was al dankbaar geweest voor één oor – mits het luisterde natuurlijk.

Ik moet hier zo snel mogelijk weg. Ze maken me gek met dat gehang rond mijn bed en dat geouwehoer over de handel en het weer. Vraag ik daarom? Nou dan.

Ik ben een jaar ouder geworden terwijl ik sliep, ze hebben mijn verjaardag in het ziekenhuis gevierd. Ma vertelt me over het taartje met veertien kaarsen dat ze opaten rond mijn bed. Mijn slaap duurde 220 dagen, en met het begin van de revalidatie erbij heeft het een maand of tien geduurd voor ik weer naar huis mag.

Het is half juni. Het wonder van mijn wederopstanding – door ma hardnekkig zo genoemd – legt grote druk op het gezinsleven. Ik moet worden gevoerd, verschoond en verplaatst. Dank jullie wel allemaal, maar dat krijg ik mijn mond niet eens uit.

Op een dag nemen mijn broers me mee naar de kermis, omdat dat moet van ma. Sam duwt de kar, de buitenlucht omhelst me als een oude vriend. De wereld lijkt veranderd tijdens mijn afwezigheid. Gewassen ziet ze eruit, alsof de paus op bezoek komt ofzo. Sam duwt me haastig door de straten, hij wil niet dat we worden tegengehouden door mensen met vragen over mij. Ik hoor de zomerkermis. Het gegil, de rappe praatjes van de kermislui, het gerinkel van de alarmbellen als je raak schiet – het geluid zegt alles. Het zegt hoera voor de kermis.

Dirk loopt een eind voor ons uit. Zijn rug schaamt zich. Hij gaat de Zonstraat in, café De Zon voorbij, Sam en ik erachteraan. De kermis wordt zachter, alleen de pieken en dalen van het geluid hoor ik nog. Niet naar de kermis dus. Sam ramt me op wedstrijdsnelheid door de straten. We komen bij de rand van het dorp, bij de oude boerderij van Hoving. Daar stoppen we, Dirk is het tuinhek al door. Ik ben hier heel lang niet geweest.

– Help even! roept Sam.

De banden van de kar gaan niet door het hoge gras met zuring en klaprozen. Dirk komt erbij en samen wrikken ze de kar door de tuin van Rinus Hoving die dood is. Zijn boerderij staat leeg en zolang de erfgenamen ruziemaken over de bestemming gebeurt er niks mee. Door de deur van de bijkeuken tillen ze me het huis in. De rode plavuizen zijn bedekt met een kleed van stof. Ik zie er voetstappen in. Ze rijden me de keuken door, de gang in tot in de grote woonkamer en achter de glazen schuifdeuren van de opkamer zetten ze me neer.

– Zet hem bij het raam, zegt Dirk. Dan heeft ie wat te kijken.

– Zet hem zelf bij het raam.

Bij Sam slaat de twijfel toe. Bij Dirk niet. Die twijfelt niet, daar is hij te stom voor.

– Dit kunnen we eigenlijk niet maken, zegt Sam.

– Hij heeft het aan zichzelf te wijten. Ik ga echt niet met hem in de Hully Gully als ze dat soms denkt.

Ze, dat is ma. Niet dat Dirk daar respect voor heeft maar ze heeft een machtig instrument tot haar beschikking: de hand van pa. Sams hoofd verschijnt in beeld.

– We zijn zo terug Fransje, een uurtje ofzo.

Dan zijn ze weg.

Fantastisch dit, als een bos kreupelhout geparkeerd in een slooppand. Dat je weet wat je van ze kunt verwachten. Ik dacht het al wel, ik wachtte alleen nog op de feiten. Feiten zijn minder erg dan vermoedens. Feit is dat ik tot stilstand ben gekomen in een donker huis dat in mijn nek ademt. En dat mijn uitzicht een vensterbank is met dode bromvliegen, spinnenwebben en stofpluizen. Mijn angsten hebben één oog open allemaal, die belazer je niet, die zijn klaarwakker. En daar zijn ze, met z'n allen tegelijk zetten ze een keel op, niet mooi meer. Beesten! Kinderlokkers! Dingen! Paniek kortom. Maar hoe lang kun je achter elkaar bang zijn zonder dat er iets gebeurt?

Langzaam wordt het een ongemakkelijk gevoel en als er dan nog steeds niks gebeurt lach je om jezelf. Maar dáár was wel een geluid! Ik zweer het, een deur die dichtsloeg, iets dat viel... Ik draai mijn hoofd, wat zoveel inspanning kost dat ik kreun als een debiel. Alsof je een boom moet omduwen met je voorhoofd. Dáár, in de deuropening...

– Hallo, zegt de figuur die daar staat.

Een jongensstem. Ik kijk tegen het licht in dat uit de keuken komt, en zie alleen zijn silhouet uitgeknipt tegen de deuropening. Hij komt naar me toe. Een jongen, godzijdank alleen maar een jongen. Hij komt voor me staan en neemt me ongegeneerd in zich op. Zijn blik glijdt langs de beugels waarin mijn voeten geklemd zijn, het blauwe zitvlak – zuiver skai meneer –, de zilveren buizen en de trekstang rechts met het houten handvat eraan waarmee je de zwenkwieltjes voor kunt draaien en armkracht kunt overbrengen op het achterwiel, zodat je jezelf kunt voortbewegen in dit ding. Op de groei gekocht, zeg maar. Maar een puik karretje, altijd binnen gestaan, je kent dat wel. Ze zeggen dat ik zelf zal kunnen rijden op een dag, maar zoals het nu is krijg ik nog geen vlieg van mijn voorhoofd af.

– Hallo, zegt die jongen nog een keer. Kun jij niet praten?

Een bruin hoofd met heldere ogen. Haar coupe bloempot. Hij draait zich om en kijkt uit het raam. Hovings tuin: rode klaverbollen, brandnetels en de klaproos die zich graag laat bekijken maar zo beledigd is als je haar plukt dat ze verschrompelt waar je bij staat.

– Ze hebben je hier geparkeerd hè? zegt de jongen met zijn blik op Lomark.

De hoogste gondels van het reuzenrad steken boven de huizen uit. Hij knikt.

– Ik heb over jou gehoord. Je bent er een van Hermans, van de sloperij. Ze zeggen dat Moeder Maria een wonder aan je heeft gedaan. Ik zie er weinig van, als je het niet erg vindt. Als dit een wonder is, hoe ziet straf er dan uit, snap je?

Hij knikt alsof hij het erg eens is met zichzelf.

– Ik heet Joe Speedboot, zegt hij dan. Ik ben hier pas komen wonen. We wonen aan het Achterom, ken je dat?

Brede handen, korte vingers. Brede voeten ook, waarop hij staat als een samoerai, waar ik toevallig het een en ander van weet, van de samoerai. Van de *seppuku*, de weg van het sterven om je eer te redden, waarbij je een kort zwaard in je buik steekt en hem van linksonder naar rechtsboven openhaalt. Aan de lengte van de snede kun je zien hoe dapper iemand was. Maar dat was niet het onderwerp.

Ik zie waar Dirk de ziekte in heeft, het straalt van hem af als licht: hij is niet bang. Joe Speedboot, bommenlegger, wakkerstamper – met je afgeknipte broek en maffe sandalen van uitgedroogd leer. Waar was je al die tijd?

– Even iets halen, zegt hij.

Hij verdwijnt uit mijn gezichtsveld en ik hoor hem een trap op gaan ergens in het huis, gevolgd door voetstappen boven mijn hoofd. Heeft hij daar zijn werkplaats? Voor die bommen enzo? Speedboots *control room*? Wanneer hij weer beneden komt, heeft hij een wasmachineklok en twee batterijen van Zwarte Kat in zijn handen. Hij gaat in de vensterbank zitten en verbindt met een geconcentreerde frons de polen van de batterijen. Dan monteert hij een palletje aan de klok en draait de klok op nul. Opeens kijkt hij op.

– We hebben pech gehad bij de verhuizing, zegt hij ernstig. Een ongeluk. Toen is m'n vader doodgegaan.

Dan buigt hij zich weer over zijn werk.

De eerste keer dat Lomark van Joe en zijn familie hoorde, was toen die Scania het monumentale trapgevelpand van de familie Maandag in de Brugstraat binnen reed. Bijna tot aan zijn kont in de voorkamer, waar de zoon Christof met een videospelletje voor de buis zat. Die bleef doodstil zitten toen het gebeurde. Het eerste wat hij na een tijdje zag, was een koplamp die als een woedend oog door de werveling van stof en puin prikte. Het drong maar langzaam tot hem door dat er een vrachtwagen in zijn huis stond. Al die tijd hoorde je alleen het toeink-toeink van het balletje van zijn videospel dat over het beeldscherm sprong.

Op de grill van de Scania hing het bovenlichaam van een man. Zijn armen hingen slap naar beneden, een vogelverschrikker die uit de hemel was gevallen. Zijn onderlichaam stak nog in de cabine en hij was dood, zoveel was duidelijk. Maar daarboven was nog leven: het rechterportier zwaaide langzaam open en Christof zag een jongen naar beneden klimmen van een jaar of twaalf, dertien, ongeveer zijn leeftijd. Hij droeg een goudkleurig hemd, een knickerbocker en sandalen aan zijn voeten. Hij zag eruit alsof zijn ouders niet helemaal wijs waren, en keek onaangedaan de kamer rond terwijl er kalk op zijn hoofd en schouders dwarrelde.

– Hallo, zei Christof met de joystick nog in zijn hand.

De ander schudde zijn hoofd alsof hij iets raars dacht.

– Wie ben jij? had Christof toen maar gevraagd.

– Joe heet ik, zei de jongen, Joe Speedboot.

Zo kwam hij als een meteoriet ons dorp binnen, waar we een rivier hebben die in de winter buiten haar oevers treedt, een vast web waarlangs geruchten zich verspreiden en een haan in het dorpswapen, de haan die duizend jaar geleden ofzo een bende noormannen voor de poorten van Lomark heeft verjaagd terwijl onze voorouders in de kerk zaten te bídden godbetert. 'Ut was de hoan die kroanig blef' zeggen we hier. Iets dat iets anders buiten houdt, dat is ons symbool. Maar Joe kwam met zulk geweld binnenzeilen dat niets hem had kunnen tegenhouden.

Hij was door het ongeluk een halve wees geworden, want de man die door de voorruit van de vrachtwagen hing was zijn vader. Zijn moeder lag bewusteloos in de cabine, zijn jongere zus India keek naar de zolen van haar vaders schoenen. Christof en Joe keken naar elkaar als wezens uit andere sterrenstelsels – Joe gestrand met zijn ruimteschip en Christof die zijn hand uitstak om het eerste contact te maken. Hier was iets dat hem zou bevrijden uit de drukkende onbeweeglijkheid van dit dorp, woar de hoan de enige was die kroanig blef, dat gehate beest dat je overal tegenkwam, op de deuren van de brandweerwagens, op de gevel van het gemeentehuis en in brons op het marktplein. De haan werd tijdens carnavalsoptochten rondgereden op een wagen, kukelde naar je vanaf decoratieve dakpannen naast tientallen voordeuren en incarneerde als hoantie bij de banketbakker (een zanderige klotekoek met mueslivlokken erop). Op dressoirs, schoorsteenmantels en vensterbanken zag je glazen hanen, keramische hanen en gebrandschilderde hanen, aan de muren hingen hanen in olieverf. Onze creativiteit is grenzeloos wanneer het om die haan gaat.

Joe keek zijn ogen uit in het huis waar het lot (lees: een stuurfout gecombineerd met een overschrijding van de maximumsnelheid in de bebouwde kom) hem naar binnen had geslingerd. Bij hem thuis, het oude huis dat ze hadden verruild voor dat in Lomark, hingen geen olieverfschilderijen aan de muur met ernstige koppen erop die je aankeken alsof je iets had gejat. En nou had je altijd wel iets gejat dus zouden die koppen ook altijd zo blijven kijken zodat je er niet bang voor hoefde te zijn, maar juist vriendelijk naar ze moest knikken en zeggen 'toe maar jongens, probeer maar eens een lachje'.

De kroonluchter vond hij ook mooi, net als het antieke buffetkarretje waarop de kristallen decanteerflessen van Egon Maandag stonden, gevuld met whisky van Loch Lomond tot Talisker. Bij Joe hadden ze alleen buikige flessen vlierbessenwijn, dieppaars en zelfgemaakt, met een waterslot dat borrelde als een maaglijder. Die wijn was altijd nét niet op dronk of nét over de datum. 'Maar wel een bijzondere smaak, vind je niet, lieve?' (Zijn moeder tegen zijn vader, nooit andersom.) Daarna dronken ze manhaftig, om het bocht een dag later alsnog door de plee te spoelen omdat hun katers het meeste weg hadden van de bijna-doodervaringen van Russische spiritusdrinkers.

Joe hoorde later dat hij in de salon van de Maandag-clan was beland, de belangrijkste familie van Lomark, eigenaar van de asfaltfabriek aan de rivier. Egon Maandag had vijfentwintig man in dienst in de fabriek, plus een dienstmeid en soms een au-pair uit telkens een ander buitenland.

En Joe keek maar.

Later zei Christof dat hij zo keek om de dode man niet te hoeven zien die uit de voorruit hing. Toen zijn ogen zich losmaakten van Christof en zijn omgeving keek hij eindelijk achterom naar zijn vader. Hij strekte zijn hand uit en legde hem op het bebloede achterhoofd. Heel voorzichtig streelde hij zijn haar en zei iets dat Christof niet verstond, hij schokschouderde en liep naar het gat dat de vrachtwagen in de buitenmuur had geslagen. Over de brokstukken heen klom hij naar buiten, de zon in. Hij liep de Brugstraat uit naar de winterdijk, klom eroverheen en ging in de richting van de rivier. In de uiterwaarden waren springerige vaarzen, aan het prikkeldraad hingen plukken droog gras als vlassige noormannenbaarden, die daar waren achtergebleven na de overstromingen van de winter. Joe bereikte de zomerdijk en het veer daarachter. Op de gierpont ging hij aan de reling zitten, stak zijn benen buitenboord en keek niet op of om toen Piet Honing uit de stuurhut kwam om geld te vragen voor de overtocht.

Dat Joe bevriend raakte met Christof was even onvermijdelijk als vis op vrijdag. Het begon met die blik van Christof, die *gretig* naar de witbestoven jongen uit de verhuiswagen keek. Achter Joe trok daglicht door de verpulverde buitenmuur de salon binnen en vulde de ruimte met een gonzende voorjaarsdag. Christof had nog nooit zoiets gezien. Het beeld van de jongen in die vloed van licht vervulde hem met het verlangen zijn oude leven af te gooien.

Maar Christof was niet zo, en hij zou ook nooit zo worden. Daarvoor was hij te zenuwachtig en te veel een twijfelaar. In zijn wens om net zo te zijn als de jongen uit de vrachtwagen zat ook dat soort jaloezie waar je jeuk van in je hoektanden krijgt, en de vampierachtige neiging om het leven uit iemand te zuigen.

Het ongeluk met de vrachtwagen vormde hen. Het versterkte de stoïcijn in Joe en bracht bij Christof iets ouwelijks boven, iets zorgelijks. Wilde Joe een vliegtuig bouwen, dan zei Christof: 'Zou je niet eerst je bagagedrager repareren?' Knutselde Joe een apparaat in elkaar waarmee hij de zondagse radio-uitzendingen van de Evangelische Gemeente – 'Radio God' in de volksmond – kon vervangen door achterwaarts gedraaide speedmetal, en ging op dat moment toevallig net het maandelijkse alarm van de burgerwacht af op het dak van de Rabobank, dan was dat voor Christof het teken dat stoorzenders bouwen een onheilzame weg was. Voor Joe betekende het dat het twaalf uur was, en dat hij honger had.

Joe viert onze eerste ontmoeting met een prijsbom, zo zie ik het. Dezelfde nacht nog nadat we elkaar zagen in Hovings boerderij: heel Lomark rechtop in bed. Het is een gave. Honden blaffen, in sommige huizen gaan de lichten aan, mensen verzamelen zich in groepjes op straat. Joe's naam is op ieders lippen. In bed grijns ik mijn tanden bloot.

Een paar mannen gaan op onderzoek uit. Hij heeft een elektriciteitshuisje opgeblazen. Nu heeft de kermis geen prik meer, en een heel aantal huizen ook niet.

De maan likt aan de stangen van mijn bed. Ik oefen mijn arm.

Ik beweeg weer. Het is niet te geloven maar ik kan rechtdoor en ik kan draaien met die kar. Ik beweeg hem door aan die stang te trekken en hem weer van me af te duwen. DSV: Door Spierkracht Vooruit. Verder ben ik zo spastisch als wat, soms vliegen er dingen door de lucht als ik ze vastpak, maar in het interval tussen de spasmen kan ik wel het een en ander. Ik moet veel oefenen. Sinds een maand ga ik weer naar school want met mijn hoofd is niets mis, al kan ik nog steeds niet praten. Ik moest beginnen waar ik geëindigd was, derde jaar middelbare school, zodat ik nu bij Joe en Christof in de klas zit.

Remmen is het moeilijkst, vooral als ik van de dijk naar beneden ga, de uiterwaarden in over de Lange Nek, dat gaat veel te hard. De Alles-Wordt-Minder-Mannen op de dijk kijken naar mij. Die zitten daar bijna altijd op hun bank, fietsen op de standaard ernaast. Ze zien alles, die houtige oude tuinders van wie de meesten de Tweede Wereldoorlog nog hebben meegemaakt. Ik kijk niet terug, ik mag ze niet.

De brandweer tankt bluswater in het Gat van Betlehem, de zandafgraving van de asfaltfabriek. De mannen dragen donkere overalls met witte T-shirts waar dikke armen uit steken. Zelfs hier hoor ik ze lachen om brandweergrappen, want water draagt ver. Een van de brandweermannen ziet mij en zwaait. Achterlijke.

Boven mijn hoofd ruisen de populieren, in het weiland rechts van de Lange Nek zijn een stuk of tien dwergpaardjes verdwaald in het hoge gras. Ze drinken groen water uit een badkuip bij het prikkeldraad. Ik dacht dat ze van Natte Rinus waren. Die heeft al vaker een boete gehad voor verwaarlozing.

Dan Betlehem Asfalt, de fabriek van Egon Maandag. Shovels nemen happen uit de stenen heuvels op het terrein. 's Avonds is de fabriek vanuit de verte te zien als een oranje luchtbel, wanneer er groot onderhoud is aan de wegen gaat het werk vierentwintig uur per dag door. Betlehem Asfalt is de kurk waarop Lomark drijft, zeggen ze, en elke familie staat haar eerstgeboren zoon af.

Ik drijf van het zweet en mijn arm steekt maar ik ben nu bijna bij de rivier. Ik zie de twee grote wilgen aan de overkant al, en de pont halverwege. Piet Honing zegt altijd: 'De pont is een voortzetting van de weg met andere middelen,' en dat is grappig bedoeld. Ik mag gratis mee sinds ik niet meer kan lopen. Dat heeft ermee te maken dat ik zowel de dood als het leven ken, zei Piet een keer, maar hoe dat precies zit heeft hij niet uitgelegd. Ook Joe heeft hij na die eerste keer nooit meer een cent gevraagd.

Piet bereikt de overkant, de laadklep schraapt over het beton van de veerstoep. Op het midden van de rivier drijft een feestboot stroomafwaarts, je kunt de muziek en het getingel van de glazen hier horen. De gasten leunen elegant tegen de reling. Kun je jaloers zijn op hoe licht een rivierboot drijft? Bij de boeg reizen twee schuimende golfjes mee, alsof ze erop geschilderd zijn. Stroomopwaarts is Duitsland, waar de heuvels zijn met luchtballonnen erboven. Luchtballonnen zijn oké, dat vindt iedereen. Wist je trouwens dat die vreemde dingetjes die in en uit je beeld drijven als je ergens naar staart, eiwitten op je oogbollen zijn?

Honing laat de slagboom zakken, trekt de laadklep op en de gashendel open. Hij komt los van de kant en heel dat treurige boeltje schommelt deze kant weer op. De rafelige vlaggen van Total rimpelen in de bries.

Achter de heuvels en de luchtballonnen wordt het avond. De feestboot is om de bocht verdwenen, God weet waar naartoe. Het lijkt of zulke schepen altijd stroomafwaarts drijven en die van de binnenvaart altijd de andere kant op, naar Duitsland, zwaar dieselend tegen de stroom in.

Piet legt aan en komt van boord, hij zegt: 'Zo jochie...' Hij pakt mijn wagen bij de handgrepen en duwt me op de pont. Ik hou niet van geduwd worden, maar laat maar. Bij een uitsparing voor strooizout en bezems zet hij me neer.

De avond rolt de dag op als een krant. Ik ruik olie en water. We stampen naar de overkant waar een auto met zijn lichten knippert. Duisternis valt daar uit de takken van de wilgen op de koeien die eronder liggen. Koeien zijn idioot, die staan altijd maar zo'n beetje te dromen op niks af. Nee, dan paarden, als die stilstaan lijkt het of ze tenminste ergens over nadenken, echt diep nadenken over een bepaald paardenprobleem, terwijl koeien kijken zoals de hemel naar ons kijkt: groot en zwart en leeg.

Sommige mensen zijn doodsbang op dit pontje, zo slingert en stampt het. Er spoelt ook weleens water over het dek maar daar moet je niks ergs van denken. Het is gewoon dat het al sinds 1928 in de vaart is en eigenlijk werd gebouwd voor op een rustig kanaal, en niet voor op een rivier met al haar nukken. Pa zegt: 'Dat ding is een gevaar voor de volksgezondheid. Het had allang naar Hermans en Zn. gemoeten.' Alsof de volksgezondheid hem iets kan schelen als hij er geen krats mee verdient. Maar Piet houdt zijn schip koste wat kost in de vaart, ook al is het weinig meer dan een stuurhut met een metalen plaat waar krap zes auto's op passen.

Als je ernaar vraagt, legt Piet je uit dat dit een gierpont is die werd gemotoriseerd toen de binnenvaartschepen steeds sneller werden; het werd te gevaarlijk om alleen op de stroom over te steken. Want dat is wat een gierpont doet. Hij ligt vast aan drie oude sloepen, de bochtakers, die stroomopwaarts liggen. De laatste ligt met een enorm anker vast in de bodem. Aan het uiteinde van die slinger zit de pont. De pont maakt een slingerbeweging over het water, als de staart van een pendule met zo'n metalen dennenappel onderaan. Door één lier in te halen en de ander te laten vieren, zorgt de zijwaartse stroming dat het ding aan de overkant komt, maar tegenwoordig gebruikt Piet dus ook de motor omdat hij anders die bullebakken van de binnenvaart over zich heen krijgt. Soms heeft Piet schade als er schepen tegen de kabels tussen de bochtakers varen. Dan vaart hij een dag niet vanwege reparatie.

Hij komt zijn stuurhut uit.

– Een prachtige avond jochie.

Er loopt een guts kwijl uit mijn mond als ik naar hem op-kijk. Liters heb ik van dat spul. Ik kan er goudvissen in hou-den. Een binnenvaartschip vaart ons tegemoet, geladen met bergen zand.

– We moesten die boel 's een beetje opknappen, verzucht Piet. Net als vroeger, toen hadden we een knap wachtlokaal-tje, kreeg je koffie en koek terwijl je wachtte. Stonden ze rond de kachel als het koud was, te wachten tot ik er was. Met die brug en de snelweg was het snel gebeurd. Moet je nu eens zien. Maar wacht maar tot de wegen vollopen, dan zullen we ze eens laten zien wie hier de snelste verbinding heeft.

Ik vind hem een beetje verdrietig de laatste tijd. Het bin-nenvaartschip passeert ons. De dekluiken staan open, bergen zand torenen uit de ruimen, als kartels op een drakenrug. Een drijvend heuvellandschap voor Duitsland. Geen wonder dat dit land zo plat is als je de heuvels exporteert.

In de lucht is één wolk in de vorm van een voet. Wie daar, vraag ik me af. Wie daar. Begrijp je?

Joe vertelde niemand zijn echte naam, ook Christof niet, die toch zijn beste vriend was geworden. Dat zijn achternaam eigenlijk Ratzinger was wisten we, maar zijn voornaam was een geheim.

Normaal, als je je naam krijgt, weet je niet beter, je heet nu eenmaal zo en zeurt er verder niet over. Je hebt er niks over te zeggen, jij bent je naam, je naam is jou, samen zijn jullie één, na je dood leeft je naam nog wat voort in de hoofden van een paar mensen, vervaagt op je grafsteen en dat was dan dat. Maar Joe was er ontevreden over. We hebben het nu over de tijd voordat hij in Lomark woonde. Hij wist dat hij met zijn echte naam nooit zou kunnen worden wat hij wilde zijn. Met zo'n naam kon je nooit iets of iemand anders zijn. Dan kon je net zo goed een ziekte hebben waardoor je bijvoorbeeld je huis niet uit kon. Het was een vergissing, hij was geboren met de verkeerde naam. Hij was een jaar of tien toen hij besloot dat hij die naam, die naam als een klompvoet, zou afleggen. Hij zou Speedboot heten. Hoe hij daaraan kwam wist hij niet, maar Speedboot zat hem als gegoten. Een voornaam had hij nog niet maar daar maakte hij zich geen zorgen over, die kwam vanzelf, als je de achternaam maar vast had.

Zijn voornaam liet niet lang op zich wachten. Toen hij op een dag langs een bouwsteiger liep, met zo'n lange slurf eraan waardoor ze puin naar beneden storten in een container, kreeg Joe – die op dat moment dus nog niet zo heette – bouwstof in zijn ogen en stond stil om erin te wrijven. Op de steiger stond een radio vol gruis en verfspatten, en daar kwam op dat moment zijn voornaam uit te voorschijn. Zo blij als een kind dat zijn moeder herkent in een menigte, hoorde hij voor het eerst zijn voornaam klinken: Joe. In het liedje 'Hey Joe' van Jimi Hendrix: 'Hey Joe, where you going with that gun in your hand / Hey Joe, I said where ya going with that gun in your hand / I'm going down to shoot my old lady now / You know I caught her messing 'round with another man.'

Joe dus. Joe Speedboot. Met zo'n naam kon je de wereld in.

Zijn bestemming vond Joe in de kleine voortuin van het huis aan het Achterom. Het was vroeg in het voorjaar, na hun eerste winter in Lomark. Ik lag toen nog bij te komen in het ziekenhuis, Joe harkte oud blad op hopen in de tuin; fris, koud licht gutste over de bedorven resten van de seizoenen. Onder het blad kwam bruingeel gras te voorschijn en doorschijnende slakkenhuizen. Uit de richting van Westerveld kwam een geluid – van iets dat scheurde, iets dat pijn deed. Het kwam in golven die vlug groter werden. Een jonge populier stond zenuwachtig te ritselen. Joe klemde de hark tegen zijn borst en wachtte af in die klassieke rustpose van medewerkers van de plantsoenendienst.

Toen zag hij ze: zeven glanzende Opel Manta's, zwart als de nacht en met uitlaten eronder die vuur en rook braakten. Aan het stuur zaten jongens met grimmige inteeltkoppen en haar op de binnenkant van hun handen. Sigarettenrook trok door de open ramen, ze hadden hun linkerarm losjes buiten hangen, en Joe keek verbijsterd naar de processie die voorbij trok als langzaam onweer. Hij liet de hark vallen en sloeg zijn handen voor zijn oren. De knalpijpen glansden als bazuinen, de wereld leek te verschroeien in allesverzengend lawaai wanneer de jongens het gaspedaal intrapten met de koppeling in, alleen om te laten weten dat ze bestonden, zodat níemand daaraan zou twijfelen, want wat niet weerkaatst, bestaat niet.

Het was Joe's eerste les in de kinetica, in de schoonheid van beweging, aangedreven door de verbrandingsmotor.

De stoet liet een luchtbel van stilte achter, en in die stilte hoorde Joe de stem van zijn moeder door het open raam: 'Hufters!'

Regina Ratzinger (wie haar per ongeluk 'mevrouw Speedboot' noemde werd vriendelijk maar beslist gecorrigeerd) versleet 's morgens haar rug als huishoudster bij de familie Tabak en breide zich 's middags een peesontsteking in de ellebogen om het hele dorp te kunnen voorzien van wollen truien. Die truien waren van uitzonderlijke kwaliteit, een feit dat zich uiteindelijk tegen haar heeft gekeerd, want doordat ze onverslijtbaar bleken werd er een verzadigingspunt bereikt, en verkocht ze ze nauwelijks meer. Het kortstondige succes van haar truien werd ook verklaard door de goed gelijkende hoantjes, die ze met fijn draad op de borst toverde.

Het huis stond vol manden wol, wat de mot aantrok. Op strategische plaatsen hing lokaas om ze te vangen, kleverige kartonnetjes met de geur van mottenseks erop. Soms hoorde je Regina Ratzinger 'Mot! Mot!' schreeuwen, gevolgd door een daverende klap, India die 'Ah, wat zielig' zei en Joe die grinnikte.

Christof werd er gek van dat hij Joe's echte naam niet wist. Op een dag ging hij naar Regina Ratzinger.

– Mevrouw Speed... sorry, mevrouw Ratzinger, hoe heet Joe écht?

– Dat mag ik niet zeggen, Christof.

– Maar waaróm dan niet? Ik zal het aan niemand doorvertellen...

– Omdat Joe dat niet wil. Hij vindt dat iedereen in zijn leven één geheim moet hebben, hoe groot of klein ook. Sorry Stoffeltje, ik kan je niet helpen.

Christof was vernoemd naar zijn grootvader, die was afgebeeld op een van de schilderijen in het huis in de Brugstraat; vereeuwigd tegen een achtergrond van klassieke ruïnes keek hij uit op de salon die verwoest was door de vrachtwagen. Toen Regina hem 'Stoffeltje' had genoemd, besloot Christof dat hij Johnny wilde heten, Johnny Maandag. En dat was absoluut een goede naam, tenminste, als je niet zou weten dat hij eigenlijk Christof heette en in navolging van Joe Speedboot zijn naam veranderd had.

Het is nooit wat geworden met die naam. Alleen Joe heeft hem een tijdje zo genoemd, verder niemand.

Christof logeerde tijdens de vakanties vrijwel onafgebroken bij Joe thuis, waar veel meer mocht. Ze reden altijd samen op één fiets, Christof staand op de bagagedrager bij Joe achterop als in een Koreaans circusnummer, op weg naar de Spar voor een fles Dubro of naar snackbar Phoenix voor patat. Zo kwamen ze op een dag langs het verwoeste huis in de Brugstraat, dat was afgeschermd door steigers en bouwplastic. Het huis werd herbouwd en daarna verkocht omdat Egon Maandag zei dat hij er geen nacht meer rustig zou kunnen slapen sinds het ongeluk. Hij liet een villa bouwen op een verhoogd stuk grond buiten Lomark, zodat hij bij een hoge waterstand droge voeten hield. Nu kwam hij onder het plastic bij de voordeur vandaan en keek verbaasd naar zijn zoon die op de bagagedrager stond.

– Hoi, zei Christof.

– Dag Christof, zei zijn vader, en dat was geloof ik het enige wat ze die zomer tegen elkaar zeiden.

Joe en Christof aten vaak patat. Het meisje van snackbar Phoenix had een mooi gezichtje en een rond lichaam.

– Wat zal het wezen voor de heren.

– Eén patat oorlog, extra large met twee vorkjes, zei Christof. En weet jij eigenlijk waarom het hier Phoenix heet?

Het meisje schudde haar hoofd.

– Dat is een mythische vogel die oprijst uit zijn eigen as, zei Christof. Behoorlijk raar dat je dat niet weet.

– O sorry hoor, zei het meisje.

Ze keek geïnteresseerd rond alsof ze iets zag dat er eerder niet was.

– Is hij hier voor het laatst gezien ofzo, vroeg ze toen, dat het zo heet?

– Ja, zei Joe ernstig, precies hier had hij zijn nest.

Patat bruiste in het vet, in het raam zeurde een bromvlieg aan het eind van zijn dagen. Het meisje tilde de frieten uit het vet en schudde ze droog waarbij Joe en Christof naar haar machtige achterwerk staarden dat ritmisch meeschudde. Er ging iets lokkends vanuit. Ze strooide zout over de friet en schepte die om. Joe en Christof prentten zich haar fenomenale hammen goed in.

– Eén patat oorlog voor meneer Christof, zei ze.

– Hij heet Johnny, zei Joe. Mag ik meer mayo?

Omdat ik een jaar heb verloren door het ongeluk, zit ik nu in de derde klas bij leerlingen die ik nauwelijks ken. Ik ben weliswaar de oudste, maar als je me rechtop zou zetten ook de kleinste.

Op de eerste schooldag vroeg Verhoeven van Nederlands wat we in de zomervakantie hadden gedaan.

– En jij Joe, vroeg hij halverwege de ronde, wat heb jij gedaan de afgelopen weken?

– Gewacht, meester.

– Waar heb je op gewacht?

– Tot school weer begon, meester.

Eindelijk heb ik alle gelegenheid om in zijn buurt te zijn. Maar op een ochtend vraagt Joe aan meester Beintema of hij even naar de wc mag. Even later horen we een donderende klap ergens in het gebouw.

– Joe, zegt Christof zacht.

Die kloot heeft op de plee zitten knutselen aan een bom. Zijn hand er half af, een bloedspoor uit de plees naar buiten en de directeur die hem achterna rent. Joe probeert zich uit de voeten te maken als een gewonde rat, maar de directeur haalt hem halverwege het schoolplein in en begint hem uit te vloeken, niet mooi meer. Joe luistert niet echt want hij valt om alsof iemand een kleed onder hem wegtrekt. Er komt een ambulance, er is een heel gedoe omheen en Joe zien we een tijd niet. Hij heeft veel schade van die misbom.

De klas raakt langzaam aan mijn aanwezigheid gewend. Met mondeling hoef ik niet mee te doen want elk antwoord duurt minstens een uur en is dan nog niet te verstaan. Heel vermoeiend allemaal.

Het is erg pijnlijk dat ik nog niet alleen kan pissen, en op de een of andere manier is het ervan gekomen dat Engel Eleveld me daarbij helpt. Engel is een wonderlijk iemand. Hij is het soort jongen dat je jarenlang niet opvalt, bijna alsof hij onzichtbaar is, tot je hem opeens *ziet* en een radeloos gevoel van vriendschap voor hem opvat.

Engel heeft zelf aangeboden om mij te helpen, ik weet niet hoe hij aan de informatie over mijn specifieke hulpbehoevendheid komt, maar alle hulp is welkom. We gaan samen naar de plee, hij stroopt mijn broek af en hangt mijn pik in het urinaal, dat ik altijd bij me heb in het zijvak van mijn wagen. De eerste keren wil ik dood zijn, niet eens zozeer wanneer hij mijn slurf in het reservoir stopt, maar wanneer hij het urinaal schoonspoelt bij de wastafel. Gek genoeg doet niemand er raar over tegen Engel, dat hij mijn pismaat is, ik heb er tenminste nooit iets over gehoord.

Je zult je misschien afvragen hoe het dan gaat met poepen, of Engel me daar ook bij helpt. Natuurlijk niet! Poepen doe ik thuis. Ma helpt me daarbij. Ik duld niemand anders achter mijn hol.

De wc-deur op school is na de explosie weer in zijn hengsels gehangen en de conciërge zegt tegen iedereen die het wil horen (eigenlijk niemand maar hij dramt gewoon door) dat hij zoiets nog nooit heeft meegemaakt. Wat mij interesseert is wát Joe eigenlijk had willen opblazen. Of wie.

Wanneer Joe terugkomt – zijn hand in het verband, hechtingen in zijn hoofd – vraagt eigenlijk niemand er meer naar. Het wordt doodgezwegen, lijkt wel. Heel raar, alsof ze liever niet willen weten dat Joe een stommiteit heeft begaan. Het staat hem niet. Ik voor mij merk hoe graag ik wil dat hij de wereld op zijn donder geeft, want als iemand dat kan is hij het.

Joe is een beetje stil de eerste tijd nadat hij terug is, en Christof waakt over hem. Wanneer Joe in de klas het verband eraf haalt waar iedereen bij is, houdt Christof de nieuwsgierigen eerst nog een beetje op afstand.

– Joe, zegt hij bezorgd, is dat niet gevaarlijk?

– Gevaar is waar je het niet verwacht, mompelt Joe, en wikkelt het verband verder af.

Hij komt naar mij toe en houdt zijn hand voor mijn ogen.

– Kijk Fransje, zo ziet domheid eruit.

Mijn maag draait om. Zijn rechterhand is een soort vleesfantasie in geel, groen en roze, losjes bij elkaar gehouden met driehonderd hechtingen ofzo. Hij mist een pink en een ringvinger.

– Sjeezus Joe, zegt Engel Eleveld kleintjes.

Heleen van Paridon kokhalst maar houdt haar lunch binnen.

– Beetje frisse lucht erbij en klaar is ie weer, zegt Joe.

– Heb jij die andere bommen ook gelegd? vraagt Quincy Hansen, die pisvlek waar ik nu wéér bij in de klas zit omdat hij voor de tweede keer is blijven zitten. Ik zou mijn geheimen eerder aan een slang vertellen dan aan Quincy Hansen.

– Moet je niet bij mij wezen, zegt Joe.

– Wel waar! roept Heleen van Paridon.

Ze is vrij agressief als je het mij vraagt.

– Niet waar, zegt Christof met de onschuld van een heilige.

Heel goed, nooit toegeven. Er ontstaat een soort ruzie, die Joe al snel verveelt zodat hij opstaat en wegloopt.

– Wie heeft het dán gedaan?! roept Heleen hem na. Fransje zeker?

Joe draait zich om en kijkt naar mij, dan naar Heleen.

– Fransje kan meer dan je denkt, zegt hij.

Dan is hij weg, Christof achter hem aan. Ze kijken allemaal naar mij. Ik blaas spuugbellen, zij lachen. Lach maar, lachen is gezond.

Ik doe nergens aan mee. Onmogelijk. Ik zorg er wel voor altijd in beweging te zijn, koersend en loerend: de eenarmige bandiet met zijn bionische ogen. Niets ontgaat hem, hij geeft zijn ogen goed de kost. Hij verzwelgt de wereld zoals een python een biggetje soldaat maakt. If you can't join them, eat them, hoe vind je die. Heuvel op heuvel af, door weer en wind met het schuim op de bek. Op wacht in zijn strijdwagen, een regenponcho om wanneer het spookt, een zuidwester op wanneer de storm aan uw luiken rukt of met een hawaïhemd in de smeltende zon. Vrees niet, De Ogen waken.

Ik heb Joe en Christof naar de rivier zien gaan, als een slak kruip ik erachteraan. Waar de trekstang energie overbrengt op het wiel knarst het. Niet dat ik me bij Joe en Christof opdring, dat ziet er anders uit. Actiever. Ik kan niet voorbij de grenzen van het asfalt, en mag Betlehem Asfalt wel dankbaar zijn. Joe had zijn viskoffer achterop en Christof op de stang. Ze zitten daar vaak aan de oever.

De distels pluizen, boeren schudden hooi en de meeuwen hebben feest. De zomer is overrijp nu. Ik kan twee kanten op, links langs de zandafgraving en tussen de maïsvelden door naar de rivier, of rechtdoor, over de Lange Nek tussen de populieren naar het veer. Ik neem een gok en ga links, het hobbelweggetje achter het Gat van Betlehem langs. De fabriek haalt al haar zand uit die afgraving. Niemand weet hoe diep het al is maar het water is zelfs in de heetste zomer ijskoud, dus dat zegt wel wat.

Achter het Gat gebeurt het, hier komen ze in de schemering op brommers uit het dorp om te kussen enzo. Je ziet de bewijzen zo liggen, wietzakjes, peuken, lege aanstekers, condooms.

In de winter staat alles hier onder water, daardoor zit de weg vol gaten. In het voorjaar, als het water weg is, storten ze de gaten vol puin en vermalen baksteen, maar echt egaal wordt het er niet van.

Zwermen mussen stijgen op uit de maïs wanneer ik langskom, kreunend van de steken in mijn arm en schouder, want je moet het zien alsof je met één arm een dood paard naar huis duwt. Ik wil niet zielig doen maar zo is het gewoon. Dirk verdomt het om mijn wagen te smeren, hoe vaak ma het ook tegen hem zegt. Hij gaat liever naar zijn minne vriendjes met wie hij schunnige fantasietjes ten uitvoer brengt. Dingen martelen enzo. Hij deugt niet, die jongen. Ze hebben hem al een tijdje uit huis geplaatst omdat hij Roelie Tabak aan een boom had vastgebonden en takjes in haar had gestoken. Toen hij terugkwam was het alleen maar erger, maar dan stiekem. Hou die smiecht in de gaten.

De zon fikt in mijn nek. Rond het zandgat staan overal borden met GEVAARLIJK TERREIN – OEVERVAL MOGELIJK. Op één zo'n paal zit een beul van een kraai, een gemeen monster dat klinkt als een oude schuurdeur. Oeverval is wat er twee jaar geleden gebeurde, op een nacht in de herfst, toen de weg naar het veer opeens weg was. Gewoon verdwenen. Bleek dat de zandzuigers van Betlehem Asfalt veel te lang op één plaats hadden gezogen, waardoor dat gat zichzelf was gaan vullen met het zand rondom. Dat gebeurt nou eenmaal als je een diep gat graaft, dan begint het zand rondom te rollen als het ware, naar het diepste punt toe. Zandhonger heet dat. Maar het Gat van Betlehem was zo diep dat het te weinig zand had om zichzelf te vullen, waardoor alles in de omgeving aan het schuiven raakte, want het moest ergens vandaan komen. Een heel stuk van de oever en de Lange Nek is zo het water in gegleden, en een stel bomen erachteraan. Dan sta je raar te kijken, als je daar 's morgens langskomt en er is geen weg meer.

De gas- en elektriciteitsleidingen lagen los, lantaarnpalen lagen omver. Maar nu is het veilig zeggen ze, ze zuigen niet meer zo lang op één plek. Voor wie het gelooft.

De maïs links en rechts van het gravelpad staat hoog, de kolven barsten bijna uit hun jas. Alle palen staan hier scheef want wat je in de zomer recht zet wordt in de winter weer krom. De weg is anderhalve meter breed, maïsblad lispelt *trek an Fransje!* en ik sjor me wezenloos. Die arm slijt veel te hard, als die straks op is ben ik nergens meer. De maïs strekt zijn vingers naar me uit om me aan te moedigen. Fransje die de wateren scheidt om aan zijn vijanden te ontkomen – de zee van groen sluit zich achter hem… *ga Fransje ga!* Maïsvingers duwen hem vooruit – *je bent er bijna!*

De zomerdijk is een flauwe, brede helling. Als Joe en Christof daar niet achter zijn ben ik dat hele eind voor niks gekomen. Ik kom tot boven op de zomerdijk, mijn arm valt er bijna af. Beneden is een strandje, zo geel als de kalknagel op pa's grote teen. Zwanen drijven in de oksel van een krib, daar waar nauwelijks stroming is. Op de punt van de krib zitten twee ruggen, met lange antennes vangen ze signalen uit het water op: Joe en Christof.

Ik ben hier al lang niet meer geweest, bij het water, de dijk en de velden die glimmen van het vette gras. Waar ze net hebben gemaaid is het bleek als een pasgeschoren hoofdhuid. Op de volgende krib zitten honderden kieviten. Joe heeft beet, hij trekt een glinsterend visje uit het water, Christof springt er zenuwachtig omheen.

Eigenlijk had ik Joe's vriend moeten zijn. Christof is geen goede vriend voor hem, die is te voorzichtig. Hij houdt Joe tegen, heb ik het gevoel. Hij is een rem op Joe's snelheid en dat moet niet, Joe moet zichzelf kunnen opvoeren tot hij vliegt. Mijn ongeluk is te vroeg gekomen, het heeft de loop van de dingen in de war geschopt. Ik had daar naast hem moeten zitten, niet Christof.

De wind van achteren blaast me weer een beetje koel, ik dreef zowat mijn stoel uit. Nu ziet Christof mij want hij staat opeens stil, stoot Joe aan en wijst. Ze dachten dat ze alleen waren zodat er nu iets betrapts van ze uitgaat. De kieviten stijgen allemaal tegelijk op en vliegen met slordige vleugelslagen boven de rivier. Ik heb gehoord over de Engelsen die boven de rivier vlogen met hun bommenwerpers, op Duitsland aan waar ze alles gingen platgooien. Er stond hier Flak op de oevers maar tegen die zonsverduistering hielp niks meer.

Er is veel gebeurd hier toen. Ik noem de dingen met de familie Eleveld. Dat was een van de grootste families van Lomark. In september 1944 waren ze voor het eerst aan de beurt. Ze zaten met z'n allen in een soort schuilkelder onder de walnotenboom bij het veer, toen er een geallieerde bom op ze viel die eigenlijk bedoeld was voor de Flak aan de overkant. Eén bom, tweeëntwintig Elevelds tegelijk dood. De rest van de familie ging naar Lomark omdat ze hoopten dat ze daar veilig waren. Mooi niet want een week later regende het bommen op Lomark zelf en kregen ze de tweede voltreffer op hun dak. De kinderen kwamen met hun darmen in hun armen de trap af: 'Papa, kijk dan.' Ze stierven ter plekke. Toen waren er nog maar drie Elevelds over. Die zijn naar de stad gegaan, waar ze in de laatste oorlogsmaand onder Duits mortiervuur kwamen te liggen. Twee zijn daarbij om het leven gekomen, zodat aan het eind van de oorlog alleen Hendrik Eleveld nog over was, die Henk de Hoed werd genoemd. Henk de Hoed kreeg een zoon, Willem, die weer de vader is van Engel Eleveld.

Ik vind het een raar verhaal, het noodlot tegen de Elevelds: 27-0 ofzo. Maar goed, als je Engel ziet, denk dan aan die onzichtbare stoet achter hem die elk jaar wordt herdacht bij het monument.

Joe en Christof komen mijn kant op, ik trek de rem stevig aan.

– Hij achtervolgt ons, hoor ik Christof zeggen.

– Ha Fransje, zegt Joe wanneer ze voor me staan. Ben je helemaal alleen gekomen?

– Moet je zien, zegt Christof, net een paard met die vlokken op zijn mond.

Hij lacht, Joe komt dichterbij en pakt mijn arm. Met zijn linkerhand, want de rechter is nog altijd niet om aan te zien door die bom.

– Wat kom je doen Fransje?

Dan gaan zijn ogen wijdopen.

– Téring, moet je voelen.

Christof voelt aan mijn arm.

– Heeft hij daar beton in ofzo? vraagt hij.

Christof trekt zijn wenkbrauwen hoog op zodat hij eruitziet als een uil. Zoals ze erin opgaan, lijkt me een beetje overdreven, zo bijzonder is het nou ook weer niet. Ik word rood.

– Hij wordt rood, zegt Christof.

– Mag ik even? vraagt Joe.

Hij rolt de mouw op tot boven mijn biceps en fluit zacht tussen zijn tanden.

– Wat een monster.

Christof kijkt hem raar aan, die begrijpt zulke dingen niet zo goed. Het was me eigenlijk nog niet zo opgevallen hoe groot die arm inderdaad is.

– Vooral als je dat lichaampje erbij ziet, zegt Christof.

Hij heeft wel gelijk want het lijkt of al mijn groei de laatste paar maanden in die arm is gaan zitten, het lijkt wel de arm van een volwassen vent met van die bobbels en aderen overal. Een berenarm, al zeg ik het zelf. Joe begint te lachen en roept als een circusdirecteur: 'Dames en heren, hierrr isss… Frans de Arrum!'

Frans de Arm! Ja! Christof haalt zijn schouders op, hem ligt de nederlaag van zijn naamsverandering nog vers in het geheugen. Zonlicht vonkt op het montuur van zijn brilletje en hij knijpt zijn ogen een beetje samen. Op wie lijkt hij toch? Ik

kom er maar niet op. Misschien iemand uit een geschiedenis-
boek, maar ik heb zoveel gelezen de laatste tijd dat ik niet
meer weet welk. Ik moet dat opzoeken.

– Toch denk ik dat hij ons achtervolgt, zegt Christof.

Alsof ik niet mag gaan waar ik wil.

– Hij mag gaan waar hij wil, zegt Joe.

– Achtervolg je ons Fransje? vraagt Christof.

Ik schud heftig van nee.

– Kijk, zegt Joe, niks aan de hand. Dag Fransje.

Ze gaan terug naar hun hengels en kijken niet meer om. Ze
gooien uit en zitten dan weer bewegingloos op het basalt. Ik
brand van nieuwsgierigheid om te weten waar ze het over hebben. Of zitten ze maar zo'n beetje over het water te kijken en
hun mond te houden? Ik wil het weten die dingen. Het is eenzaam hier.

Een dier helpt tegen de eenzaamheid. Niet alle dieren. Konijnen bijvoorbeeld, daar heb je niks aan, die zijn vrij suf. Honden irriteren me ook geweldig. Een kauwtje wilde ik, zo'n kleine kraai met een zilverige nek en melkblauwe ogen. Kauwtjes zijn lief en meer dan bij de kraai of de roek lijkt hun geluid op hoe mensen praten. Vooral 's avonds, wanneer er een kolonie neerstreek in de kastanjes langs de Bleiburg, en ze met elkaar babbelden tot het donker was en je soms alleen nog 'ka!' hoorde wanneer er een van zijn tak viel. Daarnaast zijn kauwtjes behoorlijk schoon op zichzelf. Soms zie je ze bij een ondiepe plas in het weiland waarin ze telkens vooroverbuigen zodat het water over hun rug en vleugels spoelt, net zo lang tot ze schoon zijn.

Ik wist er een paar te zitten. Elk voorjaar nestelden ze in een paar halfdode bomen rond een wiel, een meertje dat was achtergebleven nadat de dijk daar lang geleden eens was doorgebroken. Dat waren enorme rampen vroeger, dijkdoorbraken, waarbij mensen massaal verdronken. Op de plaats van de doorbraak kolkte het water binnen en spoelde een diep gat uit achter de dijk. De nieuwe dijk werd later om zo'n wiel heen gelegd, waardoor oude dijken vaak van die scherpe knikken hebben.

De kauwen maakten hun nesten in spleten en holtes in de bomen rond het wiel, en op een woensdagmiddag maakte ik Sam duidelijk dat hij een kuiken voor me uit het nest moest plukken.

– Oké, zei Sam.

Hij liep achter me met één hand aan de kar en praatte honderduit over Sam-achtige onbenulligheden. Ik denk weleens dat hij hersenbeschadiging heeft.

Ik keek uit over de uiterwaarden waar het rivierwater zich weer had teruggetrokken achter de zomerdijk. De bomen daar hadden donkere voeten waaraan je kon zien hoe hoog het water die winter gekomen was. Boven de bomen zag ik zwarte stipjes. Ik was een beetje opgewonden. Ik wilde ook een kauw omdat ze trouw zijn; een kauwenechtpaar blijft altijd bij elkaar en wanneer je een kauwtje van jongs af aan hebt, hecht dat zich op dezelfde manier aan jou. Maar je moet er vroeg bij zijn.

– Moet ik dáárin? zei Sam toen we bij de bomen waren.

Hij sputterde een tijdje maar ging uiteindelijk op handen en voeten de dijk af. Bij een boom die laag aan de stam takken had, bleef hij een tijdje staan en keek omhoog tot hij een kauwtje zag aanvliegen dat daar zijn nest had. Hij begon te klimmen. Rond de boomtoppen vlogen de vogels onrustig rond, die wisten allang dat het slecht nieuws was. Ik had het koud, de winter zweefde nog tussen de warmere luchtlagen van het voorjaar in. Het was al schemerig en je moest je inspannen om dingen in de verte nog te kunnen onderscheiden. De bomen rond het wiel leken wel vergiftigd, ze waren zo goed als dood en sommige gleden al langzaam uit hun bast, zodat ze daar naakt en koud stonden. Sam had een tak op eenderde van de boom bereikt en klom houterig verder. Hij had werkelijk niet vooraan gestaan toen intelligentie en souplesse werden uitgedeeld. Eerlijk gezegd had hij maar één eigenschap en dat was dat hij tamelijk lief was, als liefheid tenminste een eigenschap is en niet een afwijking, veroorzaakt door afwezigheid van het soort wreedheid waar iemand als Dirk zich mee staande hield.

Sam was nog maar een meter onder het nest toen hij opeens niet meer bewoog. Ik kneep mijn ogen tot spleetjes maar kon niet goed zien wat er aan de hand was. Na een tijdje hoorde ik hem roepen, dingen met veel kutgodverdomme erin. Hij was in paniek geraakt. Het was een erg slechte plek om in paniek te raken. Zoiets maakte me echt razend. Hij hing daar beweginloos tussen hemel en aarde en ik zat vastgeklonken aan de weg, zodat er niks anders op zat dan terug te rijden naar het dorp, hulp te halen en te hopen dat hij het uithield daarboven. Ik reed zo vlug ik kon. Nog lang hoorde ik de alarmkreten van de kauwen die rond die arme Sam cirkelden.

Via het Achterom reed ik het dorp binnen. Joe woonde in het eerste huis. De lichten waren aan daarbinnen, het huis straalde uit als een kas. Ik sloeg hard op de voordeur met mijn vuist, India deed open. Ze was duidelijk verbaasd mij te zien. Ik had nog niet eerder de kans gehad om haar goed te bekijken zodat ik nu pas kon vaststellen dat ik haar behoorlijk knap vond, ook al was ze toen nog heel jong. Ik zag eigenlijk vooral dat ze op een bijzondere manier mooi zou zijn op een bepaalde leeftijd, en dat mannen tot die dag ongeduldig naar haar zouden kijken zoals een boer in het voorjaar naar het tere groen van zijn gewassen kijkt dat nog maar net boven de grond uitsteekt. India was anders gebouwd dan haar broer, veel tengerder, maar had dezelfde heldere oogopslag.

– Wat kan ik voor je doen? vroeg ze eindelijk.

Ik slikte dik slijm weg dat zich in mijn mond had verzameld tijdens de race naar het dorp en bracht mijn hoofd omhoog.

– UH-UH-DZJOOOOH, balkte ik.

– Joe? vroeg ze. Zoek je Joe?

– UH-JAAAAH.

Ik klonk als Chewbacca, die haarbal uit *Star Wars*. India liep het huis in en liet de deur openstaan. Het leek wel of daarbinnen ertsovens waren zo warm en licht als het was. Er kwam dezelfde gloed vanaf als van de straalkachel in onze badkamer. 'Deur dicht!' gilde iemand, waarschijnlijk degene die de rekeningen betaalde.

– Joe! Iemand voor je! riep India.

Haar ouders hadden haar zo genoemd omdat ze in India was verwekt, iets wat Joe me later vertelde. Haar tweede naam was Laksmi. Dat was een godin die geluk en wijsheid bracht volgens de hindoes. Ik wist niks van hindoes, alleen van samoerai en nog een paar dingen. Joe's ouders waren in India getrouwd omdat ze een spirituele band hadden met dat land. Tijdens de huwelijksceremonie hadden ze knetterende buikloop gehad. Terwijl er vanboven een wolk van lotusbladeren op ze neerdaalde, sijpelde de diarree ze langs de benen. Onder het sitarconcert ter ere van het bruidspaar zat Regina Ratzinger zich huilend te ontlasten op de wc.

Ik hoorde Joe de trap af denderen. Toen stond hij voor me, enorm vrolijk naar het scheen.

– Fransje, zeg het eens.

Ik keek zwijgend naar hem op.

– Oké, wat is er en hoe ga je me dat duidelijk maken?

Ik wees met heftige gebaren in de richting van de dijk en gebaarde dat hij mee moest komen.

Lassie de schrandere collie.

– Even mijn schoenen aandoen, zei Joe.

Hij duwde me. Zijn handen waren geladen met energie. Het was het uur dat alles blauw wordt, metalig blauw, wanneer alle kleur zich uit de dingen terugtrekt en ze blauw en hard en donker maakt voordat ze langzaam wegzinken in duisternis.

– Is het ver? vroeg Joe.

Ik wees vooruit en Joe begon een verhaal over de wonderen van de moderne fysica, waar hij in die tijd grote belangstelling voor gekregen had. Hij had een gave voor de monoloog, Joe.

Ergens halverwege stopte hij opeens en zei: 'Wat is dit?' Hij wees op de beschermkoker waar mijn telescoop in zat. Ik had hem gekregen van ma, die begreep dat ik door het *kijken* de deprimerende gedachten aan mijn gebreken naar de achtergrond verdreef. De telescoop hing aan de zijkant van mijn wa-

gen en was onderdeel van mijn langzaam uitdijende wapenrusting. Joe schroefde de dop van de koker en de telescoop
gleed in zijn hand.

– Wauw, zei hij, en bracht de kijker naar zijn linkeroog.

Hij kon gemakkelijk de overkant van de rivier zien en de
huizen achter de dijk daar. Ik had een juweel van een telescoop, de Kowa 823 met een zoomlens 20-60 x en een wide
angle van 32 x.

– Dat doe jij, ons bekijken, zei hij terwijl hij het ding liet
zakken. Maar wat jij denkt blijft een geheim.

Hij hield de telescoop als een aanwijsstok op mij gericht.
Schaamte vlamde over mijn gezicht, de kijker was bekeken, ik
die dacht onzichtbaar te zijn omdat niemand ooit langer dan
een halve minuut aandacht aan me besteedde, was niet aan
zijn blik ontsnapt. Een gevoel van dankbaarheid kneep mijn
keel dicht – ik werd *gezien*, en wel door de enige in de hele wereld door wie ik gezien wilde worden…

– Wat is er nou?

Kon ik het helpen, ik was gewoon ontroerd.

Ik gebaarde dat we verder moesten, al die tijd kon Sam uit
de boom lazeren. Maar toen we bij het wiel aankwamen zag ik
hem niet. Paniekerig speurde ik de grond af maar ook daar lag
hij nergens te kermen met een gebroken rug of zijn been in
een rare knik. De rust leek te zijn teruggekeerd in de kauwen-
gemeenschap. Misschien was Sam toch op eigen kracht naar
beneden gekomen en door de velden naar huis gelopen. Nu
had ik nog altijd geen kauwtje.

Naast mij stond Joe, die er niks van begreep. Ik trok hem
aan zijn mouw en hij boog zich naar me over.

– Wat gaan we doen?

Met mijn hand bootste ik zo goed en kwaad als het ging een
vleugelslag na – je kon er ook net zo goed een zandgrijper of
een happende pacman in zien – en wees naar de bomen. Joe
keek naar de vogels die af en aan vlogen en de hemel daarach-

ter die zich almaar verdichtte, en zei toen: 'Begrijp ik goed dat je een kraaitje wilt?'

Ik grijnsde als een aap.

– Moet ik zo'n beestje uit z'n nest halen, zijn we daarvoor hier?

Hij schudde zijn hoofd maar gleed zonder verder protesteren het talud af, klom lenig als een ninja de boom in en was zo weer beneden. In zijn hand hield hij een ineengedoken kuiken. Het diertje had schichtig flitsende oogjes en een platte, brede snavel. Uit zijn vel, rood en blauwachtig van kleur, staken op onregelmatige afstand van elkaar onvolgroeide veren afgewisseld met een vettig soort dons. Het was het lelijkste wat ik in lange tijd had gezien.

– Wou je dit? vroeg Joe ongelovig.

Hij zette het beestje op mijn schoot en ik vouwde mijn hand er voorzichtig omheen.

– Pas je op met die sterke klauw.

Het kauwtje voelde warm en een beetje klam, en wekte ondanks zijn kleinheid de indruk één groot kloppend hart te zijn, dat dreunde in de kom van mijn hand.

– Nou ja, zei Joe schouderophalend, iedereen moet wat te aaien hebben.

Hij greep de handvatten van de kar en draaide me in de richting van Lomark. Ik hield het kauwtje voorzichtig omsloten in mijn hand. Hij zou mijn Ogen op Grote Hoogte worden en Woensdag heten, naar de dag dat ik hem kreeg. Het begon zacht te regenen. Ik was heel gelukkig.

Toen ik vijftien jaar was, heb ik mijn ouders laten weten dat ik in het tuinhuis achter het huis wilde wonen. Ik kon nu een aantal dingen zelf en een blik knakworsten opwarmen zou ook wel gaan. Ma was tegen, pa isoleerde het huisje en maakte er een gaskachel, een klein keukenblok en een plee in. Boven de deur was een hoefijzer gespijkerd voor geluk. Sindsdien woonden mijn ouders aan de overkant, ik douchte daar en keek er soms televisie. Woensdag woonde in een betralied vogelhok tegen de zijkant van het huis, overdag ging hij vaak mee op mijn schouder zoals de papegaai van een piraat. Hij kon nu vliegen, soms was hij een halfuur weg maar als ik floot kwam hij altijd bij me terug.

In dit huisje ben ik begonnen met alles opschrijven. Echt alles. Sommige mensen vinden dat moeilijk te geloven, dat ik een bijna letterlijke weergave van dit leven maak op papier. In mijn dagboeken kun je de tijd zien – zo zien 365 dagen eruit, en zo tien keer 365 dagen, of vijftien, of twintig. Daar kun je bijna niet meer overheen kijken, dat is een berg die achterwaarts de geschiedenis in groeit. En alles staat erin, tenminste, als het zich in mijn buurt heeft afgespeeld of ik er via via van heb gehoord. Als jij bijvoorbeeld vandaag zou langskomen zou ik dat opschrijven. Zo van: die en die gezien, zus en zo laat op deze en deze dag. En als me iets aan je was opgevallen, dat je rare oren hebt of een mooie neus, zou ik dat ook opschrijven, en wat je kwam doen en hoe je dat deed. Maar ook andere dingen, hoe de herfstregens bijvoorbeeld het blond uit onze haren spoelen, waar het donkere winterhaar onder te voorschijn komt, en over de rivier die door onze levens

45

stroomt zoals de grote bloedsomloop door het lichaam.

Ik denk vaak aan de grote samoerai Miyamoto Musashi wanneer ik schrijf, die zegt dat de weg van de samoerai tweeledig is: de weg van het zwaard én die van het penseel, ofwel de pen. De weg van het zwaard is een beetje moeilijk voor mij, blijft die van de pen over. Ik heb dat uit *Het Boek van de Vijf Ringen, Go Rin No Sho,* het boek dat ik in de bibliotheek vond en stukgelezen heb. Ik heb het nooit teruggebracht.

Musashi is Kensei, de Zwaard-Heilige, die in zijn leven nooit één gevecht verloren heeft. Voluit heet hij Shinmen Musashi No Kami Fujiwara No Genshin; Musashi voor vrienden. Hij werd in 1584 geboren in Japan en sloeg op zijn dertiende zijn eerste tegenstander dood. Er zouden nog vele gevechten volgen en hij verloor er geen een. Hij was tijdens zijn leven al een legende, maar volgens eigen zeggen begon hij de strategie pas te begrijpen toen hij een jaar of vijftig was. *Het Boek van de Vijf Ringen* gaat over hoe je moet vechten zoals hij, maar staat ook vol goede raad als je niet zo'n vechtersbaas bent.

'Met de kracht van de strategie beoefende ik vele kunsten en vaardigheden – al die dingen zonder leraar. Bij het schrijven van dit boek gebruikte ik niet de leer van Boeddha of van Confucius, noch de oude oorlogskronieken of de boeken over gevechtskunsten. Ik pakte mijn penseel om de ware geest van deze Ichi-school uit te leggen, zoals die weerspiegeld wordt in de Weg van de hemel en Kwannon. Het is nu midden in de nacht, de tiende dag van de tiende maand, het uur van de tijger.'

Een paar weken nadat Musashi zijn lessen had opgeschreven, ging hij dood.

Ik heb veel aan De Strategische Blik, die je leert om beter te kijken. Musashi schrijft: 'Uw blik moet zowel ruim als open zijn. Dit is de tweevoudige blik die "Waarnemen en Zien" wordt genoemd. Waarnemen is sterk en zien is zwak. In Strategie is het belangrijk de dingen die ver weg zijn te zien alsof ze dichtbij zijn en de dingen die dichtbij zijn van een afstand te bekijken.'

Ik bedoel, dat is toch schitterend?

Ik ben aan mijn dagboeken begonnen als oudedagsvoorziening. Ik dacht: als ik nou precies opschrijf wat er allemaal gebeurt, dan komen de mensen later naar me toe en vragen: 'Fransje, wat gebeurde er op 27 oktober in dat en dat jaar. En kijk je nog eens of je iets terugvindt over mij op die dag.' En omdat ik altijd alles had bijgehouden en netjes gerubriceerd, zou ik het betreffende boek erbij nemen en het meteen vinden. Hier, 27 oktober, een paar jaar geleden, een afschuwelijke zuidwesterstorm die veel schade heeft gemaakt. Bomen waaiden om, overal ging autoalarm af. Op de sportvelden ging de penningmeester met hondse trouw de lijnen langs met een krijtkar en werd bijna omvergeblazen. Uit de kalktrechter woei een witte wolk op, de lijnen waaierden veel te ver uit. Ik bewonderde de stugge volhardendheid van de penningmeester. Een uur later werden in het hele land alle sportwedstrijden afgelast.

De mensen op straat werden er kinderen van, van die harde wind, heel wild en opgetogen waren ze, met glanzende ogen en zonder een spoor van bezorgdheid. Dat is me nog het meest opgevallen, dat ze niet bezorgd waren, ook al werden de dakpannen van het dak gerukt en raakten hun auto's beschadigd door rondvliegende takken. De pont voer niet die dag. De rivier sidderde en er sprongen wilde, grijze golven uit omhoog.

Op 28 oktober was de storm voorbij. Toen kwamen de motorzagen.

En nadat ik je dat had laten lezen in het betreffende boek, zou ik in mijn blocnote schrijven: EEN KNAAK.

Maar de mensen hebben daar helemaal geen behoefte aan. Ze willen helemaal niet horen hoe het echt was. Ze geloven liever in hun eigen sprookjes en nachtmerries, en naar de verhalen van Frans de Arm is geen vraag. Die blijven op de plank tot er ooit iemand komt om de geschiedenis van Lomark te schrijven en er de schat in herkent die een beetje licht laat schijnen op de jaren achter ons. Pas dan zal mijn werk op waarde worden geschat. Tot die dag is het een berg oud nieuws achter in een tuinhuis.

Mijn dagboeken staan in kasten tegen de achtermuur. Ik schrijf elke dag. Wat historici en archeologen in de diepte van het verleden opgraven, raap ik in het heden op. Wat ik doe zou je horizontale geschiedschrijving kunnen noemen, terwijl historici graven naar dingen die al lang voorbij zijn. Daarvoor moeten ze de diepte in: dit noem ik de verticale geschiedenis. Die vergelijking kwam bij me op toen het bij aardrijkskunde over dagbouw en mijnbouw ging. Voor dagbouw hoefde je niet te graven omdat de steenkool dicht aan de oppervlakte lag, je schraapte het eigenlijk gewoon van de aarde af. Maar bij mijnbouw moesten ze echt de diepte in, waarvoor ze gangen in de aarde groeven.

Ik zag wel wat in die metafoor.

In zekere zin maak ik het werk van historici overbodig. Als ze mijn dagboeken ooit vinden, halen ze eruit wat ze nodig hebben, voorzien het van commentaar en noemen het hun werk. Chique dieven, eigenlijk, net als de romanschrijvers. Maar het maakt me weinig uit, als ze op een dag maar weten hoe het écht zat, de dingen met Joe. De dingen die ik wéét, niet wat Christof en de zijnen erover vertellen. Dat is de waarheid niet, dat is leugen en folklore.

Internationale omstandigheden raken ons hier in Lomark zelden direct. Soms, als bijvoorbeeld de benzineprijs gestegen is, weten we dat er iets aan de hand is in het Midden-Oosten, en als er een rood stofwaas op de auto's ligt na een regenbui, zal het in de Sahara wel gestormd hebben; verder gaat het meeste in de wereld aan ons voorbij. Maar wanneer Lomark een nieuwe tandarts krijgt, is dat wel degelijk een direct gevolg van mondiale verschuivingen. We hebben zijn komst te danken aan de toespraak die de Zuid-Afrikaanse president Frederik Willem de Klerk op 2 februari 1990 heeft gehouden. Op die dag legaliseert de president het African National Congress. Ook kondigt hij de vrijlating aan van Nelson Mandela, de leider en het symbool van de strijd tegen apartheid. 'He's a man with a vision as wide as God's eye,' zeggen aanhangers over Mandela, en ze stellen hem op één lijn met de grote ziel van India. In 1990 loopt Mandela de gevangenis uit en houdt een paar uur later zijn eerste toespraak in zevenentwintig jaar. Grappig detail is dat hij zijn leesbril in de gevangenis heeft laten liggen, zodat hij zo goed en zo kwaad als dat gaat voorleest met de bril van zijn vrouw op zijn neus. Drie jaar later ontvangen Mandela en De Klerk de Nobelprijs voor de vrede, in 1994 volgt Mandela De Klerk op als president van Zuid-Afrika.

De omwentelingen in het land brengen grote sociale spanningen en concurrentie om de macht en de middelen met zich mee. Julius Jakob Eilander, tandarts, en zijn vrouw Kathleen Swarth-Eilander zijn Afrikaners van de vierde generatie. Ze zien hoe de buren de muren rond hun villa's verhogen en zulke gevoelige alarmapparatuur aanleggen dat een vallend blad of een ritselende hagedis al loeiende sirenes veroorzaakt. Het gezin Eilander wacht de transformaties van het land niet af. Het gaat naar Europa, 'terug naar die ou Holland toe', dat zijn voorvaderen in de negentiende eeuw hebben verlaten.

In januari 1993 komen ze aan op Schiphol. Na een paar weken bij verre familie en een paar maanden in een vakantiehuisje tussen naaldbomen en stacaravans, neemt Julius Eilander de praktijk over van de tandarts in Lomark, die zolang men zich herinnert onze gebitten heeft voorzien van vullingen, kronen en bruggen. De praktijk bevindt zich op de eerste verdieping van het huis dat door de plaatselijke bevolking het Witte Huis wordt genoemd, maar volgens het naambord aan de gevel Quatre Bras heet.

Julius en Kathleen Eilander hebben een dochter, Picolien Jane, afgekort tot PJ, uitgesproken als piedzjee. Na Joe en India is zij de derde exoot bij ons op school.

We weten niet wat we zien. Ze draagt een kroon van onstuimig krullend haar, dat bruisend rond haar schouders valt. Ik denk aan zee en schuim, mijn dagboeken zijn vol van haar. Haar huid is bleek, ik heb nog nooit zulke blauwe ogen gezien, ze staan een beetje schuin in haar brede gezicht. In de pauze verdringen de meisjes zich rond haar om met hun handen de kurkentrekkerkrullen te volgen die terugspringen als elastiek wanneer je eraan trekt. De meisjes willen allemaal PJ's vriendin zijn. Haar manier van praten brengt iedereen in verrukking. Het nabije en toch geheimzinnige Afrikaans maakt je beurtelings aan het lachen en aan het rillen van het soort genot dat mooie taal opwekt.

We horen dat ze uit Durban komt. Die naam wordt even toverachtig als Ninivé of Isfahaan. Boven Durban is de lucht knisperig en het zout op je huid smaakt er naar salmiak. Ik denk aan PJ die door Durban loopt; in mijn dagboek fluit de kaketoe en masturbeert het aapje. Het is beslist een andere hemel daar, PJ's ogen spiegelen verdere horizonnen dan de onze en geheimen die wérkelijk iets te betekenen hebben, niet de benepen verzwijgingen waar wij ons mee vervelen. Echte geheimen die eerder met licht dan met donker te maken hebben, het donker waarin wij hier broeden op onze etterende zonden waarvoor geen absolutie bestaat omdat de pastoor doof is en ons niet hoort wanneer wij fluisterend te biecht gaan. PJ is geboren uit een fusie van licht, haar huid is bleek als aardappelscheuten in de kelder, ze lijkt wel transparant maar haar haar is vlammend koren…

Er is een hausse aan spreekbeurten over Zuid-Afrika.

Ze zegt: 'Wat kyk julle so vir my?' en dat moest wel iets bijzonders zijn anders waren we er niet van gesmolten, toch?

Terwijl onze ouders krimpend van pijn en angst onder de lamp van haar vader liggen die wrikt, klopt en boort in hun monden, zitten wij ademloos in PJ's aanschijn. Toe, zeg nog eens iets, laat ons rillen, wees niet zuinig met jezelf.

In die tijd millimeterde Joe voor het eerst zijn haar. Hij zat achter in de schuur van zijn huis met gebogen hoofd op een motorblok terwijl Christof met een tondeuse banen trok over zijn hoofd. Het dikke haar zweefde naar de grond, er bleef nog maar een schaduw over waaronder bleke littekens schemerden. Nu leek hij helemaal op een nomadische steppenruiter, een Uyghur of een Hun, met zijn ogen die een beetje scheef stonden. Joe de Hun, op een klein, onvermoeibaar steppenpaard met rauw vlees onder zijn zadel. Er werd hem weleens gevraagd of er ooit een neger in zijn familie een rol had gespeeld, of een Aziaat misschien, want in Joe's gezicht vloeiden bepaalde raskenmerken verwarrend in elkaar over. Joe-Voor-Elk-Wat-Wils, maar ik zag er toch het meest een steppenruiter in, in dat rare hoofd.

Het tweemanschap Joe en Christof breidde zich uit met Engel Eleveld, mijn gezegende pismaat. Het gebeurde toen Joe met Engel ging vissen in een wiel. Er zit veel snoek in die wielen. Joe ving er een, Engel wist van zijn vader dat je in de kop van de snoek de lijdensweg van Onze Lieve Heer kunt terugvinden. De snoek heeft schedelbotjes in de vorm van een hamer, spijkers en een kruis. Ze sloopten de schedel open maar vonden niks wat erop leek.

Sindsdien waren Joe en Engel vrienden.

Ik zei al dat je Engel jarenlang niet zag staan, tot je hem opeens zag met een soort licht om zich heen. Zo ging het ook met Engel en de liefde. Hij deed nooit mee met kustikkertje met verlos en wisselde geen liefdesbriefjes uit, maar tekende aërodynamische wondertoestellen in een hardgekaft opschrijfboek en deed achteloze uitvindingen die de loop van de wereld verstoord zouden hebben als hij ze onthouden had. Opeens waren Heleen van Paridon en Janna Griffioen verliefd op hem. Er was geen aanwijsbare oorzaak. Dezelfde week sloten Harriët Galama (borsten) en Ineke de Boer (nog grotere borsten) zich daarbij aan. Toen ging het snel. Vroegere helden verloren hun glans en het gevecht om de aandacht, er werden nog twee of drie meisjes verliefd op Engel en zo was hij vanuit het niets en zonder er ook maar iets voor te hebben gedaan de absolute prijsbok van het schoolplein. Zijn zakken puilden uit van de briefjes waarin met zenuwachtige vingers rode harten waren gestanst. Op eentje stond: 'I love joe.' Engel gaf het aan Joe. 'Verkeerd bezorgd,' zei hij.

Ik vond Engel even transparant en vloeiend als water. Musashi zegt daar iets over, in het leerstuk 'Water' in *Go Rin No Sho*: 'Met water als basis wordt de geest als water. Water neemt de vorm aan van het voorwerp waar het in zit; soms is het vloeiend, soms een wilde zee.'

Ik moet toegeven, Engel deed het meesterlijk in zijn nieuwe rol als Casanova. Hij deelde met lichte hand attenties uit en toverde verlegen lachjes op de gezichten, maar het interesseerde hem te weinig om er echt werk van te maken.

Hij raakte net als Joe al vroeg geïnteresseerd in natuurwetenschappelijke verschijnselen. Toen hij thuis eens het medicijnkastje in de badkamer ruw opentrok, vielen er een fles mondwater, een strip vitaminepillen en een oude tandenborstel uit, en hoewel hij tot aan zijn knieën in een ontploffing van glas en licerine stond, merkte hij op dat fles, strip en tandenborstel ondanks verschillend gewicht gelijktijdig de badkamertegels bereikten.

— Newton, zei Joe toen Engel hem over zijn ontdekking vertelde.

— O, zei Engel, jammer. Ik dacht echt…

— Vergeet Newton. Die had een pruik op. Goodyear moeten we hebben.

Dit begreep niemand.

— Charles Goodyear, zei Joe, vulkaniseerde voor het eerst rubber. Een revolutie. Copernicus maakte de wereld rond, Goodyear maakte 'm berijdbaar. Rubber was in die tijd nog echt een probleem, het werd te zacht als het warm was en keihard als het koud was. Ze konden er nog weinig mee maar Goodyear was er maf van, van het idee van rubber. Hij experimenteerde jarenlang maar kreeg het niet voor elkaar. Toen hij op een dag zwavel mengde met rubber, liet hij per ongeluk een beetje vallen op een heet fornuis. En toen gebeurde het, het werd hard, het vulkaniseerde. Daar was op gewacht, dat was het begin, daarna veroverde rubber de wereld. Op rubberbanden! Maar Goodyear had er weinig lol van, die kon z'n patent niet eens verdedigen, die is arm doodgegaan. Martelaren zijn dat, die geven hun leven voor het doel.

We waren er droevig en een beetje stil van, hetzelfde gevoel dat je kreeg als je hoorde over jazzmuzikanten die de sterren van de hemel speelden maar nooit een cent zagen van de royalty's. Je zou willen dat het hun eigen stomme schuld was om van dat rotgevoel af te zijn.

Op middagen als deze, wanneer ze achter in Joe's garage zaten, liet ik me door India naar hen toe rijden. India was goed voor mij. Sinds de keer dat ik Joe's hulp kwam vragen om Sam uit de boom te halen leek ze een zekere sympathie voor me te hebben opgevat. Wanneer ik op zo'n lege middag langs het Achterom kwam en hun fietsen zag staan, sloeg ik met vlakke hand op de voordeur tot zij opendeed. Ze reed me met kordate hulpvaardigheid naar de schuur en parkeerde me tussen Joe, Christof en Engel. Het was vol daar. Er was één stoel, bestemd voor Engel. Ik heb er tenminste nooit iemand anders op zien zitten. Hij wilde waarschijnlijk zijn goeie goed schoonhouden, hij was de enige die ik ooit heb gekend die op zijn zestiende al maatpakken droeg. Joe zat op de werkbank en Christof op het motorblok. Die garage was hun plannensmederij. In dat rookbruine hok waar het naar laswerk en olie rook, ontleedden ze de wereld om hem naar eigen inzicht weer in elkaar te zetten.

– Maar aan rubberbanden heb je nog niet veel als de wegen niet goed zijn, zei Joe. Wegen moet je hebben, asfaltwegen, niet de zandpaden en macadamwegen die ze toen hadden. Die waren slecht voor de auto en iedereen langs de weg stikte van het stof. Dan komen we uit bij Rimini en Girardeau.

Joe keek naar Christof, die afwezig met zijn vingers speelde.

– Het is ook het verhaal van Betlehem Asfalt, Christof, jullie hebben alles aan hen te danken. De ingenieurs, ah!

Hij klakte met zijn tong. Engel knikte dat hij door moest gaan.

– Eigenlijk heel simpel, zei Joe. Rimini en Girardeau kwamen met het idee om de weg vrij te maken van keien en de gaten op te vullen. Nadat een wals de boel had geëgaliseerd kwamen er mannen met grote gieters vol kokend teer dat ze op het wegdek sproeiden. Daarop een laagje zand, paar dagen drogen en je hebt de eerste snelweg.

– Je vergeet de verbrandingsmotor, zei Christof, die lijkt me belangrijker dan rubber en wegen.

– Oeh, zei Joe alsof iemand hem in zijn buik geslagen had. Ander verhaal. Paard en wagen, stoommachine, verbrandingsmotor. Ik zie het zo: vier elementen, ja? Die moest de mens temmen, één vuur, twee water, drie aarde, vier lucht…

Dit boeide me mateloos want dat waren ook de eerste vier hoofdstukken van Musashi's boek: 'Aarde', 'Water', 'Vuur' en 'Wind'. (Het laatste hoofdstuk bestaat maar uit één pagina: 'Leegte'.)

– Vuur is het eerste element, zei Joe, vuur bracht licht in het donker van de prehistorie.

Hij wapperde met zijn hand achter zich, alsof de prehistorie zich achter de wand van hardboard bevond waarop met stift de vorm van het soort gereedschap was getekend dat eigenlijk op die plek moest hangen, zoals slachtoffers van ongelukken en moordaanslagen met krijt worden omlijnd. Het gereedschap zelf hing er nooit, dat ging z'n eigen gang in de schuur achter Joe's huis.

– Daarmee begint de beschaving, met het vuur. Volgt het water, belangrijk voor de boeren, water. Irrigatie betekent productvermeerdering en voorspoed voor velen. Dan de aarde: het land voor de boeren, de wegen voor de handelaar. Uit de wegen volgt het wiel. De handelaar en de soldaat hebben de meeste baat bij het wiel, elk wiel is een klein tandwiel op het oppervlak van het grote tandwiel dat de aarde is. Figuurlijk gesproken dan hè. Die twee vormen een mechaniek. Uit het wiel volgt de verbrandingsmotor, die bij het wiel hoort.

De verbrandingsmotor zet het wiel in beweging, het wiel beweegt de aarde. Dat is drie.

Ik dacht aan mijn eigen voortbewegen dat ik te danken had aan wiel, rubber en asfalt. Ik, half mens, half wagen, zag mezelf even als minuscule schakel in Joe's lezing van de wereldgeschiedenis, mijn wielen draaiden over het aardoppervlak en droegen bij aan de beweging van het aardwiel.

– Oké, zei Joe. De lucht was het laatste element dat overwonnen moest worden. Het vliegtuig was het breekijzer. De eerste mens die écht vloog was weer een ingenieur, Otto Lilienthal, eind negentiende eeuw. Net zo lang vallen en opstaan tot hij vloog met een paar vleugels op zijn rug die hij van de vogels had afgekeken. Dat was de vergissing van iedereen die wilde vliegen, dat hij de vogels nadeed terwijl dat natuurlijk achterlijk is, de vliegspier van vogels is zo enorm groot in verhouding tot hun lichaam dat je dat nooit kunt nadoen met je armen, hoe sterk je ook bent. Die denkfout heeft de mens veel langer aan de grond gehouden dan nodig was. Maar Otto vloog vijftien meter, stel je voor! Een paar jaar later zweefde de eerste zeppelin door de lucht, stil, prachtig, maar een vliegende bom. Van het huwelijk tussen de verbrandingsmotor en een paar vleugels werd meer verwacht. In Amerika gaven ze elkaar de eerste kus, een van de broers Wright vloog zesendertig meter, meer dan een verdubbeling ten opzichte van Lilienthal – een revolutie van *eenentwintig* meter! Toen was het bekeken, overal doken vliegeniers op, het ene record na het andere. Vlucht van een kilometer boven Parijs – wereldnieuws! Het kanaal over in een eendekkertje – Engeland op zijn kop. Anthony Fokker boven Haarlem – het einde der tijden!

Joe begon steeds meer op een maffe tovenaarsleerling te lijken als hij zo opgewonden was.

– Vreemd eigenlijk, zei hij, dat die vliegtuigjes nog niks voorstelden, een beetje bamboe, essenhout en linnen, terwijl in dezelfde tijd het atoommodel werd bedacht.

– Dat is normaal, zei Engel, die een goudomrande sigaret opstak, het brein is de ontdekking altijd voor. Een idee weegt niks, dat zweeft voor de materie uit. We kunnen alles wel bedenken maar voer het maar eens uit, dat is de pest.

– Maar de ingenieurs zijn geduldig, zei Joe plechtig.

– Wisten jullie dat de moeder van PJ een naaktloper is? veranderde Christof het onderwerp.

– Piedzjee? vroeg Joe.

– Picolien Jane, zei Engel. Nieuw meisje, blond, pijpenkrullen, uit Zuid-Afrika.

Joe trok met zijn schouders. Christof sprong op van het motorblok.

– Heb je haar dan niet gezien? Dat kán niet!

– Ik denk het wel, zei Joe om Christof te kalmeren.

Hoe wij wisten dat PJ's moeder Kathleen Eilander nudist was? De postbode bezorgt bijvoorbeeld eens in de drie maanden het ledenblad *Athena* van de gelijknamige naturistenvereniging, gericht aan 'Mw. K. Eilander-Swarth', of een binnenvaartschipper uit Lomark zegt dat hij haar naakt gezien heeft op een van de strandjes tussen de kribben in de rivier. Misschien is het alleen maar een gerucht, een zich tot feit verdikkende roddel die zo sterk wordt dat Kathleen Eilander op een dag de onbedwingbare en niet eerder gevoelde behoefte heeft om naar de rivier te gaan, zich uit te kleden en naakt te gaan zwemmen. Hoe dan ook, wij wisten het. Wij hadden nog nooit een nudist gezien. Het klonk naar *ernstige* naaktheid, en dingen waar wij naar verlangden.

Engel keek naar mij. Hij had dezelfde kleur ogen als mijn favoriete kleur vulpeninkt. Hij wist dat ik van die middagen hield, wanneer Joe op zijn praatstoel zat en theorieën verkondigde die met hun voeten in de werkelijkheid stonden en met hun hoofd in de wolken staken.

Volgens Christof jogde mevrouw Eilander 's morgens heel

vroeg naar de rivier en nam daar een bad. En ook in de tuin achter het Witte Huis bewoog ze zich naakt. Christof zei dat ze vreemde hoge benen had, maar het waren niet haar benen die de voornaamste rol speelden in mijn voorstellingen van de nudist. Ik zag andere dingen. Dingen die mijn keel dichtknepen. Ze was een moeder en daarmee een oude vrouw, maar ik merkte hoe ze na het nieuws van die naaktloperij transformeerde tot een seksueel wezen met een geheim dat wij toevallig kenden en ons hoofd vulde met dringende vragen en onze buik met gesmolten suiker.

Met tegenzin daalde Joe af naar het onderwerp van mevrouw Eilanders benen.

– Kunnen we het zien? vroeg hij, maar Christof schudde van nee.

– Muur rond de tuin, zei hij, en het is nog donker als ze zwemt.

Joe speelde nadenkend met een schroevendraaier die hij als de baton van een majorette tussen de vingers van zijn goede hand bewoog. Op mijn schouder dommelde Woensdag, mijn handtamme kauw. Het rimpelige vliesje was over zijn kraalogen geschoven. Hij was uitgegroeid tot een schoonheid van een vogel, een parmantig, trots dier dat ik had getraind om naar mij terug te komen wanneer ik floot. Joe had een gelukkige hand van kiezen gehad, ik dacht niet dat er een mooiere kauw te vinden was. De veren in zijn nek en op de achterkant van zijn kop waren zilvergrijs als grafiet, als hij liep knikte zijn kopje op een manier die hem een zeker aanzien verschafte. 't Is niet zoals met de spreeuw, daar lees je de lagergeplaatstheid als het ware aan af. Spreeuwen bewegen zich weliswaar in fantastische draaikolken en zinderende spiralen door de lucht, maar in zulke enorme aantallen dat je aan grote steden moet denken waar de mensen elkaar haten en vertrappen maar vreemd genoeg niet zonder elkaar kunnen.

Woensdag bezat een soort innerlijke adel die hem boven

minderwaardige vuilnisvreters als spreeuwen en meeuwen plaatste. Hij zou mevrouw Eilander kunnen zien wanneer ze naakt in de tuin liep, maar een kauw was niet geïnteresseerd in zulke dingen. Ik probeerde me vaak in Woensdag te verplaatsen wanneer hij boven Lomark vloog, me voor te stellen hoe de wereld eruitzag in vogelperspectief. Het was mijn droom van alziendheid – niets zou meer verborgen zijn, ik zou de Geschiedenis van Alles kunnen schrijven.

We keken naar Joe in afwachting van zijn gedachten. Joe keek naar Woensdag terwijl de schroevendraaier steeds vlugger tussen zijn vingers propellerde. Razendsnel kon hij dat. Toen de schroevendraaier uiteindelijk viel en wij allevier met de schok van verbroken betovering naar de betonnen vloer keken waar hij helder tinkelend op terechtkwam, trok Joe zijn wenkbrauwen op.

– 't Is eigenlijk heel simpel, zei hij. Als we haar naakt willen zien, moeten we zelf een vliegtuig hebben.

Het vliegtuig was het breekijzer waarmee de lucht, het laatste element, overwonnen moest worden, dat had Joe die middag in de garage gezegd, en toen hij op het idee kwam zelf een vliegtuig te bouwen, begreep ik wat hij bedoelde: het vliegtuig zou het breekijzer zijn waarmee we de hemel tussen mevrouw Eilanders benen zouden openbreken. Het vliegtuig zou zicht verschaffen op die onbegrepen ruimte, en Joe was de ingenieur die het technisch mogelijk maakte.

Ik heb dat vliegtuig zien groeien, van de achttien-inch-motorwielen van de sloop tot en met de fijne gladde propeller die Joe had geritseld op een sportvliegveld in de buurt.

Ze waren de bouw van hun hoogdekker begonnen in een achterafgelegen loods van de fabriek, tussen zwarte bergen gebroken asfalt dat van oude wegen was afgeschraapt en daar werd gedumpt om ooit te worden hergebruikt. De asfaltbreker was al jaren stuk. Hij stond daar langzaam in te storten tussen brokken onbewerkt asfalt aan de ene kant en de puntige heuvels van fijnere structuur die hij aan de andere kant had uitgespuugd.

In de minerale wereld van de asfaltfabriek reden shovels tussen bergen blauwe porfier, rode Schotse graniet, blauwige kwartsiet en vele zandsoorten. De gekiezelde steen werd over het water aangevoerd van Duitse steenbrekerijen aan de Bovenrijn. Wie een goed oog had kon er stukken mammoetbot en slagtand in vinden, en soms fossiele haaientanden. Christof had een goed oog. Hij noemde zich 'conservator' van een slordig archeologisch museum, wees op de zand- en kiezelbergen en noemde het Museum Maandag. Niemand legde ze een strobreed in de weg, Christof was de zoon van de baas, ze konden doen wat ze wilden zolang ze niemand in de weg liepen.

Op een dag was het vliegtuig acht meter lang, een romp van staaldraad, buizen, kabels en stangen, schematisch als een geleed insect. Joe had me uitgelegd dat die elementen voortdurend driehoeken vormden.

– De driehoek betekent een vaste constructie, meetkundig gezien, zei hij. Een vierhoek beweegt, die gaat schuiven. De driehoek is de basis van elke vaste constructie.

Tot op het laatst zaten er geen vleugels aan. Ik heb geen moment geloofd dat het vliegtuig bedoeld was om echt op te stijgen, ook al omdat de gas- en chokehendels van een racefietsversnelling waren. Had voorman Graad Huisman van Betlehem Asfalt het werkelijke doel geweten van hun werkzaamheden in de loods, dan was het de jongens zeker verboden er te komen, maar ze zwegen over hun plannen en mij vroeg nooit iemand iets.

De vloer van de vliegtuigloods was bezaaid met schetsen, bouwtekeningen en handboeken. Engel bestudeerde vellen papier vol berekeningen met een Dunhill in de mondhoek en één oog dichtgeknepen tegen de rook. Ze haalden veren van een Opel Kadett bij Sloperij Hermans & Zn., bedoeld om de klap van de landing op te vangen, en brachten die aan tussen de romp en de wielen. Daarna werd het vliegtuig anderhalve meter boven de grond gehesen aan een touw, en klom Joe erin. Wij hielden onze adem in. Joe trok hard aan de lus in het touw, de lus schoot los en het vliegtuig stortte naar beneden. Alles had het gehouden behalve Joe, die klom eruit met 'een verdomd zere rug'. Waarmee was vastgesteld dat het toestel het wel zou houden bij de landing.

– Oké, zei Engel, we kunnen 'm gaan bespannen.

Aan elke nieuwe fase die aanbrak bij de bouw van het vliegtuig, ging een periode van dieverij vooraf. Nu was er dekzeil nodig.

– Alleen blauw zeil, benadrukte Engel die het uiterlijk van het toestel bepaalde. Hemelsblauw, iets anders komt er niet op.

Op donderdagavond werden de kramen opgezet voor de vrijdagmarkt. De zeilen lagen klaar op de tafels, waar de marktlui ze 's morgens vroeg zouden vinden. Maar op een vrijdagmorgen in oktober stonden een stuk of wat marktlui te kankeren bij de marktmeester. Waar of de zeilen waren. Zo konden ze hun kramen niet opzetten. Daar betaalden ze geen stageld voor. Ze kregen die dag de mottige zeilen van vroeger en in het *Lomarker Weekblad* verscheen een klein bericht over de diefstal.

Ergens in het verborgene werden de zeilen met engelengeduld aan elkaar genaaid. Engel wist hoe dat moest, die had van zijn vader, de laatste palingvisser van Lomark, geleerd hoe je fuiken repareerde en knopen legde die nooit meer losgingen. Engel vloekte veel maar het werd prachtig. Hij spande het zeil om de romp met tie-rips tot het zo strak stond als een trommelvel.

Joe werkte aan de vleugels. Het geraamte daarvan werd gemaakt van een dun soort aluminium. Aan de hoofdligger van de vleugel werden veertien vleugelribben bevestigd, en het was een gepiel voor hem om achtentwintig ribben te vervaardigen met precies hetzelfde profiel. Toen ben ik het gaan doen, uit mezelf, want een sterke hand die zijn krachten kent is een fijnzinniger werktuig dan een bankschroef of een tang. Tussen duim en vingers kneep ik de ribben in de gewenste kromming. Achtentwintig stuks, alstublieft meneer.

Daar hadden ze niet van terug.

– Kolere wat is die vent sterk, mompelde Engel.

– Frans de Arm, zei Joe.

Vanaf dat moment werd ik vaker ingezet om dingen om te buigen of heel stevig vast te draaien.

Bij pa sloopten ze een aluminium motor uit een verkreukelde Subaru en monteerden die voor in het vliegtuig. De benzinetank was zo'n ding dat ook in pleziervaartuigen wordt gebruikt. Ze hadden berekend dat het toestel honderddertig kilo moest kunnen trekken om de lucht in te komen. Ze bevestigden een unster aan de muur, die met een kabel aan het staartstuk werd vastgemaakt. Joe stapte in en startte de motor. Tadeloos, hij liep prachtig. De kabel stond strak, de wijzer van de unster schoot uit naar tachtig kilo, negentig, de propeller maaide, honderd, de motor loeide en papieren waaiden door de loods als in een storm. Woensdag vloog met een paniekerig ká-ká van mijn schouder, honderdtien, Engel sloeg zijn handen voor zijn oren, de motor naderde de 5500 toeren en maakte een vreselijk kabaal.

– HONDERDTWINTIG! schreeuwde Christof.

De wijzer kroop vooruit, Joe gaf een laatste dot gas en Engel riep: 'STOP!'

Honderddertig kilo trekkracht, de proef was geslaagd.

Op een dag vroeg Joe of ik wilde meewerken aan een klein experiment. Hij reed me tot aan de werkbank in de hangar en kwam tegenover me zitten. De werkbank waaraan Engel bouwtekeningen maakte stond tussen ons in. Met zijn rechterhand pakte hij de mijne en plaatste onze ellebogen in het midden, zodat onze onderarmen in een hoek van zestig graden tegenover elkaar stonden. Met een snelle beweging drukte Joe mijn arm tegen de tafel waardoor mijn lichaam schuin in de stoel kwam te hangen. Hij zette mijn arm weer rechtop en drukte opnieuw, maar nu met minder kracht zodat ik langzamer werd omgeduwd. De rug van mijn hand raakte het tafelblad, ik keek hem aan en vroeg me af wat hij van me wilde. Hij trok me weer overeind.

– Zet eens een beetje kracht, zei hij.

Ik zette een beetje kracht. Hij deed hetzelfde. Zo zaten we een tijdje tegenover elkaar. Toen gooide hij zijn schouder erin en drukte harder. Ik gaf niet mee, hij drukte harder en zijn ogen puilden. Ik gaf een beetje mee.

– Zet kracht verdomme! kreunde hij.

Ik zette aan en bracht onze handen weer naar het midden van de tafel.

– Drukken!

Ik drukte hem neer. Hij kreunde en liet los.

– Moeilijk? vroeg hij.

Ik schudde mijn hoofd.

– Een beetje moeilijk?

Het was niet erg moeilijk geweest. Joe knikte tevreden en stond op. Hij verliet de loods en kwam terug met een paar roestige ijzeren staven onder zijn arm. De staven varieerden in dikte, de dunste klemde hij vast in de bankschroef aan de kopse kant van de werkbank.

– Nog even Fransje, zei hij, en posteerde me bij de bankschroef. Kun je die ombuigen?

Ik pakte de staaf in mijn hand en boog hem om. Joe klemde de volgende staaf vast. Deze was dikker en ik pakte hem vast. Ik ondervond weinig weerstand toen ik er een hoek in trok, maar toch gloeide de afdruk van het ijzer rood in mijn hand. Het gaf me een goed gevoel om dingen om te buigen.

Joe klemde nu de laatste staaf in de bankschroef. Die was aanmerkelijk dikker dan de twee vorige. Ik sloeg mijn vingers eromheen en spande aan maar de klootzak gaf niks prijs. Ik ging ertegenaan, ik wilde Joe niet teleurstellen. Er kwam een raar geluid uit mijn keel, ik trok op leven en dood maar veel gebeurde er nog niet. Wel hoorde ik het geluid van brekend glas en metaal dat rinkelde op steen. Toen gaf hij mee – hij boog langzaam mijn richting op. Was dat bloed of snot dat uit mijn neus liep?

– Ho maar!

Ik liet los en tot mijn verrassing sprong de staaf terug als elastiek. Er klonk een harde knal, ik kreunde van teleurstelling: het ijzer was niet verbogen, het was alleen maar de andere kant van de werkbank geweest die omhoog was gekomen – het geluid dat ik had gehoord was van vallende bierflesjes en gereedschap geweest. Ik had gefaald.

– Schitterend, zei Joe, echt schitterend. Weet je wat die bank wéégt?

Hij knielde naast me neer. Zijn gezicht was vlak bij het mijne, hij keek zonder te knipperen en ik zag dat zijn linkeroog iets anders uitstraalde dan zijn rechteroog – het linkeroog schoot vuur, wat door het rechteroog werd getemperd, daar lag een soort mededogen in dat groter was dan ik kon begrijpen.

– Daar kun je nog lol van hebben, van die arm, zei hij. Hou 'm in vorm, je weet nooit.

Het was winter, de rivier trad buiten haar oevers. Rond het Veereiland kwam het water opzetten en meter voor meter verdwenen de uiterwaarden onder het somber klotsende water. De Lange Nek liep onder en niet veel later staken alleen nog verkeersborden, lantaarnpalen en bomen boven het water uit. Piet Honing bracht de pont in veiligheid in een noordelijke oksel van de rivier waar weinig stroming was, en onderhield nu een dienst tussen Lomark en het Veereiland met het amfibievoertuig van Betlehem Asfalt.

's Morgens en 's avonds stonden de asfaltmannen hem kleumend op te wachten, het kader met koffertjes en de arbeiders met broodtrommels in de hand. De meeste asfaltmannen hadden echter vorstverlet, de productie lag stil omdat er geen transport mogelijk was tussen het Veereiland en het vasteland. Er werden hooguit administratieve werkzaamheden en reparaties uitgevoerd. Piet Honing stond achter op het amfibievoertuig te sturen en had geen last van de kou – zijn gezicht had de kwaliteit van een stevig soort leer dat met de jaren verweert maar niet verslijt.

De mensen van het Veereiland, zoals Engel en zijn vader, waren eilanders in de winter. Ze haalden voorraden voor een week in Lomark en sloten zich op in herwonnen afzondering. Vroeger waren het echte anarchisten daar, radicale lui die aardappelstook dronken en ongestraft op hazen jaagden, want de arm der wet reikte niet tot over het water. Ze waren er berucht om dat ze elkaar bij het minste of geringste voor de kop sloegen. Nu is dat anders, de mensen zijn niet meer zo. Ze zijn tam geworden. Een fles jenever uit de winkel is voor iedereen betaalbaar en als ze hun hond uitlaten vraag je je af wie van de twee het huisdier is.

Het water kabbelde nu tegen de winterdijk, het leek wel Lomark aan Zee zo onafzienbaar als die watermassa was. Als het donker werd sprongen de lantaarnpalen aan boven de ondergelopen Lange Nek, en maakten op regelmatige afstand van elkaar oranje lichtkringen op het jachtige water dat zich naar zee spoedde.

Hoewel het Veereiland nu afgesloten was van de rest van de wereld, was ik het die zich weggedreven voelde. Ik stond buiten de kring van licht en maakte de afbouw van het vliegtuig niet mee. Joe en Christof gingen met het amfibievoertuig naar de overkant, ik bewoog als een nerveuze kettinghond over de dijk en overzag de watervlakte vanaf de winterdijk naar de fabriek. Het grootste deel van de tijd zaten ze binnen, ze lieten zich niet zien. Op mijn schouder zat Woensdag. Hij stak zijn snavel in mijn oor.

Het begon te vriezen, binnenkort zou ook Piet Honing niet meer heen en weer kunnen met het amfibievoertuig en waren het alleen nog de dapperen die per twee de ijszee trotseerden met een touw rond hun middel en een pikhaak in de hand voor als de ander erdoor zakte. Hoog water, vriezen en dan het deksel erop, zeggen we hier als de uiterwaarden bevroren zijn.

Ik vroeg me de hele tijd af waar het vliegtuig zou moeten opstijgen, want je had ongeveer de lengte van een voetbalveld nodig om de lucht in te komen, en die ruimte was er niet.

Het was stil op het terrein, de shovels stonden werkeloos tussen de kiezelbergen. De hemel was helder en scherp, aan de overkant was eindelijk beweging. Ik keek door de telescoop en zag Joe de deuren van de loods openschuiven. Christof en Engel duwden de hemelsblauwe, vleugelloze romp naar buiten. Ook al zaten de vleugels er nog niet aan en was het nog allerminst zeker dat het ding ooit van de grond zou komen, ik keek ernaar alsof het het allereerste vliegtuig ter wereld was.

Daarginds had de pure wens om de zwaartekracht te slim af te zijn, zich gematerialiseerd tot een langwerpige, enigszins plompe doos op wielen. Er was een staartstuk, een propeller en een motor, en ongeacht of het ding ooit zou opstijgen voelde ik iets waar ik pas later, in de cinematografie, de woorden voor vond: de triomf van de wil. Het was Joe die de creatieve ingeving had gehad, Engel die het idee stileerde tot een hemelsblauw ruimtevaartuig en ten slotte Christof die olie bijvulde. En ik? Ik had de vleugelribben in hun gewenste vorm gebogen.

Woensdag poetste zijn snavel op mijn schouder, ik zette me in beweging.

Nadat ik een beetje was opgewarmd bij de kachel thuis, kwam ik terug. De vleugels zaten er nog steeds niet aan. Joe reed in het vliegtuig over het terrein, Engel en Christof renden erachteraan. Het leek of ik hun opwinding op de dijk kon horen.

Joe had gezegd een voetbalveld nodig te hebben om op te stijgen. Er was nu wel een vliegtuig, maar nog steeds geen startbaan. Nu Joe daar rondjes reed met een ijsmuts en een skibril op, twijfelde ik voor het eerst een beetje aan zijn vooruitziendheid, en – vooruit – aan zijn genie.

Toen hij het sturen met het roer een paar dagen later onder de knie had, een ingewikkelde klus vanwege het drie-assige besturingssysteem, werden de vleugels eraan gezet. Er was weinig ruimte om te manoeuvreren tussen de asfaltbergen, het toestel was nu bijna twaalf meter breed.

Op de dijk had ik het opeens door – zag ik eindelijk wat Joe al veel eerder had gezien: de oplossing van het opstijgprobleem. Het was even eenvoudig als briljant: Joe had op het ijs gewacht, het ijs zou zijn startbaan zijn! Het was prachtig bedacht en ik had diep respect voor zijn strategisch vernuft. Misschien zou hij het vliegtuig daarna, als het eenmaal van het Veereiland af was, elders stallen, ergens in een verlaten schuur of in een ondergrondse bunker, ik hield niets meer voor onmogelijk in de nabijheid van die grote, kalme ziel die doodgemoedereerd bommen legde en vliegtuigen bouwde en god weet wat hij allemaal nog meer zou verzinnen. Ik bedoel, hij was *vijftien* toen, er viel nog een wereld aan ontwrichtende ideeën te verwachten die hij met de onverstoorbaarheid van een fietsenmaker zou uitvoeren.

Hij was niet zozeer een buitengewone jongen, hij was een kracht die vrijkwam. Je had verwachtingsvolle tintelingen in zijn buurt – er was een energie die vorm aannam in zijn handen, in een los verband toverde hij bommen, racebrommers en vliegtuigen te voorschijn en jongleerde ermee als een lichtzinnige tovenaar. Ik had nooit eerder iemand ontmoet bij wie het idee zo vanzelfsprekend leidde tot uitvoering, op wie angst en conventies zo weinig greep hadden. Hij durfde het onmogelijke te denken en merkte niets van de afwijzing die zich achter zijn rug voltrok. Want veel mensen moesten Joe niet, er was te veel onbegrijpelijkheid aan hem. De meeste mensen zijn gemiddeld, sommige zelfs ronduit minderwaardig; maar ze zijn allemaal heel gevoelig voor de hogere concentratie energie of talent in de bovengemiddelde mens. Hebben zij geen beschikking over datgene wat licht geeft in jou, dan jij ook niet. Ze hebben geen talent voor bewondering, alleen voor slavernij en afgunst. Ze stelen het licht.

Regina Ratzinger zit in de voorkamer en laat ons foto's zien. Ze is magerder geworden, en bruin, ook al is het winter. Ze is alleen op vakantie geweest naar Egypte, dat wil zeggen met een groep mee waarvan ze niemand kende, onder leiding van een echtpaar dat als reisgids optrad. Ze heeft op het heetst van de dag foto's gemaakt van de piramides, zodat de driehoeken voornamelijk te onderscheiden zijn door hun schaduwen. Chefren, Cheops en Mykerinos, somde ze op, of was het Cheops, Chefren en Mykerinos – ze wist het niet meer.

– Da's een hoop manuren, zegt Joe.

Ze vertelt ons over een man met een hoofddoek en tabakskleurige tanden die haar op een dromedaris geholpen had, waarna ze met de zenuwen in haar lijf een ritje door de woestijn maakte. Toen moesten ze terug naar de bus want er was zoveel te zien, het was niet bij te houden allemaal zoveel als Egypte te bieden had. Op de westoever van de Nijl bij Luxor werd de hele groep op ezels gehesen, en reden ze tussen allerlei ruïnes en dodensteden door en je hoefde nooit de weg te vragen want 'donkey knows the way' had de ezelverhuurder gezegd. Het beest stopte uit zichzelf bij een winkeltje met vers antiek, bleef opnieuw staan bij een ijsverkoper in de schaduw van een kruimelige tempel en draafde het laatste stuk naar huis met de schuddende toerist op zijn rug. Donkey knows the way!

Ook in de bus gebeurden dingen. Regina Ratzinger vertelt het verhaal van de man die groen werd.

Hij was een oud-onderwijzer uit het zuiden van het land en reisde samen met zijn vrouw. Ze hadden de meeste tijd hoofdschuddend en met hun neus op het busraam doorgebracht. De man was twee weken voor vertrek begonnen met het innemen van imodium tegen diarree. Alle boeken hadden het over de slechte hygiënische omstandigheden in het land, hij wilde niet het risico lopen dat zijn vakantie werd bedorven door buikloop. Na een week onderweg schemerden er donkere vlekken op zijn gezicht en wangen. Hij werd rusteloos, praatte met iedereen zonder te luisteren wat ze terugzeiden en liep almaar het gangpad van de bus op en neer. De donkere vlekken braken door, er begon een soort mos op zijn gezicht te groeien – harige, donkergroene flora die droog opstoof wanneer hij erover wreef. Hij had drie weken niet gepoept. Het mos bedekte nu ook zijn nek en hals en leek op een primitieve, *eencellige* manier vastbesloten om zijn hemd in te groeien. De reisgenoten waren bezorgd. Niks aan de hand, zei de onderwijzer, het ging vanzelf weer weg, waarschijnlijk toch iets verkeerds gegeten. Hij was nu helemaal groen uitgeslagen en niet onrustig meer, hij zat achterover in zijn stoel en liet de Aswandam en de tempels van Abu Simbel aan zich voorbijgaan. Ze doorkruisten de Oostelijke Woestijn en bereikten de Rode Zee; de onderwijzer kwam niet meer overeind. Hij glimlachte mild toen drie mannen hem in Hurghada de bus uit tilden, zijn vrouw drentelde er zenuwachtig omheen. De groene schimmel woekerde ook op zijn tong zodat het leek of hij op een groene toverbal gezogen had. Het gezelschap zag zijn gezwollen buik, als de gasbuik van een drenkeling. In het General Hospital van Hurghada had hij de maximale dosis laxeermiddel toegediend gekregen: hij ontplofte zowat. In zijn maag en darmen was drieënhalve week voedsel opgehoopt, kilo's halfverteerde klei, drabbig tot stilstand gekomen voor de poort die hermetisch was dichtgemetseld met imodium. Bij de ongecontroleerde uitbraak van oude stront waren een deel van zijn endeldarm en anus uitgescheurd. 'Meneer Brouwer heeft een golem gebaard,' fluisterde iemand uit de groep, en ze hadden in tijden niet zo gelachen.

– Wat is een golem? vraagt Christof, maar Regina Ratzinger is bij het volgende pakje foto's aangekomen.

Meneer Brouwer was achtergebleven in Hurghada, de groep was per bus de Sinaï overgestoken naar de Golf van Akaba. In het dorpje Nuweiba, de laatste halte van de reis voor ze terugvlogen vanuit Caïro, logeerden ze in Domina, een luxe hotel met zwembad, discotheek en een barpianist die honderddertig kilo woog.

Op Regina's foto's zien we een donkere man met een snor als een cavia. Hij heeft de kleur van tuinaarde. Drie foto's later zuigt hij aan een waterpijp en grijnst in de rookwolken. Even later staat hij volledig gekleed naast Regina in bikini op het strand.

– Wie is de snor, vraagt Joe.

Zijn moeder schuift de volgende foto ervoor maar daar staat de snor ook weer op, nu bij een houtvuur op het strand, tegen een donkere hemel met een paar strepen van de ondergaande zon erin.

– Waarom grijnst de snor, vraagt Joe, maar zijn moeder zegt niks.

Joe staat op, Engel en Christof volgen. Regina staart naar de foto.

– Ik hoor het nog wel een keer, zegt Joe. Oké?

Na Joe's vader zijn er niet zoveel meer begraven op het akkertje aan de Kruisweg, waar ons tuinhuis – waar ik nu in woon – met de achterkant aan grenst. Op mooie dagen, als de ramen van ons huis openstonden, kon je daar altijd de uitvaarten horen. Het praatje van pastoor Nieuwenhuis door de luidsprekerinstallatie, een familielid dat nog gauw de microfoon greep om de beweende gestorvene van een briefje toe te spreken, en tot slot de uitvaartleider die iedereen namens de familie dankte voor de aanwezigheid en de aandacht vestigde op de broodmaaltijd in Het Karrewiel: straat uit rechts, tweede links helemaal aan het eind, parkeergelegenheid achter.

Ik heb die deprimerende toestand jaren aangehoord. Het was niet eens zozeer de dood die iedereen gelijk maakte, als wel het zouteloze praatje van pastoor Nieuwenhuis. Het maakte niet uit wie je was, of je hoge bergen had beklommen, twaalf kinderen op de wereld had gezet of een bloeiend loonbedrijf had opgericht, Johannes, Paulus en Nieuwenhuis sloegen iedereen tot gelijke munt. De eeuwige gelaten ernst, dezelfde betekenisvolle stiltes, de vorsende blik die over de hoofden van de kudde gleed – de lust in de dood werd je zo behoorlijk ontnomen.

Eén bijbeltekst staat me helder voor de geest, wat te maken had met het jaargetijde waarin de ramen voor het eerst weer open gingen – rond Pasen. Naast het gonzen van de hommels en de donzige warmte van het vroege voorjaar was het Nieuwenhuis' favoriete lezing voor de paastijd die door de ramen te horen was, uit Paulus' eerste brief aan de Korinthiërs:

Broeders en zusters,
nu deel ik u een mysterie mee:
wij zullen niet allen sterven,
maar wij zullen allen van gedaante veranderen,
opeens, in een oogwenk,
bij de laatste bazuinstoot;
want de bazuin zal weerklinken
en de doden zullen verrijzen in onvergankelijkheid
en wij, wij zullen van gedaante veranderen.
Want dit vergankelijke
moet met onvergankelijkheid worden bekleed,
en dit sterfelijke
met onsterfelijkheid.
En wanneer dit vergankelijke
met onvergankelijkheid is bekleed,

en dit sterfelijke
met onsterfelijkheid,
dan zal het woord van de Schrift in vervulling gaan:
de dood is verslonden, de zege is behaald!
Dood, waar is uw overwinning?
Dood, waar is uw angel?
De angel van de dood is de zonde
en de kracht van de zonde is de Wet.
Maar God zij gedankt
die ons de overwinning geeft
door Jezus Christus, onze Heer.
Amen.

Toen de Nieuwe Begraafplaats in gebruik werd genomen, raakte die achter ons huis langzaam in verval. Het was een sluipend proces, de gemeentewerkers kwamen op het laatst alleen nog maar voor het allernoodzakelijkste onderhoud. Ik vroeg me af hoe lang het nog zou duren voor de hele troep zou worden geruimd.

De meeste mensen kopen grafrechten voor tien jaar. Daar waar jij en de eeuwigheid elkaar ontmoeten, heb je in elk geval tien jaar rust. Dan moet je maar hopen dat ze niet te beroerd zijn om voor nog eens tien jaar te investeren, anders word je geruimd. Het zou wat, maar het idee is toch wel onaangenaam, vind je niet, een eeuwigheid die maar tien jaar duurt...

Maar hoe lang doet de herinnering aan jou eigenlijk nog pijn? Twee jaar? Drie? Misschien vier of vijf als er héél veel van je gehouden werd, maar langer zal een rouw zelden duren. Alles daarna is herdenking. Herdenking heeft haar emotionele momenten maar niet meer het rauwe verdriet van het begin. Je begint te slijten, vriend. Je slijt langzaam uit ze weg. Soms weten ze zich je gezicht niet meer voor de geest te halen, of hoe je kuste, je lichaamsgeur, de klank van je stem... Dan is het wel zo'n beetje gedaan. Er komt iemand anders voor je in de plaats, op een dag. Dat steekt, natuurlijk, maar jij doet niet meer mee, weet je nog?

Daar ligt ze, jouw vrouw, naast een ander, het genot straalt uit tot in haar tenen, ze kan zich niet herinneren dat ze ooit zo...

Nou ja, er zijn wel meer verschillen tussen jou en hem... Alleen al dat hij zo zwart is als m'n schoen. Ze heeft hem uit Egypte laten overkomen en zijn ticket betaald, en nu ligt hij aan jouw kant van het bed te kijken naar het grijze licht dat door een kier in de gordijnen valt. Misschien denkt de nieuwe man nu ook wel even aan jou, degene die hem voorging. Hij beseft dat de plaats naast haar al heel lang koud was – hij heeft dat plaatsje niet op jou veroverd, nee, hij eet het brood dat beschikbaar is gekomen door jouw dood, en vraagt zich af of hij een kans had gemaakt als jij nog...

Bruusk draait hij zich om naar de verliefde vrouw, de schakel tussen de levende en de dode man die elkaar argwanend beloeren in de schaduwen.

Dit ging eraan vooraf:

– Hoe moeten we hem noemen? vroeg India toen haar moeder vertelde dat ze weer naar Egypte zou gaan, nu om haar geliefde op te halen voor een eerste bezoek aan Nederland.

– Gewoon, Mahfouz, zo heet hij, zei Regina.

– Ik wil hem ook wel papa noemen als jij dat wilt.

– Waarom zou ik dat willen?

– Omdat het heel moeilijk kan zijn voor een vrouw als haar kinderen haar nieuwe echtgenoot niet accepteren. De moeder kan zich verscheurd voelen en zoiets wordt soms een echte splijtzwam in een gezin.

– Waar haal je dat nu weer vandaan, zei Regina.

Regina Ratzinger ging naar Egypte om Mahfouz Husseini te trouwen, uit liefde, maar ook omdat hij zo de gewenste reisdocumenten kreeg voor een bezoek aan Nederland. In Caïro was het een gewemel van advocaten en de wachttijden in bloedhete gerechtsgebouwen duurden treiterend lang, maar aan het eind van de week waren ze man en vrouw.

Ze maakten een tweedaagse cruise op de Nijl, daarna stapten ze op het vliegtuig naar Nederland. Het was 10 december, de duifgrijze hemel hing laag boven ons hoofd.

Toen de Egyptenaar uitstapte aan het Achterom, stak hij als eerste zijn neus in de lucht, als een dier. Rook hij de geruststelling van de delta? Van de uiterwaarden die net als vroeger de oevers van de Nijl op gezette tijden worden overstroomd? Hij had een kleine koffer bij zich met een in gazellenleer gebonden koran erin, een slof Marlboro voor Joe en India, een foto van zijn vader bij zijn werf en nog een waar zijn hele familie op stond. Verder wat kleren, maar niet veel.

Joe kwam op zijn sokken naar buiten en stak zijn hand uit. Husseini zuchtte alsof er een wens in vervulling was gegaan.

– My son! zei hij en omhelsde die arme Joe stevig.

Hij bleef hem een tijdje vasthouden, hield hem toen op enige afstand om hem te bekijken en trok hem weer in zijn omhelzing. In de deuropening verscheen India. Haar moeder haalde verontschuldigend haar schouders naar haar op waarmee ze zoiets als ''s lands wijs, 's lands eer' tot uitdrukking bracht. Joe kwam enigszins verfomfaaid uit de omhelzing te voorschijn. De Egyptenaar gaf India een hand. Later zei India dat ze zich diep beledigd voelde.

– Waarom werd ik niet zo… zo *vastgepakt*? Heeft hij iets tegen meisjes? Zat m'n haar niet goed? Rook hij dat ik ongesteld was? Vindt hij ongestelde vrouwen *onrein*?

– Stop! riep haar moeder. Mahfouz deed dat juist uit respect. Arabieren hebben heel veel respect voor vrouwen.

Mahfouz Husseini zou de eerste geregistreerde neger van Lomark worden. Eigenlijk was hij geen neger maar een Nubiër, maar wat wisten wij daar nou van. Wit is wit en zwart is zwart. Wij maken geen onderscheid hier.

Husseini bleef tot vlak voor kerst, toen vloog hij terug naar Egypte om zijn definitieve vertrek voor te bereiden; een broer nam zijn winkel in de Sinaï over, in Caïro wachtte hem de bureaucratische hel die aan de juiste stempels en uitreisformulieren voorafging. Regina kwijnde, Joe en India waren nu geheel op zichzelf aangewezen – hun moeder verwaarloosde het huishouden en rookte meer dan dat ze ademhaalde.

– Mam, je moet wel eten, zei India.

– Ik heb al twee rijstwafels op.

Ze slofte de keuken uit. Nog drie weken. India riep haar na.

– Als Mahfouz je zo ziet zal hij je niet mooi meer vinden! Jezus Joe, zeg jij er eens wat van dan.

– Wat weet ik ervan.

Daar zei hij een waar woord. Wat wist hij ervan. Met Engel Eleveld deelde hij een magistrale minachting voor de liefde. Hoewel ik hem er nooit over hoorde, leek het of hij de liefde een minderwaardig tijdverdrijf vond. Oponthoud. Christof dacht er anders over, die was net als ik verliefd op de Zuid-Afrikaanse.

Ik herinnerde me die zomer, toen Christof Joe in de schuur op het bestaan van PJ gewezen had. Een paar dagen later had Joe de nieuwelinge staan bekijken die met vriendinnen op de lage muur rondom het schoolplein zat.

– Nou, wat vind je ervan? drong Christof aan.

Joe sloeg hem op zijn schouder.

– Goed gezien Christof. 't Is inderdaad een meisje.

Het begon te vriezen, het water in de uiterwaarden stond hoger dan ik ooit had gezien en het zou nog verder stijgen. Op een dag zat ik aan tafel en hoorde Willem Eleveld op de nationale radio. Ze belden hem op om van hem, 'als bewoner van het rampgebied', te horen over de 'alarmerende waterstand' in de grote rivieren. Eleveld was direct in de uitzending, je hoorde hem opnemen en heel traag 'ja?' zeggen.

– Goedemiddag, spreek ik met de heer Eleveld uit Lomark?

– Spreekt u mee.

Er was een afschuwelijk rondzingen in de speakers te horen omdat Willem Eleveld toevallig dezelfde zender op had staan.

– Meneer Eleveld, fijn dat u naar ons programma luistert, maar kunt u alstublieft de radio uitzetten?

Engels vader legde de telefoon neer, scharrelde wat rond en het rondzingen verdween.

– Met wie nog maar? vroeg hij.

– Joachim Verdonschot van de IKON-radio spreekt u mee, u bent live in de uitzending meneer Eleveld. U woont midden in het rampgebied, heb ik begrepen. Kunt u ons vertellen hoe het daar is?

– Hoe bedoelt u, meneer?

– Met de enorm hoge waterstand.

– Het valt nog wel wat mee hoor.

– Geen water in de kelder?

– Niks meer als anders.

In Hilversum klonk geritsel.

– Het hoge water zorgt voor veel problemen, u en een aantal andere inwoners van de buurtschap zijn omsloten door het water. Wanneer verlaat u uw huis meneer Eleveld?

– Veereiland, zei Willem Eleveld.

– Wat zegt u?

– Veereiland, geen buurtschap.

– Veereiland. Wanneer verlaat u uw huis meneer Eleveld?

– Het zakt wel weer. We hebben niks geen last.

– Dat is dan een geluk bij een ongeluk zullen we maar zeggen. Hartelijk dank meneer Eleveld uit Lomark, ik hoop dat u droge voeten houdt daar!

– Niks geen dank.

Het werd 1 januari, er was gedronken 's nachts en een beetje vuurwerk afgestoken, nu sliep iedereen om straks strontcha-grijnig wakker te worden in een nieuw jaar. Het water was weer wat gezakt, het had hard gevroren en de uiterwaarden lagen onder een prachtig mooie ijslaag waar de zon overdag diepgouden vlammen op toverde, maar nu was het nog donker en stond ik op de dijk en tuurde me het bloed in de ogen in de duisternis. Joe en Christof waren zojuist in het donker weggeschaatst met hun schoenen in de hand, vandaag zou Joe voor het eerst proberen het vliegtuig de lucht in te krijgen. Mompelend in het donker waren ze ervandoor gegaan tot ik alleen nog het steeds dunner wordende krassen van de ijzers hoorde.

Toen ik het koud begon te krijgen ben ik heen en weer gaan rijden. Het bleef lang donker. Ik besloot een risico te nemen: de overkant, ik wilde erbij zijn, de take-off van dichtbij zien. Ik ging naar de Lange Nek waar de weg onder het ijs verdween achter de rood-witte wegafzetting, en daar ben ik erop gegaan. Ik had nog nooit op ijs gereden. Niet raar dat ik zenuwachtig was, maar het stelde eigenlijk niet zoveel voor – je voelde wel dat je zo kon wegglijden en dat je banden slipten als je krachtig aantrok maar wat gaf dat. Er was weinig wrijving, ik hoefde niet veel kracht te zetten om vooruit te komen. Achter Betlehem Asfalt kwam een wazig streepje paars licht te voorschijn, ik was helemaal alleen op de immense vlakte. Ik had evengoed met een vliegtuig gestrand kunnen zijn in de woestijn. Het was betoverend stil, ik had geen haast om bij de loods te komen.

Er zat de laatste tijd weer wat meer leven in m'n body, ik had me zelfs voorgenomen om uit die kar te komen en een beetje te leren lopen. Hoe gek het ook klinken moge, ik wilde dat vergroeide bewegingsapparaat weer in beweging krijgen – ik werd zeventien, ik had weleens een erectie maar was zo verdomde spastisch dat er van zelfbevrediging nauwelijks sprake kon zijn, toch voelde ik dat dat lichaam ergens nog mogelijkheden bewaarde – hoe miniem ook – voor een fijnere motoriek en wie weet zelfs een vorm van voortbewegen zonder wielen. Ik deed al een tijdje geheime oefeningen waarbij ik met mijn rechterhand de tafel of het bed vasthad en op mijn knieën over de vloer schoof met het bovenlichaam rechtop. Dat lijkt vanzelfsprekend maar je moet het zo zien dat ik de hele evolutie in m'n eentje overdeed – dit was zo'n beetje het amfibische stadium. Ik kwam net het moeras uit en kon er langzaam aan gaan denken iets rechter op te komen.

Het zag eruit als een bedevaart zoals ik door de kamer schoof en ik wist dat ma zou jubelen van weer een wonder als ze het zou zien en Jesaja zou aanhalen, 'de kreupele zal klimmen als een hert en de tong van de stomme zal een vreugderoep aanheffen' enzo, want sommige mensen zien nu eenmaal liever wonderen dan wilskracht.

Wat er nog aan spieren over was in dit lichaam moest weer wakker worden. Het had jaren alleen maar op bed gelegen en in die stoel gehangen en het was ongewis of het nog tot iets meer in staat zou zijn. Ook mijn revalidatiearts had er een hard hoofd in gehad maar dat was al behoorlijk lang geleden. Ik was ouder nu, en soms moet je jezelf een opdracht geven. En wanneer er dan een keer onberedeneerd optimisme door je aderen golft, is het tijd om zoiets aan te pakken.

Het ijs was fantastisch. Het werd steeds een beetje lichter aan de horizon, ik ging waar ik nooit eerder was. Er was glazig blauw licht om mij heen, het turquoise hart van een gletsjer. Zo egaal was het en zo uitgestrekt, waarom kwam ik hier niet eerder op.

Het inktzwarte ijs gleed onder me langs, ik ging helemaal tot aan de noordpunt van het Veereiland.

Ik herroep het eerdere beeld van een gletsjerhart: ik was in het hart van een sneeuwbol, zo'n plastic transparant universumpje met vloeistof erin, waarin het sneeuwt als je het op zijn kop houdt. We hadden er thuis een op het dressoir staan met een steigerende eenhoorn in het midden, tegen een koningsblauwe achtergrond. Als je ermee schudde, sneeuwde het rond de eenhoorn, wiens bek openstond in gehinnik.

Onder de ijsvloer waren de velden van de zomer en de weg die naar de rivier kronkelde. Het gras golfde in de trage stroming daar beneden.

Ik dampte als een paard, ergens startte een motor. Mijn ijspaleis viel rinkelend aan scherven.

Ik draaide om en zag hoe het vliegtuig het ijs op reed. Het was nog altijd meer donker dan licht en van die afstand leek het toestel een sinister voertuig uit de werkplaatsen van de duisternis. Twee schimmen renden het ijs op, dat moesten Christof en Engel zijn. Het toestel stond stil, ze overlegden met Joe van wie alleen zijn hoofd boven de romp uitstak. Het was windstil. Het toestel stond met zijn neus in de richting van het dorp. Toen Engel en Christof op eerbiedige afstand van de propeller waren, gaf Joe gas. Ik hield van dat geluid, dat hoger en razender werd als de motor toeren maakte. Joe reed met hoge snelheid over het ijs. Toen hij aan z'n top zat, probeerde hij de neus de lucht in te trekken. Het toestel kwam heel even van de grond en stuiterde weer neer. Opnieuw. Steeds kwam het even van de grond en dan viel het weer terug. Het leek wel te huppelen.

Vlak voor de winterdijk remde Joe af, keerde het toestel en kwam onze kant weer op. Ik stond nu een paar meter bij Engel en Christof vandaan die stijf van spanning naar Joe's verrichtingen keken. Het vliegtuig daverde over het ijs, het was een schitterend gezicht. Hij reed met wel tachtig of negentig kilometer per uur op ons af, Christof fluisterde 'kom op nou' en Engel schoot zijn sigarettenpeuk weg die vonkte voor hij doofde. Achter ons schoof het gordijn van de ochtendschemering steeds verder open en zette de lucht in paarse en oranje gloed.

Het moet hard gevroren hebben die dag. Ik herinner me geen kou. Vlak voor hij bij ons was zwenkte Joe naar links, het toerental liep terug, hij kwam langzaam tot stilstand en zette de motor af. De stilte was weldadig. Engel en Christof holden naar het vliegtuig waarin Joe hoofdschuddend naar zijn instrumentarium tuurde, dat bestond uit een gashendel, een handrem, druk-, benzine- en temperatuurmeters. Tussen zijn knieën hield hij de stuurknuppel.

– Hij trekt niet op, zei hij toen ze de zijkant vastgrepen.

Hij was slecht te verstaan omdat zijn lippen blauw waren.

– Ik denk dat ik meer flaps nodig heb, ik krijg niet genoeg lift.

Hij leek op een insect met die skibril en een ouderwetse ijsmuts met rode, blauwe en witte banen over het midden. Hij zette zijn handen op de zijkant en hees zich moeizaam te voorschijn uit de beslotenheid van het toestel. Even zat hij gehurkt op de rand, toen sprong hij naar beneden. Op zijn rug zag ik een donkere, natte vlek, zo groot als een fietszadel. Het zweet was dwars door zijn truien en jas heen gelopen. Joe stond krom van de kou en vroeg een sigaret. Engel gaf hem sigaretten en een aansteker, ze overlegden wat het probleem kon zijn. Naar dit moment hadden ze zo lang toegewerkt en nu deed hij het niet. Engel liep rond het vliegtuig en zei zacht verdomme. Joe zoog aan zijn sigaret als een ouderwetse oorlogsvlieger op een obscure landingsbaan ergens in Noord-Afrika. Hij spuugde en met de sigaret tussen zijn lippen klom hij via de vleugel terug het vliegtuig in. Een ijskoude wind verkilde ons toen de motor aansloeg en de propeller begon te draaien. Joe keerde het toestel en taxiede terug naar de loods. Hij zag me en lachte.

– Gelukkig nieuwjaar Fransje!

Op 4 januari deden ze een tweede poging. Ze hadden de stand van de flaps veranderd en iets met het staartroer gedaan. Ook die dag lukte het niet.

Er was een weersverandering op komst. Het koudefront zou tegen het weekeinde plaatsmaken voor zachtere lucht, ze werkten onafgebroken door want zonder het ijs waren ze nergens. Het was een race tegen de klok. Het werd 10 januari en het dooide, mijn banden lieten natte sporen achter op het ijs. Het was erop of eronder toen Joe voor de zoveelste keer het ijs opreed. Ik voegde me bij Engel en Christof die nagelbijtend naar het vliegtuig keken dat ginds snelheid maakte. Steeds harder ging hij tot hij op topsnelheid lag in een horizontale lijn tussen het dorp en de fabriek.

– Trek hem op man! zei Engel ademloos. Trek in godsnaam op!

Als er ooit een geschikt moment was dan was het nu – het was vroeg, de lucht was helder, koud en 'dik', zoals Joe had gezegd, wat goed was om de lucht in te komen. Ginds denderde hij over het ijs en hij zou vlug moeten optrekken omdat hij anders te pletter sloeg tegen een rij knotwilgen die daar uit het ijs op de uiterwaarden stak.

– Wat *doet* hij toch?!

Joe suisde met een noodgang op de bomen af, zo hard had hij nog nooit gereden maar hij deed geen poging om de lucht in te komen – als hij niet snel keerde of afremde was hij hartstikke dood. Ik sloot mijn ogen maar deed ze meteen weer open en zag dat hij eindelijk optrok. De achterband was los van de grond, het toestel hing prachtig horizontaal en sprong op en neer over het ijs, elk ander vliegtuig was nu losgekomen van de grond... O god, o god... Hij ging! Hij was los!

Het toestel klom een paar meter en schoot rakelings over de toppen van de wilgen. Joe had dat onmogelijk kunnen inschatten, hij had gewoon een achterlijk risico genomen en veel geluk gehad. Puur geluk, dat wist ik zeker. Als het toestel op dat moment geweigerd had was hij nu dood geweest. Maar hij was niet dood, hij vloog...

– Ja! Ja! schreeuwde Engel naast mij.

Christof sprong op en neer en greep hem vast. Nu sprongen ze samen op en neer en schreeuwden het uit. Tranen liepen over mijn wangen. Hij had het voor elkaar gekregen, hij was weggevlogen in westelijke richting, het gonzen van de motor werd lichter terwijl hij kleiner werd aan de horizon. Hij had het wonder van de gebroeders Wright herhaald. Nu was niets meer onmogelijk voor hem.

Als Mahfouz Husseini niet was teruggekomen, was Regina Ratzinger waarschijnlijk de hongerdood gestorven. In zijn gebroken Engels zei Mahfouz: 'In tijden van droogte sterven de bloemen als eerste.' Zoiets had Joe er tenminste van gemaakt.

Regina had moeite om het huishouden weer op gang te brengen. Er was iets veranderd in haar, een mate van wereldverzaking in haar gedrag en verschijning die niet meer wegging. Het leek of ze haar kleren altijd langer droeg dan voorheen, en de breipuristen in Lomark merkten pinnig op dat er minieme foutjes verschenen in de patronen van haar truien.

Omdat Mahfouz nu vaak kookte, kwamen er gerechten met lamsvlees en koriander op het menu, bereid met een scherpe rode pasta van pepertjes en specerijen die verwarring zaaiden op je tong.

– Lekker Mahfouz, zei Joe.

Mahfouz keek verheugd op van zijn bord.

– Lekkerrr ja?

In de erker van het huis aan het Achterom vouwde Mahfouz vijfmaal daags zijn gebedsmat uit om gebeden te mompelen in de richting van Mekka. Hij was niet hinderlijk gelovig en viel Joe en India er niet mee lastig. Zij vonden zijn geloof even onschuldig als iemands gewoonte om dagelijks een vast aantal bananen te eten, of de tic om mogelijke rampen af te kloppen op hout. Hij volgde een schriftelijke cursus Nederlands en kon na een paar weken de weg vragen naar het station en een pond half-om-half bestellen bij de slager. Niet dat hij er iets aan had want Lomark had helemaal geen station en half-om-half ging er bij een moslim niet in. Maar hij was op zijn gemak in Lomark, wandelde veel door het dorp en groette ons beleefd.

Regina pronkte met hem in het openbaar en leek zacht te gloeien in zijn bijzijn.

– Nubiërs zijn heel mooie mensen, zei ze. De mooiste van Egypte zeggen ze wel. Maar zo mooi als Mahfouz…

– Ja mam, zei India, 't is goed. Rustig nou maar.

Regina nam haar echtgenoot mee naar de stad en hij kwam terug in een linnen pak en handgemaakte leren schoenen. Hij bewoog er even gemakkelijk in als in de Indiase confectie waarmee hij was gearriveerd. Omdat hij de gewoonte had zijn snor te lotioneren en nu door Regina werd gekleed als een tropische dandy, was hij in Lomark een wat typisch anachronisme dat verdwaald leek in een verkeerd werelddeel.

De eerste keer dat Mahfouz Husseini mij zag, boog hij voorover en speurde mijn ogen af om te zien of ik ze allemaal op een rij had. Ik liet hem. Husseini richtte zich op en lachte, blijkbaar had hij iets gezien. Toen zei hij iets in het Arabisch en nam plaats achter mijn stoel. Hé, Arabier! Ik moet mijn arm trainen, laat los! Ik ben je ouwe moeder niet! Maar zonder vragen had hij de handgrepen vastgepakt en duwde me als een oud wijf het dorp door. Ik schaamde me. Andersom had net zo goed gekund. Ik zat als een donderwolk in mijn stoel en wist niet waar hij me heen bracht. Met één klap sloeg hij mijn zorgvuldig bewaakte afzondering aan scherven. We werden nagekeken. 's Avonds bij het eten zouden ze zeggen dat Fransje Hermans een verpleegster had met een snor. We stonden voor lul met elkaar, Husseini en ik.

Als ik me niet vergiste waren we onderweg naar de Lange Nek. De Arabier neuriede flarden van liedjes en had er goed de gang in, zijn zolen kraakten op het asfalt. Ik rook de rivier al van verre, het water had een bepaalde geur die ik niet kon omschrijven maar die me geruststelde. Misschien waren het alle indrukken die hij onderweg naar hier had opgedaan.

– There is Piet, zei Husseini.

Het water was gezakt, Piet Honings dienstregeling was weer als vanouds. Hij lag in het midden van de rivier en kwam onze kant op. Hij scheurde vervoersbewijzen van een blok en gaf ze aan door de open autoraampjes. Hij kreeg geld retour dat hij in de buidel rond zijn middel stak. Daarna ging hij de stuurhut binnen en minderde vaart. Twee auto's en een fietser kwamen van boord. Ik keek ze niet aan. Piet kwam naar ons toe.

– Zo jochie, zei hij. Ik zie je haast nooit meer?

Ik knorde.

– Veel gebeurd, niks veranderd zullen we maar zeggen. We hadden best wat schade van de winter, er zijn wat dingetjes weggedreven. Maar we varen weer, hè Mahfouz, of niet soms?

Hij sloeg Mahfouz met een schuchter klapje op de schouder en ging terug aan boord. Mahfouz duwde me tot aan de rand van de kade, ik trok de rem stevig aan. De Arabier ging op zijn hurken zitten, zijn linkerarm steunde ter hoogte van zijn elleboog op zijn knie, de vingers van de andere hand plukten aan zijn snor.

Sindsdien zaten Mahfouz en en ik vaker op de Veerkop. Ik vond hem prettig gezelschap, hij vertelde, ik luisterde. Wanneer Piet storing had aan zijn pont, stond Mahfouz er met zijn neus bovenop. Hij kon een motor demonteren en in elkaar zetten, wat hij had geleerd op de werf van zijn vader in el-Biara, een voorstadje van Kom Ombo. Hij was de jongste van zes broers en drie zusters. Zijn vader bezat een werf op de Nijloever, en in een bocht van de rivier had Mahfouz geleerd hoe je een feloek bouwt, het karakteristieke Nijlschip. Zijn vader had hem net als zijn broers voorbestemd voor het familiebedrijf, maar omdat ze met te veel waren, had Mahfouz zijn heil gezocht in de toeristenindustrie. Ver van huis, in het dorp Nuweiba aan de oostkust van de Sinaï, opende hij een kleine winkel. Op vijftig meter van het strand verhandelde hij kleden, bedoeïenenzilver en faraonische beeldjes die voor antiek konden doorgaan als je blind en achterlijk was, en omdat veel toeristen aan die criteria voldeden had hij goede handel. Zijn zaak was gevestigd in een lange rij winkels met precies dezelfde artikelen. Boven de deur stond een handafdruk van zwart geworden geitenbloed: de hand van Fatima, de devote dochter van de Profeet. Overdag hing Mahfouz kleden en katoenen kleding buiten waar hij aan het eind van de dag het stof af sloeg.

Nuweiba bestond uit drie losjes verbonden wijken: de meeste toeristen kwamen af op Tarabin, een almaar groeiende strook langs het strand die werd bezet door hotels, restaurantjes en winkels. Een paar kilometer naar het zuiden lag Nuweiba Port, waar de ferry's naar Jordanië vertrokken. Mahfouz had in Tarabin een gelijkmatig leven geleid. Per etmaal sliep hij zo'n tien uur en de rest bracht hij door in zijn winkel of met vrienden. Ze speelden backgammon onder de tl's, een bediende van het restaurant vlakbij bezorgde ontelbare dienblaadjes thee.

Husseini voelde zich sterk en meende dat het menu van vis en rijst en de zeelucht die hij inademde zijn bloed verbeterden. Hij was van mening dat de ziel van de mens zich in het bloed bevond. Bloed reisde door het hele lichaam, en bezielde het stelsel van vlees en botten dat zich Mahfouz Husseini noemde.

Soms viel hij in slaap in een strandstoel en werd de volgende ochtend wakker als de zon boven de bergen aan de overkant verscheen. Hij leefde met zijn gezicht naar de zee en met zijn rug naar de woestijn en was vrij van de grote verlangens die het leven tot een hel maken. Sinds hij had gehoord dat de Sinaï zich anderhalve centimeter per jaar van het Arabisch schiereiland aan de overkant verwijderde, dacht hij de afstand te kunnen zien groeien.

Toen op zekere dag een bus van Piramid Tours Nuweiba

binnen reed, zat hij in de leunstoel naast de deuropening van zijn winkel. Later die middag verschenen de eerste toeristen van de nieuwe lading in hun straat, drie vrouwen. Nederlanders. Mahfouz had daar geen tweede blik voor nodig. Je kon Nederlanders nog weleens verwarren met Duitsers, maar die gedroegen zich over het algemeen met een moeizaam soort bescheidenheid, alsof ze elk moment gearresteerd konden worden. Duitsers praatten weliswaar harder dan Nederlanders, maar liepen niet alsof de wereld van hen was. Nederlanders bewogen alsof ze overal de weg wisten, met een voetstap die zwaar was van het eigen gelijk.

Mahfouz' collega Monsef Adel Aziz riep 'kaikekaikeniekope' naar de vrouwen, en dat was het teken voor de anderen om de vrouwen handenwrijvend en pluimstrijkend tegemoet te treden. Mahfouz zag een vermoeide glimlach op het gezicht van de jongste vrouw. Aan een van de oudere vrouwen zag hij dat ze naar zijn land was gekomen voor de lichamelijke liefde; je kreeg oog voor zulke dingen. Zulke vrouwen hadden iets zoekends in hun blik, iets onverzadigds. Het werden er elk jaar meer, je zag soms blanke grootmoeders met wonderlijk lila haar hand in hand lopen met jonge jongens. Het verhaal ging dat die vrouwen in eigen land verlaten waren door hun man, of naar Egypte waren gekomen omdat hun echtgenoot ziek was en niet meer aan zijn huwelijkse plichten kon voldoen. Monsef Adel Aziz liet zich met die vrouwen in en was er niet slechter van geworden. Het was de jongemannen van het dorp om het even of de vrouwen oud, jong, dik of knap waren. Mahfouz zelf had een verhouding gehad met een Amerikaanse; aan het eind van haar vakantie wilde ze dat hij met haar meekwam, maar voor hem was een huis in Iowa niet beter dan een winkel in Nuweiba. Daarom kwam Catherine O'Day aanvankelijk elk jaar een paar weken naar Nuweiba. Ze was nu al een paar jaar niet geweest. Hij had nog eens een ansicht van haar ontvangen met groeten uit Amerika. De ansicht hing tegen de achtermuur van Husseini's winkel en bedekte een deel van een foto van hem met zijn arm rond de populaire actrice Athar el-Hakim, die een dag in Nuweiba was geweest voor filmopnames op het strand.

De vrouwen naderden zijn winkel. Over de oudste, die Mahfouz herkend had als seksueel behoevend, hoorde hij later die week dat ze een verhit avontuur was begonnen met een bellboy van Domina, een aantrekkelijke jongeman die onmiddellijk zijn broek liet zakken om zijn forse pik te tonen nadat ze hem omstandig had geprezen om het gemak waarmee hij haar koffers had getild. Nu nam Mahfouz de jongste van de drie vrouwen in zich op – er was schaduw om haar heen. Hij had behoefte om haar gerust te stellen.

– Allemachtigprachtignegentienachtentachtig! riep Monsef Adel Aziz hun na, maar hij wist dat hij de strijd om hun aandacht had verloren.

De vrouwen waren bijna bij de winkel van Mahfouz. Met de bovenkant van zijn wijsvinger streek hij in een vloeiend gebaar over zijn snor en zei met zijn mooiste glimlach: 'Welcome, welcome…'

De vrouwen hadden zijn kleden door hun vingers laten glijden, elk een paar ringen met halfedelstenen gepast en ansichtkaarten gekocht. Daarna waren ze doorgelopen. Maar wie de weg afliep in zuidelijke richting, moest daarover ook terugkeren. De vrouwen draaiden om toen ze aan het einde van de winkelstraat waren, nu liep de vrouw met de schaduw aan de binnenkant. Mahfouz rende zijn winkel binnen, greep een souvenir en vloog weer naar buiten waar hij net op tijd was om de vrouw met het asblonde haar zijn geschenk te geven. Verward nam ze het van hem aan, ze wist niet of hij het cadeau gaf of er geld voor wilde, en probeerde het hem terug te geven.

– It's a gift for you, zei Mahfouz.

Het was een modelscheepje, een feloek met een romp van albast en een zeil waarop in blauw en goud het oog van Horus geschilderd was. De vrouw bedankte hem onhandig, en liep verder.

Nuweiba was weinig meer dan een gehucht. Het was onvermijdelijk dat Mahfouz Husseini en Regina Ratzinger elkaar opnieuw zouden tegenkomen.

De volgende dag zagen ze elkaar bij het zwembad van hotel Domina. Hij had een doosje leren portefeuilles afgeleverd bij de souvenirwinkel van het hotel en wilde over het strand teruglopen naar Tarabin, toen hij haar zag.

– Ah, the beautiful lady, zei hij, en boog licht zijn hoofd.

– Wacht, zei ze. Ik wilde... een kleinigheid... voor dat mooie cadeau.

Ze liep naar haar ligstoel aan de rand van het zwembad, sloeg een sarong rond haar lichaam die ze met een knoop tussen haar borsten vastmaakte, boog voorover en haalde een paar Egyptische ponden uit haar tas. Ze liep terug naar de man en zei: 'Hier, voor u.'

Mahfouz schudde zijn hoofd en glimlachte bedroefd.

– I understand, zei hij. You don't want my gift. I am sorry.

– Of course I want it, but...

Maar het was te laat, de Egyptenaar bracht kort zijn rechterhand naar zijn hartstreek, deed twee stappen achteruit en verdween.

Later die middag was ze met de taxi naar zijn winkel gegaan, en had haar excuses aangeboden. Hij stemde erin toe haar 's avonds te ontmoeten voor een maaltijd.

– O, zei ze toen ze de winkel verliet, my name is Regina Ratzinger. And yours?

– Call me Mahfouz.

Ze aten vis aan het strand van Tarabin. In de schaduw van een vissersboot zat een inktzwarte Soedanees te roken, op het strand waren kwikstaartjes. De avondlucht omsloot hen als de allerlichtst geweven stof. Er kwam een bedoeïen langs met een dromedaris aan een touwtje. De bedoeïen probeerde haar te interesseren voor een ritje over het strand, Mahfouz zei iets en de bedoeïen vertrok. Na het eten liepen ze over het strand naar de Temple Disco van hotel Domina. Regina danste met haar ogen dicht, rondom zwierden de anderen van het reisgezelschap aangeschoten rond.

Later, terug op het strand, maakte Mahfouz een klein vuur. Hij haalde een pakje Cleopatra's uit de borstzak van zijn overhemd en stak een sigaret tussen zijn lippen. Zijn handen gingen zijn zakken langs maar vonden geen aansteker, Regina nam een brandende tak uit het vuur die ze hem met trillende vingers voorhield. Hij hield de punt van de sigaret tegen het hout en zoog er de brand in. Ze zagen niet hoe een gloeiend stukje hout op Mahfouz' terlenka broek viel. Toen de stof begon te roken en hij met een gil overeind sprong om de brand in zijn broek te doven door er met zijn vlakke hand op te slaan, begreep Mahfouz dat er iets onherroepelijk veranderd was.

– Kijk, zei Joe, mevrouw Eilander.

In de verte kwam de Peugeot-stationwagen van PJ's moeder aanstuiven over de dijk. Ze zorgde voor een hoop luchtverplaatsing, we zagen haar in een flits, grimmig naar het scheen, ze zag niet eens dat Joe en ik onze hand naar haar opstaken.

– Boos, zei Joe.

We hadden haar auto zien staan bij het politiebureau dat werd bemand door brigadier Eus Manting. We konden wel zo'n beetje raden dat ze daar haar beklag deed over een vreemd vliegtuig dat soms angstwekkend dicht boven haar tuin vloog, want Joe maakte sinds kort verkenningsvluchten boven het Witte Huis.

Joe liep de dijk af, de uiterwaarden in, met de woorden: 'Even nadenken Fransje.' Ik wist waar hij in het gras lag omdat daar kleine rookwolkjes te voorschijn kwamen boven de zee van halmen en ongewoon grote klaprozen. Zwaluwen scheerden over hem heen en insecten dreinden laag boven het land door een naderend lagedrukgebied.

In het dorp staken vlaggen met schooltassen eraan uit sommige huizen. Over een jaar waren wij aan de beurt. En dan? Dan gingen ze weg, Joe, Christof en Engel, ergens anders heen. Studeren of werken, in elk geval iets waar ze mij niet bij nodig hadden. Het zag ernaar uit dat ik een diep ingevreten anker was dat altijd op zijn plaats zou blijven. Er lag niets voor mij in het verschiet en ik probeerde weinig te verlangen, zoals een dier of een boeddhist.

Of als Joe.

In de verte kwam Christof haastig aanfietsen.

– Joe gezien? vroeg hij.

Ik wees naar het weiland waar hij rondjes sigarettenrook produceerde die snel uitwaaierden zodra ze boven het gras uit kwamen. Christof zette zijn fiets tegen een paaltje en pakte het prikkeldraad langs de dijkweg tussen duim en wijsvinger. Hij drukte het voorzichtig naar beneden en stapte er eerst met zijn rechterbeen overheen en toen met zijn linker. Hij liep het talud af en riep: 'Joe! Hé, Joe!'

Uit het gras stak een hand.

Christof waadde tot bij hem en stond tot zijn dijen in het groen, alsof hij langzaam zonk. Een windvlaag golfde door het gras, achter mij ritselde droog blad dat over het wegdek werd geblazen. Niet zo lang geleden hadden ze daar beneden geschaatst en een vliegtuig laten opstijgen, nu zag je soms een scholekster verdwijnen in die ademende zee van gras en bloemen, waarboven zwaluwen halsbrekende duikvluchten uitvoerden. Na een tijdje kwam Joe half overeind, een beetje geïrriteerd, misschien omdat hij was gestoord bij het denken. Hij stond op en liep mijn kant uit. Christof had verder geen zaken daar en liep hem achterna.

– Wat heb je dan gezien Joe?! riep hij. Doe niet zo lullig man, ik heb net zo goed het recht om het te weten, ik heb ook meegeholpen weet je nog…

Joe hield het prikkeldraad omlaag zodat Christof eroverheen kon stappen.

– Ik heb haar gezien, zei hij toen langzaam.

Christof ontplofte zowat.

– En wat dééd ze?

Hij leek in de veronderstelling te verkeren dat nudisten iets deden, iets met seksuele riten ofzo.

– Haar, zei Joe. Er zat haar voor. Er was niks te zien.

Het was of iemand zonder aankondiging alle geluid uit de wereld had weggedraaid, zo stil werd het. Je zag Christof nadenken. Ikzelf was teleurgesteld door het bericht, want hoewel ik me geen precieze voorstelling kon maken van dat haar, leek de inspanning me niet in overeenstemming met het resultaat. Ik had er meer van verwacht.

– Verdomme, zei Christof, zoiets dacht ik al wel.

Er kwam weer zo'n lange vakantie aan. Zo'n periode waarin je langzaam smelt en in eigen uitwasemingen wordt gemarineerd. Dat was altijd een slechte tijd voor mij. Er was weinig te doen als je niet met brommers en spekkige meisjes in de weer was. Wel ging ik zomers door het leven in korte broek en uitzinnige hawaïhemden die ma voor me kocht, maar dat trok alleen maar meer de aandacht. Het liefst had ik veel kleren aan en de grijze plaid van skai tot aan mijn hals opgetrokken, maar in de zomer kreeg ik daar vreselijke uitslag van. Dus zat ik erbij als een afgestreken lucifer en keken de mensen naar me alsof ik imbeciel was. Nu is dat sowieso het eerste wat ze denken als ze iemand in een rolstoel zien, dat hij wel niet goed bij zijn hoofd zal zijn. Ik ben al lang geleden opgehouden met pogingen om het tegendeel te bewijzen.

Ik zat het liefst met Mahfouz aan de rivier, aan wie ik niks hoefde uit te leggen. De zon blikkerde op het water; het licht was zo schel dat het de binnenkant van je hoofd verlichtte en iedereen zo bij je naar binnen kon kijken.

Zo zaten we daar vaak, de Egyptenaar en ik, en raakten dan langzaam in de aangename verdoving van dagdromen die over je komt wanneer je lang naar golven of naar haardvuur kijkt. Piet kwam en Piet ging, een auto toeterde in het voorbijgaan en uit de wilgen op de oever dreven witte pluisjes tot boven de rivier, waar ze neerdaalden op het water of naar de overkant zweefden. Huisvrouwen klaagden als de wilgen pluisden, soms was het zoveel dat het zich ophoopte voor hun deuren en het huis binnenwoei zodra het de kans kreeg. Mahfouz was heel ergens anders met zijn hoofd, misschien dacht hij aan waar hij vandaan kwam en aan de vreemde wind die hem hier had gebracht, naar deze basaltblokken in gezelschap van Frans de Arm.

Op de rivier was het een en ander aan pleziervaart, van die drijvende koelkasten die ons vertellen dat algemene welvaart en wansmaak bij elkaar horen als zout en peper. Ook kwam er soms een ouderwetse salonboot langs met mensen aan boord die sportieve kleding droegen met een blauwe of aubergine-kleurige streep. Die kwamen uit andere werelden en dreven met opmerkelijke lichtheid aan de onze voorbij. Er was iets hunkerends in de manier waarop ze vanaf hun schepen naar de oever keken, zoals er iets hunkerends was in de manier waarop ik terugkeek. Vaak zwaaiden ze.

Ik wist dat bootjesmensen graag naar elkaar en naar mensen op de oevers zwaaiden. Automobilisten en fietsers zwaaiden nooit naar elkaar maar motorrijders weer wel. Door het zwaaien waren bootjesmensen en motorrijders op een ge-heimzinnige manier met elkaar verbonden. Mahfouz zwaaide soms terug zonder daarbij zijn overpeinzingen te verlaten. Hij maakte soms binnensmondse geluiden, alsof hij zichzelf be-aamde in een innerlijk gesprek, waarbij het plukken aan zijn snor heviger werd. Ik begreep wel dat Regina verliefd op hem was – hij had glimmend zwart haar en diepe, donkere ogen met veel wit eromheen, zoals van Toearegs in de *National Geographic*, met blauwe hoofddoeken om die alleen hun ogen onbedekt lieten.

– In Nuweiba was een pelikaan, zei Mahfouz op een keer. Groot, wit. Op een dag kwam hij aan land en ging niet meer weg. Misschien had hij genoeg van het leven op de zee en had hij besloten dat hij bij de mensen wilde wonen. Hij at van ons vlees, ons brood en onze vis. Er kwamen toeristen die met hem op de foto wilden. Soms maakten we 's avonds een vuur en dan dreef hij vlakbij in het water zodat hij ons kon zien.

Op dit punt in het verhaal haalde de Arabier een beduimeld pakje Cleopatra te voorschijn en klopte met het filter op zijn linker duimnagel. Hij stak hem op en herinnerde zich toen dat ik er ook nog was. We rookten. Sommige rokers blazen rook uit als een vliegtuig, in zo'n rechte grijze streep, maar zoals de Arabier rookte had ik nog nooit gezien – hij rookte, hoe zal ik het zeggen, *verdwijnend*. Hij nam een dot rook in zijn mond en liet die in witte flarden rond zijn gezicht dwarrelen op de manier waarop wolken een bergtop aan het zicht onttrekken. Rookten ze zo waar hij vandaan kwam? Het was een spektakel. Hij leek het verhaal over de pelikaan compleet vergeten, tenminste, hij was weer op zijn hurken gaan zitten en keek de bootjes na waarbij soms zijn gezicht in de wolken was verdwenen.

Een hele tijd later begon Mahfouz opeens weer te praten, over de tijd dat de toeristen waren weggebleven uit zijn land door de situatie in Israël, en ze allemaal een stuk magerder werden terwijl ze wachtten op betere tijden.

– Stel je voor dat je een zeeman bent, zei hij, en de wind is opeens weg, je schip ligt stil midden op de zee en je kunt alleen maar bidden voor wind… Zo is dat ook met de handelaar, hij maakt er een gaatje bij in zijn riem en kijkt omhoog tot Allah weer aan hem denkt. We wachtten als zaadjes in de woestijn op regen, op betere tijden. En onze pelikaan wachtte ook. Maar eerst moesten we zelf eten. Hij had toch die grote zee vol vis? Hij wachtte niet meer tot hij iets kreeg maar begon te stelen.

Mahfouz keek me kort aan.

– Afhankelijkheid maakt een dief van je. Hij was een boze oude dief geworden. We joegen hem weg maar hij bleef terugkomen, misschien was hij het vissen verleerd. Op een avond heeft hij een misdaad begaan waarvoor Allah hem zijn straf heeft gegeven. Monsef Adel Aziz roosterde een kip op het strand, de pelikaan heeft de kip van het spit gerukt en in één hap doorgeslikt. Een uur later was hij dood.

Mahfouz drukte de peuk uit onder zijn hak en haalde zijn schouders op. Verbijsterd keek ik hem aan. Was dat alles? Ik was niet verdacht geweest op zo'n abrupt en noodlottig einde. Maar zelf vond Mahfouz het nogal goed want hij keek mij aan alsof hij instemming verwachtte. Hij bekeek het maar. Het was een waardeloos verhaal.

In dezelfde week heb ik Joe voor het eerst bezorgd gezien.

– Ze heeft zijn paspoort afgepakt, zei hij. Dat gekke wijf.

Ik vroeg met mijn wenkbrauwen.

– Mijn moeder. Ze heeft Mahfouz zijn paspoort verstopt. Ze is bang dat hij hem smeert ofzo.

Regina nam straffe maatregelen om haar Arabier niet te verliezen.

– Zijn nette pak heeft ze ook weggehangen. Ze denkt dat het te veel aandacht trekt. Van vrouwen.

Het was me al opgevallen dat Mahfouz minder netjes over straat ging dan eerst. De mensen op de pont keken niet meer zo hun ogen uit wanneer hij geld beurde voor Piet, een notenhouten Arabier met een geurige snor en een linnen pak die hun tickets scheurde – een bezienswaardigheid!

Joe was absoluut niet gerust op de ontwikkelingen die de liefde in zijn huis had gebracht. India vertaalde de gebeurtenissen voor hem, zelf was hij nog niet erg gevoelig voor wat liefde allemaal kon doen.

– Is het dan zoiets als met smaakpapillen? vroeg hij India. Dat je het zoet voor op je tong proeft, het zuur halverwege en de bitterheid achter op je tong, bedoel je dat, dat de liefde eerst zoet is en steeds bitterder wordt naarmate ze meer van hem houdt?

Hoewel het zout ontbrak in zijn gelijkenis, vond ik het een geslaagde vergelijking, verliefdheid als voorportaal van de slokdarm en het spijsverteringskanaal. Het klopte wel zo'n

beetje met wat ik erover had gelezen en wat ik er bij mijn ouders van zag. En op de een of andere manier moest ik ook aan
dat belachelijke verhaal van de pelikaan en de geroosterde kip
denken.

Toen het gras smeulde op de velden en er schapen met een zonnesteek naar het abattoir moesten voor een noodslachting omdat de boeren het verdomden om hun beesten de schaduw van een boom te geven, heb ik leren drinken. Dat is het enige wat Dirk me ooit geleerd heeft, oceanisch drinken, net zo lang tot je van elke waardigheid bent ontdaan en een beest onder de beesten bent geworden, balkend om liefde en aandacht en te smerig om aan te pakken.

Hoe begint zoiets.

Je passeert café De Zon waar je oudste broer naar buiten komt omdat hij je zag langsschuiven, je bent verbaasd dat hij daar weer binnen mag omdat hij immers een verbod had. Hoe dan ook, Dirk heeft er al een paar op en zijn stemming is verwarrend goed. Hij roept: 'Je ziet er warm uit Fransje, kom binnen!' en voor je het weet heeft hij je De Zon binnen geduwd en geroepen: 'Bier voor mij en m'n kleine broertje, Albert.'

Albert is de man achter de bar, voor de rest zijn er mannen van wie je wel de gezichten maar niet de namen kent. Wat doe je hier.

– Kijk niet zo kwaad Fransje!

Dirk is gevaarlijk joviaal en heeft je tot je afgrijzen voor het eerst in je leven 'mijn kleine broertje' genoemd. Het ergste is, je weet precies waarom: je bent zijn circusbeest vandaag, hij zal nu eindelijk eens een voordeeltje hebben van je bestaan en je ten overstaan van anderen je eerste bier laten drinken en met hen lachen om het bier dat in stralen over je kin en je hemd loopt. Hij heeft de lachers op zijn hand en ik het medelijden, maar niemand die er iets van zegt 'want het is z'n grote broer, die zal het wel weten toch', en daar is het tweede bier al, waarom ook niet want wil je me laten drinken grote lummel, dan zal ik drinken tot die verdomde lach van je smoel af is omdat dit niet is wat je bedoelde, dat ik van je circusbeest je schande en je woede word, omdat er niets is wat jij in de hand kunt houden zonder razernij en onderdrukking... Vooruit Albert, ik heb dorst als een paard en m'n broer betaalt... en dat ik soms een hap uit je glazen neem komt doordat ik zo spastisch ben als wat, maar hé, zoals ik het glas uitspuug in een glinsterende stroom splinters en bloed dat is toch wel weer leuk, of niet jongens?

Zo begint zoiets.

En hoe ver moet je gaan om van hun medelijden verlost te worden? Niet erg ver. Ik dronk tot ik loeiend vooroverstortte en ze me weer in m'n kar hielpen en geen bier meer gaven. Dirk was toen al zo kwaad dat hij me een dreun had gegeven als het niet onbehoorlijk was geweest om een gehandicapte te slaan in gezelschap.

Wat me zelf het meest verbaasde, was de enorme hoeveelheid geluid die ik erbij maakte. Dat vonden ze eerst wel grappig. De alcohol stookte een vuur onder mijn gewoonlijke geluidloosheid. Het was of mijn strottenhoofd openscheurde, zuurstof kolkte rond en ik schreeuwde, man, ik schreeuwde. Dirk had mij al een paar jaar geen geluid meer horen maken, die wist niet wat hij hoorde. Toen de nieuwigheid eraf was, grijnsden de mannen een beetje ongemakkelijk terwijl ik mijn misthoorn openzette.

– Zo kan ie wel weer, zei de barman.

Dirk rukte aan mijn arm. Hij kon de tering krijgen. De mannen draaiden zich weer om naar de bar, een van hen zei: 'Allemaal hetzelfde die jongens.' En hoewel Dirk precies wist wat hij daarmee bedoelde, was hij blij dat hij zijn aandacht nu op iets anders kon richten.

– Hé maat, wat bedoel je.

– Wat, wat bedoel je? zei de man zonder zich om te draaien.

– Wie zijn hetzelfde.

De man keek om alsof hij iets vies rook. Dit was Dirk op zijn best. Hier stond hij om bekend. Ik zag het ijzer in zijn lichaam zakken en de woede zijn ogen verduisteren; zo kende ik hem weer: Dirk-kun-je-het-in-elkaar-stampen-of-kun-je-het-neuken-Hermans.

– Wat moet je nou kloothommel, zei de man.

– Zo is het, zei Dirk. Godverdomme.

En voor ik het wist had Dirk hem met zijn voorhoofd op de bar geslagen. Bloed spoot uit zijn rimpels. Brullend kwam de man van zijn kruk en gooide zich op mijn broer maar kreeg zo'n verschrikkelijke klap dat het glaswerk ervan rinkelde. De anderen sprongen op, er was blijkbaar iets dat ze opriep om gezamenlijk op te treden bij een aanval van buitenaf en nu had Dirk er vijf in plaats van één. Had ik al gezegd dat hij niet kon tellen. De hufter ging kopje onder. Twee man trokken hem in de richting van de deur en de anderen schopten en sloegen zo hard op hem in dat ze zichzelf bezeerden. Mij negeerden ze. Toen ik zag hoe dat zootje automonteurs en metselaars zich op Dirk stortte, voor wie ik nooit één seconde sympathie had gevoeld, laat staan broederliefde, gebeurde er iets geks: ik werd kwaad. Zó kwaad dat ik bijna geen adem meer kreeg. In mij stormde iets dat je 'de roep van het bloed' zou kunnen noemen, iets waar ik nooit op gerekend had in elk geval. Duizelig van die nieuwe gewaarwording ontgrendelde ik de rem en reed mijn kar met grote kracht op het kluwen in.

Ik raakte de man die met zijn rug naar me toe op Dirk stond in te hakken. Hij kreeg mijn kar in zijn knieholtes zodat zijn knieën naar voren schoten en zijn bovenlichaam naar achteren viel, en ik greep hem naar de strot met het enige wapen dat ik had: mijn hand. Die vond zijn hals en klemde aan. Zijn armen maaiden rond maar vonden geen houvast. De hand sloot zich verder, de vingers zonken in het vlees. Ik voelde spieren samenstrekken in doodsangst, en woest kloppend bloed. Ik herinner me genot en de behoefte om hem dood te maken. Het was gemakkelijk. Niet loslaten en aanklemmen, dat was alles. Zijn strottenhoofd eruit rukken. Het tintelde in mijn vingers. Ze lieten Dirk alleen en begonnen nu met mij, ze rukten aan mijn arm met aan het eind dat purperen hoofd met een dikke tong eruit, en sloegen me genadeloos voor m'n bek. Tussen de regen van slagen door zag ik het hoofd steeds donkerder worden. *O god laat me hem alsjeblieft vermoorden –*

Meer weet ik er niet van.

Alleen dat gezicht dat ik me als zwart herinner. En twee dingen die ik na die middag wist:

1. dat de man die ik wilde doodmaken Clemens Mulder heette, dakdekker was en nooit meer mijn vriend zou worden;

2. dat ik kennis had gemaakt met een nieuwe liefde, namelijk de verlossing van alcohol, en daar de rest van mijn leven van zou houden.

– Net een ketting van spinnetjes, zei India toen ze de hechtingen bij mijn wenkbrauw zag.

Ze bracht me naar de schuur achter het huis waar Joe met een naald op zijn onderarm zat te prutsen.

– Joe, wat doe je?! zei India.

In de lengterichting van zijn linker onderarm had hij zijn naam getatoeëerd: JOE – nu nog bloederig maar daaronder helder zeegroen. Het was augustus, de landerigheid had ons allemaal in haar greep.

– Wat nou Fransje, ruzie? vroeg Joe.

Het was me aan te zien, mijn ogen waren zwart van oud bloed en er zaten zes hechtingen in mijn wenkbrauw. Joe had nog nooit gevochten, zoiets overkwam hem niet. Ik begreep dat ik voet had gezet in het domein van de hufters en daarmee onderdeel was geworden van een moorddadige soort, en erger, een familie waarvan de jongens erop los sloegen zodra ze daarvoor de leeftijd hadden. (Meisjes kwamen in onze familie niet voor, het was een bloedlijn van knoesten en niet van zachte dingen.)

Ik, die me had voorgenomen niet zo te worden als de rest, had me in de eerste de beste caféruzie gestort. Ik had een dakdekker gewurgd als ze me gelaten hadden. Ik was een gevallene en Joe wist het. Hij zei weinig tegen me die dag en zat maar inkt bij te prikken in zijn arm. Zijn kaakspieren kwamen te voorschijn wanneer de naald door de opperhuid drong.

Ik ben weer weggegaan en heb hem toen een paar weken niet gezien.

Die tijd heb ik meer dan anders in de dagboeken geschreven om een en ander te herzien.

Mijn gedachten gingen terug naar de tijd voor ik Joe kende, voor ik 220 dagen uit de wereld was. Zoveel vragen toen. Ik was duizelig van alle vragen. Ik wist zeker dat dit niet alles kon zijn, het was onmogelijk dat mensen genoegen zouden nemen met leven en sterven zoals ze deden. Er werd een geheim achtergehouden voor mij, iets dat zij wisten maar niet vertelden en dat duizend keer wezenlijker was dan dit. Filosofie begint met de vraag naar het waarom, zeggen ze. Voor mij was het het begin van een soort hel.

– Niks waarom, zei pa. 't Is zoals 't is.

Toen ik doorvroeg sloeg hij me voor m'n kop. Die was dus ongeschikt voor de vraag, wat niet betekende dat er geen antwoord was; ik was niet zo onwetend dat ik niet wist dat ik onwetend was. Ik wachtte. Ergens zou een deur opengaan, iemand zou vertellen hoe het zat, tot die dag keek ik met grote ogen en vroeg waarom.

Ik begreep dat mensen het gemakkelijk vonden om het leven voor te stellen als een trap. Je begon onderaan en kwam gaandeweg je leven steeds hoger. Peuterschool, kleuterschool, basisschool, waar je werd voorgehouden dat 'de grote school' was wat je wilde. Daar zou je verteld worden wat nu nog onzichtbaar was.

Ik geloofde dat, maar verteerd door ongeduld vroeg ik waarom tot het echt irritant begon te worden. In hun ogen was al dat gevraag een brutaliteit waarmee ik mijn hand overspeelde. Het was of ik naar God zelf vroeg.

Ik wil hier niet de indruk wekken dat ik een jongen was die je ontroerend zou vinden omdat hij zoveel vroeg. Eerder autistisch. Mijn gedachten hadden een mate van stomvervelende strengheid die ik later nooit meer zou bereiken. Het was dezelfde kale strengheid die ik later bewonderde in de filosofie van de samoerai.

En het antwoord liet op zich wachten. Ik verwachtte veel van de middelbare school. De brugklas; biologie, geschiedenis, literatuur... dáár zou het zich gaan afspelen. Ergens in die berg boeken die ik elke dag meetorste zou het te vinden zijn.

Maar de boeken spraken met de stem van leraren, of de leraren spraken met de stem van boeken, dat was niet altijd duidelijk. Ze leerden me vaardigheden, maar gaven geen antwoorden.

Tot dan toe was ik altijd doorverwezen met de waaromvraag, maar dit was het voorlopige eindpunt, hier zou ik vijf jaar blijven, dezelfde monden zouden al die tijd tegen me aan praten en tot mijn schrik en verbijstering was men ook hier niet erg gesteld op de vraag. De dingen waren wat ze waren en daar moest je niet te veel in peuren – net als pa zei.

Er was een begin van een peilloos besef. Ze wilden hun tijd zo comfortabel mogelijk volmaken en geen vragen stellen waarop met meer dan ja, nee of weet niet te antwoorden viel. Iedereen die ik kende imiteerde alleen maar zo goed mogelijk wat hij bij zijn voorgangers zag. Ouders imiteerden hun ouders, kleuterjuffen kleuterjuffen, scholieren scholieren en pastoors en onderwijzers elkaar en hun boeken. De enige variatie bestond uit wat ze vergaten te imiteren.

Niemand wist hoe het moest, het kwam allemaal neer op amateurisme. En ik lag 's nachts met open ogen en was banger voor de dingen die er niet waren dan voor die die er wel waren.

Sommige mensen zeggen dat ze in een verkeerd lichaam zijn geboren, maar ik was niet alleen in een verkeerd lichaam geboren maar in een verkeerd gezin in een verkeerd dorp in een verkeerd land, et cetera. Ik las veel en soms was er een kiertje licht in die boeken. Op de groteletterafdeling na had ik de bibliotheek van Lomark uit. Toen ik begon te lezen over de samoerai was ik onder de indruk van hun Spartaanse zelftucht. Die zagen er tenminste de noodzaak van in om een mes in je buik te steken als je je eer verloren had, en het leven dus zinloos geworden was. De seppuku: de schone rechte snede die je niet kon oefenen omdat de eerste keer ook de laatste keer was. Dat zouden meer mensen moeten doen.

In de kerk zat ik achterin te kaarten terwijl Nieuwenhuis voorin zei 'kome er één man, kome het licht', maar ik zag nog altijd niks.

Aan het geloof van Nieuwenhuis ging de behoefte aan geloven vooraf en dat begreep ik heel goed. Alleen wat hij geloofde minder. Die veer had alleen door onderdrukking tweeduizend jaar gespannen kunnen blijven. Nu de spanning er een beetje af was door de verbrandingsmotor en de sociaal-democratie zag je de onderdrukking plaatsmaken voor tolerantie en gitaren in de kerk. Dat zag je ook bij oude mensen die altijd echte rotzakken waren geweest maar aan het eind van hun leven soms zomaar moesten huilen.

Achteraf gezien denk ik dat ik niet eens op zoek was naar de waarheid of zoiets, maar naar iets dat licht gaf.

Het jaar van de brugklas was een grote mislukking. Ik was er ziek van. Ik zag middelmaat en volgzaamheid. En ontmoedigende onschuld want niemand kon het helpen. Als het waar was dat wij de maat van alle dingen waren, dan was er geen reden om op verlossing te hopen.

Aan het eind van het tweede jaar middelbare school was ik woedend. Er volgde een grote vakantie, juli zat ik uit. Het werd augustus en ik wachtte nergens op. Ik lag achterover in het hoge gras dat alweer geel werd. Het ritselde van droogte, er kropen beestjes over mijn armen en benen. Ik liet ze. Ergens was het dreunen van een galopperend paard en de maïs stond halfhoog. De roestbruine zuring stak daar nog bovenuit. Ik keek de onbewogen hemel in. Mooi blauw enzo, maar verder niks. Monotoon knorrend doorkruiste een vliegtuigje de leegte.

In de hoeken van mijn ogen scheurden de wollige distels uit hun knoppen, vlinders dwarrelden maar zo'n beetje rond en ik had een gevoel van zinken. Ik zonk tot waar het donker was en stil.

Het was een dag van cyclomaaiers.

Ik moet hem hebben gehoord, de trekker die de hapgrage messen voorttrok die het gras en de bloemen sneden. Tsjak tsjak tsjak. Geen slaap zo diep dat je die niet hoort. Wie hoort er nou een 190-pk-John Deere niet aankomen? Wie gaat er nou in het gras liggen slapen als ze maaien? Wie doet er nou zoiets? Dan heb je het ook wel aan jezelf te wijten.

Jullie hebben gelijk.

Wie gaat er nou in het gras liggen als ze maaien.

Het voorwiel van de trekker verbrijzelde mijn borstkas en brak mijn rug, maar de messen van de cyclomaaier hebben mij niet bereikt. De man bovenop zag me wel maar te laat. Sommigen noemen dat geluk, anderen zeggen pech. Musashi zegt: de Weg van de samoerai is het vastberaden accepteren van de dood.

Naar wat er daarna is gebeurd kan ik alleen maar gissen. Hoewel ik duidelijk op weg was naar het einde denk ik soms dat ik gewacht heb – op één reden om terug te komen, één reden om een tak langs de doodsrivier te grijpen en aan de weg terug te beginnen, centimeter voor centimeter, terug naar waar ik vandaan kwam.

Misschien dat Joe de reden was.

Het is al lang geleden, ik kan daar niet goed meer bij, ik was te ver heen voor vastomlijnde herinneringen. Soms is het zo ver weg dat het lijkt of ik alles verzonnen heb – de trekker, de heldendroom, de terugkeer naar waar het lichter was.

De herinnering aan mijn droomtijd.

Het lichaam drijft net onder het wateroppervlak. Er is geen pijn, niemand wordt gemist. Het is helderder dicht aan het oppervlak waar het licht door het water breekt, je proeft de zon.

– Kijk, zegt iemand, hij heeft een droom.

De heldendroom. Er zal een held komen, het geluid van zijn zware voetstappen gaat aan hem vooraf, wie nog buiten is gaat naar binnen en sluit de deuren, helden brengen nooit alleen geluk. Het is koud, we ruiken houtvuur. Uit schoorstenen slaat rook neer die zich vermengt met de mist die over velden en wegen is uitgevloeid.

De nieuwkomer fluit een zacht liedje. Hij zal vrolijkheid brengen en verwarring zaaien. Hij draagt nieuwe tijd als een zwaard. Hij zal onze illusies aan scherven slaan en onze zwijgzame achterlijkheid doorbreken. Zijn gewelddaad brengt schoonheid maar wij zullen hem verjagen; het is geen tijd voor helden.

Er zijn handen die je optillen, er zijn handen die je neerleggen. Het lichaam nadert het wateroppervlak, het wordt helder, steeds een beetje meer. Dat licht, o godverdomme dat *licht*, het breekt mijn voorhoofd binnen als een thermische lans. Ik word voor de tweede keer geboren. Blind en hulpeloos spoel ik aan. Rond mijn bed praten ze over Joe.

Ik heb leren schuifelen op kromme dunne benen, waarbij ik mezelf met mijn goede arm altijd ergens aan vasthoud omdat ik anders omval. In het huisje achter in de tuin wacht ik de dood van mijn ouders af. Ik woon in een rechthoek. Er is een elektrisch tweepits kookstel, een magnetron, een tafel en een plee. Het bed staat achter de tafel, langs de muur. Ma doet de planten in het raam. Daar hoef je niet veel aan te doen, die zijn altijd groen. Achter kijk ik uit op de oude begraafplaats, voor op de keuken en de eetkamer van mijn ouders. Bij de maaltijden zitten ze onder de lamp boven tafel; elke dag denk ik ten minste één keer aan de Aardappeleters. Zelf eet ik aan mijn eigen tafel, ik word daar niet graag bij bekeken. Het eten bestaat vooral uit wachten: wachten tot de spasmen wegtrekken en dan vlug een hap nemen. Soms gaat dat goed, soms niet, de trillingen laten zich niet altijd even goed voorspellen.

's Morgens zwaait ma naar me vanuit de keuken aan de overkant. Dan brengt ze pa koffie. Ik hoef er niet bij te zijn om te horen hoe dat klinkt. Na het ontbijt komt ze mij helpen met aankleden. Ik krijg koffie en een boterham. Wanneer ik naar buiten ga, rij ik over het tegelpad in de tuin naar het fietsgangetje vanwaar ik de straat op kan. Tussen de middag brengt ma warm eten, 's avonds warm ik knakworsten op uit blikken met een treksluiting die ik met veel mosterd eet.

Sam heeft planken gemaakt voor de dagboeken, het geeft me een tevreden gevoel om daarnaar te kijken. Ik zie orde. Kunstmatige orde in alles wat er is gebeurd.

Elk woord dat ik schrijf, schrijf ik tussen twee spasmen in.

Bij een aanval vliegen de pennen soms door de lucht.

De binnenkant van mijn huis is betimmerd met lichtbruine kunststof platen die bedrukt zijn met een houtmotief. Dat neemt makkelijk af want in de winter is het hier vochtig waardoor er spikkelige schimmel op de muren groeit als eendenmosselen op een scheepsromp.

Dirk is het huis al uit, die is liever op zichzelf met z'n geheime smeerlapperij. Sammie is er alleen in het weekend, door de week zit hij intern op een school voor kinderen die moeilijk leren. Op de sloperij gaat het goed, dat gaat gelijk op met de welvaart. Dirk werkt er vast en neemt die boel over op een dag, al lijkt pa nog lang niet van plan om ermee op te houden.

– Dag jongen, zegt ma wanneer ze 's morgens binnenkomt. Eerst maar 's een lekker bakje.

Daartoe brengt zij een thermoskan van verbleekt plastic mee waaruit zij sterke koffie schenkt. Koffie drink ik met een rietje, evenals andere hete dranken die brandwonden veroorzaken wanneer ze omvallen in je schoot. Het liefst heb ik rietjes met ribbels die zich laten buigen tot een hoek van vijfenveertig graden. Ma heeft mijn bed opgemaakt en komt aan tafel zitten.

– Heerlijk, zo even zitten.

Zo praat ze nu eenmaal, haar woorden zijn een en al geruststelling. Zo bewaart zij de vrede. Hoewel klein gebouwd is ze een bergachtige vrouw. Haar flanken zijn bedekt met een jurk met bloemenmotief. Ze vertelt me dingen die ze weer heeft gehoord van andere vrouwen. Meestal over rampen. Ze houdt van rampen als van koekjes bij de koffie. Ik luister naar ongelukken, ziektes en faillissementen. Door almaar met elkaar over andermans ongeluk te praten, geven vrouwen angst door aan elkaar. Hoofdletter A. En hoewel ze compassie belijden met de pechvogel zijn ze hondsblij dat het een deur verderop is gebeurd, want de hoeveelheid leed in de wereld wordt in ongelijke brokken verdeeld en hoe groter het brok van de buren hoe kleiner dat van jou zal zijn. Soms zit er informatie bij die ik gebruik voor mijn *Geschiedenis van Lomark en zijn bewoners* (niet lachen). Ik kijk naar ma terwijl ze praat en een gevoel van ontroering knijpt mijn keel dicht.

We zijn tot elkaar veroordeeld, ik, haar gekneusde vrucht en hoogstpersoonlijke ramp, en zij, die net als oude paarden het leed van de wereld op haar rug draagt.

Ze wordt kleiner, van deze kant van de tafel gezien. Ik zal hier lang genoeg zijn om haar helemaal doorschijnend te zien worden en zonder protesteren van de aardbodem te zien verdwijnen – us moeder Marie Hermans, geboren Maria Gezina Putman. Stond altijd voor iedereen klaar, een goede vrouw en een lieve moeder. God hebbe haar ziel.

Op het stadhuis heb ik weleens proberen uit te zoeken waar de familie Putman vandaan kwam, maar ik ben niet verder gekomen dan Lambertus Stephanus Putman, die de eerste Putman van Lomark was. Hij kwam hier in 1774 en kreeg verkering met een meisje uit Lomark. Ze trouwden niet in het dorp zelf maar vlak over de grens, want de katholieke kerk was in die tijd verboden vanwege de reformatie. Deze Lambert is verdronken bij de grote dijkdoorbraak van 1781 maar had met vijf kinderen genoeg zaad uitgestrooid om stamvader te worden van een nieuwe Lomarkse familie.

Niet een waar je van opkijkt. In het 'Oud Rechterlijk archief der hoge heerlijkheid Lomark' zijn wat dingen bewaard, zoals kadastrale tekeningen, koopaktes, processen-verbaal en doopboeken. Wanneer een Putman iets moest tekenen staat er bijna altijd: 'Dit kruisje zijnde de handtekening van die en die Putman, bekennende niet te kunnen schrijven.'

Zelfs de kruisjes waren niet erg goed gelukt.

Ze werkten bij de steenfabriek of als vissers of boertjes met een paar fruitbomen in de tuin, en dat was het wel zo'n beetje.

Ik denk vaak aan hen. De lucht die ik inadem bevat moleculen die zij ook hebben ingeademd, ik kijk naar dezelfde rivier als zij. Hoewel ze nu deels is gekanaliseerd en de kribben er toen nog niet waren, is het nog altijd hetzelfde water met dezelfde cyclus van rust en overstroming. Ik vraag me weleens af of alle Jakobs, Dirken, Hannesen, Jannen en Hendrikken zich net zo voelden als ik soms, en net zo erg hoopten dat het beter zou worden op een dag.

Soms staan ze rond mijn bed, de neven uit de achtertijd, zacht pratend met elkaar in een taal die ik niet versta. Ze kijken met grote ogen naar mij zoals negerkinderen die voor het eerst een missiepater zien. Hulpeloos kijk ik terug, ze zijn zo groezelig, zo onschuldig, ik weet niet wat ze van me willen, ze staan daar maar en lachen klokjesachtig alsof ik het raarste ben wat ze ooit hebben gezien.

Eerst was ik bang van ze, ik dacht dat ze van de oude begraafplaats achter mijn schuurhuis kwamen, maar dat is nonsens. Ze doen geen kwaad, ze staan daar maar en verbazen zich over mij zoals ik over hen.

Misschien moet ik vertellen dat ik niet de enige ben in onze familie die zulke dingen ziet. Vroeger woonde oma Geer, mijn moeders moeder, bij ons in. Ze was weduwvrouw en woonde in de kamer die na haar dood van Dirk werd. Ik moet een jaar of acht zijn geweest toen oma Geer op een ochtend beneden kwam en aan de ontbijttafel haar mes op het bord legde en de kring rondkeek.

– Hij's gekomme, zei ze in haar zware Lomarkse dialect. Us Thé is gekomme. Hij zee: 't Is gedoan meske, ik kom je hoale.

En rustig at ze verder.

Us Thé was wijlen haar man en mijn opa Theodorus Christoforus Putman, die 's nachts aan haar bed was komen zitten en had beloofd haar gauw te komen halen.

Een week later was oma Geer dood, overleden in haar slaap, eenenzeventig jaar oud maar kerngezond naar het scheen.

Die van Hermans zijn een ander verhaal. De familie van pa woonde hier al in de Middeleeuwen en misschien al daarvoor, die zijn misschien meegekomen met de soldaten van Drusus. Maar toen de noormannen kwamen, zaten ze net als iedereen in de kerk te bidden om gespaard te worden terwijl 'de hoan die kroanig blef' de kastanjes uit het vuur haalde. In het archief heb ik Hendericus Hermanus Hermans teruggevonden, die Hend werd genoemd en in de zomer van 1745 door de 'scherprigter' van Lomark met een 'ijseren koeijvoet' is doodgeslagen. Daarna is 'sijn hooft' er met een 'bijl afgehouwen' en op een ijzeren staak gezet 'tot dat het eine en ander sal wesen vergaen, anderen ten afschuwelijcken Excempel'.

Deze Hend was door de scherprechter en de schepenen van Lomark schuldig bevonden aan de moord op Manus Bax, een visser. Hend martelde Manus drie uur lang om hem aan het praten te krijgen over gestolen fuiken, en sloeg hem daarna met een koevoet de schedel in.

Hend Hermans was getrouwd met Annetje Dierikx, die in de winter na Hend zijn dood beviel van zijn zoon. Die zoon, Hannes Hermans, komt voor in processen-verbaal over diefstal van hout en visstroperij. Hannes kreeg vier kinderen voordat zijn eerste vrouw overleed. Van de tweede kreeg hij er nog eens vier van wie er twee verdronken bij de dijkdoorbraak van 1781, waarbij ook de eerder genoemde Lambert Putman om het leven kwam. De kinderen die verdronken waren meisjes, daarna zijn er tot op de dag van vandaag geen meisjes meer geboren in de familie Hermans. Zelfs geen doodgeboren. Alleen jongens. Pa en zijn broer hebben er allebei drie. Ik zei al: een bloedlijn van knoesten en niet van zachte dingen. En allemaal vinden ze nog een vrouw ook zodat dat altijd maar doorgaat.

Hoewel de families Putman en Hermans elkaar gekend moeten hebben, heeft het bijna tweehonderd jaar geduurd voordat een Hermans een Putman trouwde: pa en ma. Daar zijn wij uit voortgekomen, nazaten van Lambert maar vooral

van Hend, van wie Dirk z'n woede en z'n behoefte aan martelen heeft. Dirk weet dat wij daarom worden herinnerd. Dat
maakt hem extra woedend.

Sammie valt er een beetje buiten, dat is misschien meer een
Putman, die zijn niet zo.

En hoewel ik me had voorgenomen nooit een Hermans te
worden, weet ik nu dat ik net zo ben. Hend zit in ons. Die
haal je er niet zomaar uit.

In november van het eindexamenjaar verscheen er een berg rommel in de tuin, ongetwijfeld afkomstig van de sloperij. Het middelpunt was een wasmachine, daaromheen had pa planken gestapeld. Er lag een soort cakeblik bovenop met een trekstang eraan. Ik wilde niet weten wat het, eenmaal in elkaar gezet, moest voorstellen, omdat ik het voorgevoel had dat het negatief zou zijn voor mij. Een paar dagen later trok pa er een zeil overheen. Nu was het een kunstwerk dat op z'n onthulling wachtte. Ik bleef doen of ik het niet zag. Sommige dingen die je negeert verdwijnen gewoon na een tijd, andere dringen zich juist aan je op.

Omdat ma er niks over zei wist ik dat het geen goed nieuws was. Gewoonlijk vertelde ze me alles, omdat ze nu zweeg wist ik dat ze zich er slecht over voelde.

Bij het avondbrood zag ik pa en ma praten over onderwerpen die mij aangingen, want soms, als de vonk van onenigheid oversloeg, schoof pa zijn stoel met een ruk naar achteren en verhief zijn stem waarbij hij met een woedende vinger in de richting van de tuin wees. Ik zag dat ma me verdedigde, maar toen sneeuwde het onderwerp langzaam onder, ook letterlijk want er viel rond kerst een vracht sneeuw die ook het ding in de tuin bedekte. 's Morgens smolt ma een opening in het keukenraam en zwaaide daardoorheen naar mij.

Ik kwam minder buiten dan anders, in mei waren de examens al, ik wilde zonder haperingen slagen en mijn tentamens bovengemiddeld halen. Ik wilde één bewijs van intelligentie leveren. Ik zou niet gaan studeren, geen vak leren, buiten de competitie blijven, zodat ik één ding wilde volbrengen waarvan men zou zeggen: die stumper van Hermans had wel mooi een acht gemiddeld voor z'n examens.

Tussen Joe en mij was verwijdering ontstaan na de vechtpartij in De Zon, afgelopen zomer. Niet dat hij me daarom veroordeelde, het was meer dat ik me er slecht over voelde. Ik was een nooit uitgesproken maar belangrijke afspraak niet nagekomen, die ging erover wie we zouden zijn. Het was een zaak van zuiverheid, die erop neerkwam dat niemand ons mocht verwijten dat wij deel uitmaakten van een gebrekkige wereld, en meehielpen de hoeveelheid achterlijkheid te vergroten. Wij waren een minachtende vijfde colonne, dat was de afspraak. Maar voor je het wist had je bloed aan je handen.

Ik dan, Joe niet.

Dat stelde me gerust, dat hij ons tot voorbeeld bleef strekken. Soms twijfelde ik eraan of hij alles wel zo scherp zag, dan dacht ik dat hij gewoon onverschillig stond tegenover de meeste dingen en er maar zo'n beetje om lachte. Maar over het algemeen was ik er zeker van dat Joe mensen en situaties goed doorzag. Sinds ik hem kende probeerde ik door zijn ogen naar de wereld te kijken en haar beter te zien voor wat ze waard was. Door die vechtpartij was er de klad in gekomen maar ik wilde me echt verbeteren en mijn zuiverheid terugkrijgen. Hoe Joe ook lachte om de katholieken en hun methodes, ik zou boete doen en mijn ziel reinigen van de vuiligheid die ik van Hend had. Ik zou door het vuur van loutering gaan, er schoon uit te voorschijn komen en ook meteen kappen met cola-vieux in het weekeinde, wanneer ze levende muziek hadden in Café Zaal Terras Waanders aan de Rijksweg.

O, het was een grote verleiding.

Wanneer ik wat ophad kon het me niet meer schelen wat de mensen dachten zolang ze dat glas maar aan mijn mond bleven zetten. Net zo lang tot ik genoeg alcohol in m'n bloed had om het glas zelf vast te houden, want alcohol vermindert de spierspanning waardoor de spasmen minder heftig waren. Ik was de enige daar die een vaste hand kreeg van het drinken. Ik dronk medicinaal, als het ware.

Het zou moeilijk zijn bij Waanders vandaan te blijven. Mensen deden anders daarbinnen. Ze durfden meer te zeggen en keken niet zo schichtig langs me heen. Anderen hadden er geen bezwaar tegen om me te voeren als een fleslam. Soms was ik vrolijk. Er klonk muziek van Elvis of Dolly Parton, buiten was het donker, uit koperen asbakken sloeg rook. We waren opvarenden van de dronkemansboot, losgeslagen van de wal dreven we weg naar waar ze ons nooit terugvonden. Maar aan het eind van het liedje was er altijd iemand die je met wagen en al buitenzette omdat ze de vloer wilden vegen en de lichten uitdoen, want wat zou er van de wereld terechtkomen als iedereen altijd maar dronken was... Ik verzette me, sloeg naar de handen die me duwden en zette de rem op de wielen, maar ze duwden 'm er gewoon doorheen.

– Hé Fransje, rustig nou hè!

Ze lachten geërgerd om dit verzet tegen het altijd veel te vroege einde van alle dingen die goed en gemakkelijk zijn.

Het was een slechte winter voor Mahfouz. Hij had de kleur gekregen van ongebeitst tuinmeubilair.

– Het is mijn bloed, klaagde hij. Het is niet goed.

Hij droeg drie truien en een ski-jack en had een wollen muts diep over zijn oren getrokken. Je zag alleen nog een snor en waterige snotogen.

Hij was niet de enige die het slecht had. Christofs grootmoeder was overleden terwijl ze zich vast had voorgenomen om nog éénmaal de narcissen te zien opkomen. Maar maart kwam te laat voor haar, ze bleef achter in februari. Februari is een echte rotzak.

De dag dat ze de oude Louise Maandag in de grond stopten, stookten ze de kerk goed op want de oostenwind sneed als een zeis door je kleren. En nog hielden ze binnen hun jassen aan om warmte te verzamelen voor de processie naar het graf. De kerk zat barstensvol. Een dode Maandag krijgt groot eerbetoon want veel mensen zijn op de een of andere manier van hen afhankelijk. Nieuwenhuis deed ontzettend zijn best, hij sprenkelde water en schudde wierook met het heiligste wat hij in zich had.

Ik stond geparkeerd in het gangpad, Joe zat naast me aan het binneneind van de bank. Naast hem Engel met zijn benen goddeloos elegant over elkaar geslagen. Twee rijen voor ons zag ik de blonde krullen van PJ, die belachelijk dicht tegen Joop Koeksnijder aan zat. Popie Jopie Koeksnijder, alweer twee jaar van school en in het bezit van een Golf. Buiten klonk het geluid van een achteruitrijdende vrachtwagen, mijn ogen volgden de lijn van PJ's schouders. Ze had de brede, rechte schouders van een zwemster.

Soms was ik opeens woedend als ik haar zag. Dat had ik niet met Harriët Galama of Ineke de Boer, die het eerst vrucht droegen van allemaal en nu al kromtrokken onder het gewicht. Ik speurde PJ soms af naar iets dat niet in orde was, iets lelijks of iets raars om het minder pijn te laten doen, of reed weleens dicht achter haar langs om te ruiken of ze stonk. Maar stinken deed ze niet. Dan werd ik woedend en wilde ik iets mollen. Maar die vlam sloeg altijd weer naar binnen toe.

Voor in de kerk loeide Nieuwenhuis: 'En wanneer U ons tot zich roept, dan buigen wij voor Uw majesteit!'

Joe boog zich naar me over.

– Ben je eindelijk dood, moet je goddomme wéér buigen! fluisterde hij.

Hij veerde terug in de bank maar bedacht zich.

– Als Hij wilde dat we zoveel zouden buigen, dan had ie ons toch wel met een knik in de rug gemaakt?

Ik schoot in de lach. Velen keken om, ik simuleerde een spasme. Joe zat weer stijf in de plooi. Voorin stond Christof stakerig op van de bank en liep naar de kist waarin zijn oma lag. Een paar neven en nichten volgden hem, allemaal legden ze een roos op het deksel. Er kwamen mannen die de kist op de schouders namen en door het gangpad naar buiten droegen, en daarmee was het wel zo'n beetje afgelopen. De bezoekers dromden achter de dragers naar de uitgang. Piet Honing knikte vriendelijk naar me.

Ik vond het moeilijk dat hij zo aardig deed altijd. Ik zou nooit zo aardig terug kunnen zijn, gewoon omdat ik er niet genoeg van in me had. Het zou altijd een transactie zijn waarbij hij er bekocht van afkwam en ik me schuldig voelde.

Ik sloot de rij en reed het hellinkje bij de zij-ingang af naar buiten. Er stonden nog een paar mensen die sigaretten opstaken en de dienst becommentarieerden, de rest liep achter de lijkwagen aan. We baadden in het licht van een oeverloos blauwe hemel. Ik keek de staart van de processie na en moest poepen. Ik ging naar huis.

Op straat was niemand en de winkels, die op dat uur gewoonlijk werden bevolkt door huisvrouwen met kleine kinderen, waren leeg. Ik sloeg rechtsaf de Poolseweg in en hoorde voetstappen achter me. Ik werd ingehaald door Joe die naar huis rende. In het voorbijgaan trok hij zijn wenkbrauwen naar me op. Aan het eind van de Poolseweg stond hij opeens stil en draaide zich om.

– Hé Fransje, wat weeg jij eigenlijk? vroeg hij toen ik bij hem was.

Een jaar geleden had ik iets meer dan vijftig kilo gewogen en daar was niet veel bij gekomen. Ik stak vijf vingers naar hem op, en zag zijn lippen meebewegen met zijn gedachten. Hij leek iets te berekenen.

– Vijftig kilo zeg je, zei hij. Wat kan het ook verdommen. Heb je zin om een eindje mee te vliegen Fransje?

Mijn ogen werden groot van afgrijzen. Ook moest ik nog steeds ontzettend poepen. Ik had er buikpijn van.

– Niet lang hoor, zei Joe. Even een rondje voor het gevoel.

Tussen dat moment aan de Poolseweg en het moment dat hij dik ingepakt als een samoerai voor me in het vliegtuig klom, zaten meer dan zestig minuten. Die had ik allemaal kunnen gebruiken om me te bedenken. Dus ook toen hij eerst met me mee naar huis ging waar zonlicht als brand door de ramen viel, en hij enige tijd voor het raam aan de achterzijde stond en uitkeek over de verwilderde Algemene Begraafplaats waar zijn vader lag, had ik nog nee kunnen zeggen.

Ik hees me uit de kar en greep de rand van de tafel. Als een gedrogeerde chimpansee op ongelijke benen slingerde ik door de kamer, waarbij ik stoelen, tafels en kasten vastgreep. Joe draaide zich om en keek met stomme verbazing.

– Hé man, je lóópt?

Noem het maar lopen. Ik stak over van de kast naar de pleedeur, en verdween daarachter. Ik trok de deur met geweld achter me dicht en zonk op de pleepot met mijn broek nog aan. Het was zo acuut dat het zweet me uitbrak. Ik klemde mijn kaken op elkaar en wurmde als een bezetene mijn broek uit terwijl mijn darmen uit alle macht probeerden hun vracht af te werpen. Je kunt heel nodig moeten en het toch lang inhouden, maar zodra je in de buurt van een plee bent komt het aan op bovenmenselijke wilskracht om de boel binnen te houden. Blijkbaar weten darmen wanneer er een plee in de buurt is.

Net op tijd. De zware, doffe scheten kon ik niet tegenhouden.

– Zo-ho! zei Joe aan de andere kant van de deur.

Die deur was niks meer dan een lattenconstructie beplakt met leliebehang zodat hij de stem van mijn darmen even goed verstond als ik. Er stormde een tweede golf naar buiten.

– Man-o-man!

Ik kon wel doodgaan. Net als toen met Engel en het urinaal. Misschien dat vrouwen bij de gynaecoloog zich zo voelen, met hun kont omhoog en de benen wijd terwijl er daar beneden een koude schuimspaan in ze rondwoelt.

Ik keek hem niet aan toen ik de kamer inkwam. Het licht tilde de gammele voorwerpen in mijn huis op en bekeek ze van alle kanten – slijtage, armoe en ouderdom bleven niet verborgen. Ik kreupelde naar de klerenkast bij mijn bed om me in te pakken voor de vlucht.

– Als ik een hond had die zo rook, schoot ik 'm dood, mompelde Joe.

We gingen naar zijn huis om een fiets te halen, zo goed en zo kwaad als dat ging frommelden we mijn opeens zes keer zo zware fysiek op de bagagedrager.

– Zo, hijgde Joe, nou niet meer bewegen.

Hij greep het stuur vast en tilde zijn linkerbeen over de stang. Met zijn rechtervoet trapte hij het pedaal omlaag en bracht ons vanuit stilstand in beweging. We gingen de straat uit. Joe kwam overeind uit het zadel en maakte vaart, maar de flauwe helling de dijk op redde hij tot driekwart, toen moest hij opgeven en lazerde ik bijna van de bagagedrager.

Het was al met al een operatie die nu al zoveel moeite kostte dat ik er het liefst mee was opgehouden. Het was ook zo verdomde koud dat je gezicht er hard en chagrijnig van werd, er lekten windtranen uit mijn ogen die ik niet kon wegvegen omdat ik me aan Joe moest vasthouden. Als een warm kloppend beest zwoegde hij over de dijk naar de plaats waar hij zijn vliegtuig had verstopt. Mijn benen met die zware leren circusschoenen onderaan bungelden langs de bagagedrager naar beneden, ik kon ze niet op de stang zetten zodat ik dat hele verdomde eind met mijn volle gewicht op mijn zak zat.

Halverwege Lomark en Westerveld gingen we de dijk af de Gemeenschapspolderweg op. Er waren daar drie ver uit elkaar gelegen boerderijen. Eindelijk hadden we een beetje wind mee. Links en rechts lagen de zwarte velden braak, omgeploegd in bevroren stroken met rijp op hun rug. We gingen een EIGEN WEG op, steenslag knerpte onder de wielen. Aan het eind was de boerderij van Natte Rinus. Dáár had Joe dus al die tijd zijn vliegtuig verborgen. Rinus zelf zag ik niet, noch zijn bruine Opel Ascona. Op het erf stond een kruiwagen waarvan alleen de handvatten niet waren bedekt met opgedroogde mest en stro, verder leek het ding ermee begroeid. Joe reed naar de achterste schuur en zette mij met fiets en al tegen de muur.

– Wacht hier even, zei hij, alsof ik ergens heen kon.

Hij verdween door een kleine staldeur. Ik begreep waarom hij zijn vliegtuig bij Natte Rinus had gestald, die had overal schijt aan. Ook letterlijk. Vanwaar ik als een zoutzak tegen de bakstenen muur hing, keek ik in een van de koestallen waar dikbilkoeien mismoedig voor zich uit staarden. Ze stonden tot aan hun knieën in de mest, ik zag horizontale littekens op hun zij. Keizersnedes, want dikbilkoeien zijn mutanten met een te nauw baringskanaal, zodat kalveren er via de zijkant worden uitgesneden.

Ik was koud en had een zere zak. Ergens schoven schuurdeuren open, even later gevolgd door het verstikte hoesten van een motor die al een tijdje niet gelopen heeft. Na een paar keer sloeg hij aan. Ik kende dat geluid: een 100-pk-Subarumotor. Hij liet hem even lopen om water en olie op temperatuur te brengen.

Al die tijd had ik me nog kunnen bedenken. We hadden terug kunnen gaan, Joe zou er niet-begrijpend zijn schouders over ophalen maar het vlug vergeten, en ik zou opgelucht zijn dat het me bespaard was gebleven. Maar toen het toestel de hoek omkwam, was het te laat.

Ik denk niet dat ik me ten volle had gerealiseerd dat ík zou gaan vliegen. Pas toen ik na een jaar dat blauwe monster terugzag sloeg er een golf van angst en opwinding door me heen. Joe reed een rondje over het erf en zette het met de neus in de richting van het weiland. Toen deed hij de motor uit en klom via de vleugel uit het toestel.

– Starten lopen, zei hij genoeglijk.

Hij kwam achter me staan, stak zijn armen onder mijn oksels door en haakte zijn handen in elkaar op mijn borst. Als een drenkeling trok hij me van de bagagedrager af. Zijn adem gleed langs mijn gezicht, ik rook de keuken van Mahfouz.

– Werk 's mee, steunde hij, ik hou het niet.

Als een kind dat leerde lopen, hing ik in zijn armen. Met mijn goede hand greep ik de vleugel vast en knikte dat hij me kon loslaten. Het was voor het eerst dat we naast elkaar stónden. Ik was een kop kleiner, al was ik meer dan een jaar ouder dan hij.

– Hoe doen we dit, zei Joe.

Hij haalde een ladder met gierspatten erop en zette hem tegen de zijkant van het vliegtuig. Zelf klom hij via de vleugel in de buik van het toestel en stak zijn hand naar me uit.

– Als jij hier… ja, op de eerste sport, dan ga ik… geef me je hand… nu je voet erop, je voet! Nog één… hou je vast…

Zo belandde ik buiten adem in het rieten kuipstoeltje van het vliegtuig. Joe duwde de ladder op de grond en ging voor me zitten, waarbij hij half op de bodemstangen zat omdat er maar één stoel was. Samen op een veel te klein sleetje.

– Kan je wat zien?

Mijn hoofd stak maar net boven de rand uit.

– We gaan Fransje.

Hij draaide de sleutel in het contactslot en startte de motor. We taxieden door het open hek het weiland in, een strook bevroren grasland strekte zich voor ons uit. Joe zette het toestel stil en trok de handrem aan. Toen zette hij de gashendel helemaal open. Onweer stak op, bevroren orkaanwind blies ons om de oren. Ik verkilde tot op het bot.

– Flaps uit! schreeuwde Joe.

Hij drukte de handrem in en we sprongen naar voren. Ik greep zijn middel vast en met allesverdovend geraas stoven we vooruit. Ik voelde zijn lichaam werken met de pedalen en de stuurknuppel die hij helemaal naar zich toe trok toen we op volle snelheid waren.

We waren los. De aarde verdween onder ons, ik gilde het uit. Het toestel trilde, de vleugels maakten klappen naar links en naar rechts maar voorlopig waren we al twee keer zo hoog als de hoogste populier en nergens meer bang voor. Er trokken vrolijke tintelingen door mijn scrotum. Schuin achter ons zag ik de rivier en de uiterwaarden. Joe draaide negentig graden naar rechts zodat we evenwijdig aan de rivier kwamen, we gingen naar Lomark. De ijskoude wind joeg tranen in mijn ogen en verstijfde mijn lippen, maar zulke dingen wilde ik negeren. Ik rook een sterke benzinelucht.

Het leek of we op deze hoogte zouden blijven. Het was moeilijk in te schatten hoe hoog het precies was. Onder ons werd de wereld afgedraaid als een zorgeloze film. Elke bult en elk heuveltje waar ik gewoonlijk alleen met de grootste inspanning op kwam, was niet meer dan een keutel. Mijn hele biotoop met alle dingen die zich gewoonlijk achter huizen, bosschages, stuwwallen en dijken verborgen, was vanaf hier lachwekkend plat en doorzichtig. Op deze hoogte waren er geen geheimen meer, en dat was droevig en mooi.

Om de zoveel tijd draaide Joe zijn hoofd naar me toe en schreeuwde onverstaanbare dingen. Het toestel bewoog zich schokkerig door de blauwgouden hemel en ik moest denken aan de monsterfilms van vroeger, waarin Godzilla en allerlei dinosaurussen even onecht en bibberig bewogen als wij nu door de lucht.

In de melkige verte zag ik de energiecentrale die een kaarsrechte rookpluim uitblies. Joe wees naar beneden. We waren boven Lomark. In de diepte lag de begraafplaats waar de begrafenis van Louise Maandag ten einde leek, ik zag tenminste geen mensen meer. Ik probeerde de weg te volgen naar Het Karrewiel waar de begrafenisgangers nu aan de broodmaaltijd zouden zitten. Ik vond Het Karrewiel en zag op de parkeerplaats de laatste mensen in het zwart die zich zouden verheugen op koffie en brood met salami en kaas in de grote zaal en niks wisten van ons boven hen.

Joe duwde de stuurknuppel naar links, de linkervleugel schoot de diepte in en de rechter kwam omhoog, ik had de juichende sensatie van vallen in mijn maag terwijl Joe in een bocht van vijfenveertig graden draaide tot we boven de rivier vlogen en in de richting lagen waar we vandaan kwamen. We gingen terug voordat we als twee ijsmannen uit het toestel gezaagd moesten worden. Joe trok het toestel recht. Ik herkende het veer en de oude werf en ook een minuscuul mannetje dat iets leek te verslepen dat veel groter was dan hijzelf. Joe zag het ook.

– Mahfouz! gilde hij naar achteren.

De rivier glinsterde en autodaken blonken op de dijk, ik probeerde alles in één hap op te slokken om het nooit te vergeten.

Toen ik Rinus' boerderij weer zag opdoemen, schrok ik – de landing! Ik wilde niet aan de landing denken, ik had Joe nog nooit een landing zien maken, de landing was het allermoeilijkst van het hele vliegen! Ik dacht aan de dood, dat Joe en ik samen... en toen was ik er opeens niet zo bang meer voor. We vlogen over de boerderij van Natte Rinus wiens Opel nu wel op het erf stond. Het toestel draaide en verloor vlug hoogte. Het weiland lag recht voor ons en Joe zette de landing in. Hij probeerde zo laag mogelijk uit te komen bij het veld, ik voelde zijn lichaam hard worden van spanning, de vleugels wiebelden onrustbarend en we gingen nog veel te hard... *optrekken! trek dan op!* Maar hij zette door terwijl het veld met verpletterende snelheid op ons af kwam. Joe drukte de gashendel helemaal in en trok de flaps uit, het lawaai werd minder maar de aarde naderde ons als een vuist. Toen raakten de wielen met een klap de grond. Het vliegtuig sprong op en kwam weer neer, we denderden over het veld en ik zag kluiten aarde opspatten. We verloren vlug snelheid.

Vlak voor het hek bracht Joe het vliegtuig tot stilstand.

De landing had zorgwekkend veel meer meters gekost dan de take off.

Joe's lichaam ontspande toen hij de motor uitzette. Stilte viel mijn oren binnen.

Twee meter voor ons leunde Natte Rinus tegen het hek. Op zijn lip hing een sjekkie, zijn wijsvinger richtte zich op in een minimalistische groet. Joe draaide zich naar me om en grijnsde met paarse lippen.

– Krap an, zei hij.

Op de randen van zijn skibril zat ijs.

Het gaat de goede kant op. De uiterwaarden zijn weer groten-
deels leeggelopen, de wilgen buigen zich over de poelen die
zijn achtergebleven. De lage takken zijn behangen met drijf-
afval, daartussendoor peddelen meerkoeten die nestmateriaal
verzamelen. In de schemering wemelt het van de vleermuizen
en als je 's nachts de eerste kikkers hoort weet je dat het vlug
beter wordt. Mahfouz kan ook wel wat voorjaarszon gebruiken. We zitten soms op te warmen op de kade, waarbij hij de
ochtendhemel afspeurt tot hij ziet wat zich met luid getrom-
petter aankondigde.

– Egyptian goose, zegt hij.

Twee Nijlganzen scheren gekkerend over ons heen. Dat is
laat in maart. Dan wordt het april, de vuist die je tegen de
winter had gebald, ontspant. Maar te vroeg. In april begint
het te waaien zoals je vergeten was dat het kon waaien. Je huis
krimpt onder de dreunende bijlslagen van de wind. Op straat
roepen ze 'rare wind hè?' naar elkaar, waarmee ze bedoelen dat
hij in de kieren van je hersenen kruipt en je stapelgek maakt.
Als een klein kind loopt ie overal aan te trekken, je dacht dat
alles goed vastzat maar de hele wereld klappert en schuurt. Ik
noem luiken, dakgoten en decoratieve elementen. De wind
varieert voortdurend in toonhoogte en volume en je hoort er
kerkklokken en kinderstemmen in. Ik heb het gevoel dat hij
recht van de Russische toendra komt, die smerige oostenwind
die op de achterkant van mijn huis beukt en me het studeren
onmogelijk maakt.

In het aardrijkskundeboek waar ik over gebogen zit gaat het
over permafrost en toendrabodems ('landbouwkundig zijn

deze bodems van geen betekenis') die eeuwig bevroren zijn. Soms tot honderden meters diep. In mei zijn de examens, ik sta gemiddeld een 7,8 voor mijn schoolonderzoeken en toch heb ik de zenuwen. Ik verlang naar de tijd daarna – niet de gedachte daaraan maar het verlangen is fijn, dat elke dag je dichterbij brengt tot je uitkijkt over de kalme wateren van de Jordaan. Ik deel een diepgewenst doel met twintig anderen die op dat moment ook allemaal worstelen met uittreksels, werkboeken en de lage bacteriënactiviteit in de toendra. Wij verlangen gezamenlijk naar *daarna*. Maar wanneer we dit achter de rug hebben, zullen zij het beloofde land betreden, ik blijf. Dat weet ik heel goed.

Zodra de wind afneemt begint het zo hard te regenen dat het schuimt op de wegen. Dat duurt dagen. Maar op een morgen word je wakker met het gevoel dat er iets mist – het lawaai is weg! De regen is opgehouden en de wind overgewaaid. Ergens koert een houtduif. Buiten hangen de takken stil, ze druipen en glimmen van water in de vroege zon. Je hoort kauwtjes die vrolijk door de hemel boven de begraafplaats tuimelen.

Het is dan eind april.

Op de rivieroever klinkt het geluid van een ambacht.

Ik weet nu dat het een kielbalk was waarmee Joe en ik Mahfouz hebben zien sjouwen, de dag dat we boven de rivier vlogen. Hij bouwt een boot.

– It's a felucca, zegt Mahfouz, die nu druk en zwijgzaam is.

Joe zegt dat het schip een symbool is van de liefde tussen Mahfouz en zijn moeder. Andere mensen hebben een liedje, zij een boot. De eerste keer dat ze elkaar zagen, heeft Mahfouz haar een modelscheepje gegeven, een feloek, dat nu in de vensterbank van haar slaapkamer staat.

Ze hebben iets met schepen, die twee, want nadat ze waren getrouwd in Caïro maakten ze een korte cruise op de Nijl. Op een avond stonden ze aan dek en keken naar de hemel vol sterren zo helder als je zelden ziet, en dat was het moment dat Regina een visioen had. Ze zag een houten schip dat werd voortbewogen door gebogen roeiers, op het achterdek waren meisjes in het wit die met waaiers van struisvogelveren de lucht boven haar en Mahfouz aaiden. Ze lagen op een bed van kussens, hij een prins van grote schoonheid, zij een dame uit de hoogste klasse. Er blonken tranen in Regina's ogen na het visioen. 'Wij hebben dit eerder gedaan, Mahfouz,' had ze gezegd. 'Dit is niet ons eerste leven samen.'

Joe schudt zijn hoofd wanneer hij me dit vertelt: 'Ze trouwde met mijn vader als hindoeprinses en met Mahfouz als Nefertiti. Die is de hele wereldgeschiedenis in haar eentje.'

Op de plaats van de oude scheepswerf van rederij Damsté – failliet sinds 1932 maar bij een lage waterstand zijn de resten van de helling nog te zien – heeft Mahfouz een mal van planken getimmerd in de vorm van een schip. Het is niet erg lang, een meter of zes, en anders van vorm dan we hier gewoonlijk zien. Hoewel de betimmering alleen de voorlopige vorm is, lijkt het, in verhouding tot zijn lengte, veel breder te worden dan onze zeilboten. Voor- en achterkant beschrijven niet meer dan een flauwe kromming waardoor het eerder een vrachtboot dan een plezierjacht lijkt. Op de kade staan her en der schragen waar planken op liggen met gewichten eraan, om ze langzaam in model te buigen.

Regina komt met de fiets over de Lange Nek om Mahfouz thee, brood en sigaretten te brengen. Ze verslindt hem met haar ogen, haar Nubiër. De kleur die onze winter uit zijn gezicht heeft gewist, keert langzaam terug. Hij bouwt haar een vlaggenschip, zij schenkt thee met een glazuurbrekende hoeveelheid suiker en steekt een sigaret voor hem aan. Met tegenzin legt hij de schaaf neer en gaat naast haar zitten. Uit haar tas komen boterhammen in zilverfolie. Passagiers van de pont blijven staan kijken hoe de werf op kleine schaal herleeft. Mahfouz werkt tussen verveloze sloepen op trailers met lekke banden en metershoge groene rivierboeien die daar liggen te wachten tot Hermans & Zn. ze op de vrachtwagen komen laden. Hij werkt hard om zijn schip nog in de zomer te water te kunnen laten. Om de weerbarstige ribbalken te buigen maakt hij ook gebruik van een stoomkast, een pijp waar hij een rib in hangt. Onder die pijp stookt hij een klein vuur waarop hij water kookt, de stoom verdwijnt in de pijp en maakt het hout buigzaam.

– Wauw, zegt Joe terwijl we vanaf de Veerkop naar zijn verrichtingen kijken, hij kan echt wat.

– Daar kan hij zijn brood mee verdienen, zegt Christof.

Engel mijmert.

– Ik zou 'm blauw maken.

Door een geheimzinnig magnetisme draaien Christof en ik gelijktijdig ons hoofd in de richting van Lomark en zien PJ aankomen over de Lange Nek. Dat ontsteekt warmte in ons, maar haar gezelschap veroorzaakt koude onderstroom: Joop Koeksnijder.

– NSB'er, sist Christof.

Dat gaat nooit voorbij. Natuurlijk is Popie Jopie Koeksnijder geen NSB'er maar zijn grootvader was dat wel en daarom is dat het eerste waar je aan denkt als je zijn kleinzoon ziet, helemaal wanneer hij in het gezelschap is van PJ Eilander. De lul. Wij haten Jopie met een felheid die wordt gevoed door heftige bewondering. En dat haten wij nog meer. Hij bezit het voorwerp van onze dromen – kijk maar, ze duwt hem en hij springt weg, hun volheid van elkaar is hier te voelen. Als misnoegde oude mannen draaien wij ons weer om naar Mahfouz en zijn boot.

Het duurt een eeuw voordat PJ en Joop er zijn en op twee meter bij ons vandaan blijven kijken naar de activiteit op de werf. Koeksnijder knikt naar ons, Engel en Joe groeten terug.

– Hij bouwt een boot, hoor ik PJ verbaasd zeggen.

Het Afrikaans is weggesleten tot een flauw accent.

– Er liggen er anders nog genoeg, zegt Koeksnijder.

Ik kijk PJ niet aan omdat ze mijn gedachten zo kan lezen.

– Joe, vraagt ze, dat is toch de man van jouw moeder? Die man uit Egypte?

Joe knikt.

– Papa Afrika, zegt hij, en daar moet ze erg om lachen.

Koeksnijder komt schuin achter haar staan met de lichaamshouding van de man die iets beschermt.

– Papa Afrika, herhaalt PJ. En wat ben ik dan?

– De dochter van de man die me vorige week pijn heeft gedaan. Twee gaatjes.

Koeksnijder legt een hand op PJ's onderrug, nu zoals ongeduldige mannen doen die op zaterdagmiddag hun vrouw langs de etalages duwen.

– We gaan naar de overkant, deelt PJ ons mee. Dahag!

Christof mompelt iets dofs, Engel zegt: 'Succes met je examens.'

De slagbomen van de pont dalen achter hen, we kijken hen na.

– Ze vond je leuk, zegt Engel tegen Joe.

– Jij bent van de vrouwen hier, zegt Joe, ik van de dingen waar benzine in moet.

Engel, inmiddels gewend aan zijn elektriserend effect op vrouwen, schudt ongelovig zijn hoofd.

– Ze heeft me niet één keer aangekeken...

Joe, Engel en Christof hebben, als voorbereiding op hun volgende leven, de open dagen van het hoger onderwijs bezocht. Joe komt teleurgesteld thuis van de HTS.

– Niks waard, zegt hij, dat kan ik mezelf ook wel leren. Het rúikt daar naar niks.

Hij weet pas wat hij wil gaan doen wanneer hij voor de lol met Engel meegaat naar de kunstacademie. In de lokalen van de afdeling Autonoom vindt hij wat hij zoekt: freesbanken en

CO^2-lasapparaten. Er staan geheimzinnige toestellen in diverse stadia van wording en aan de muren hangen werktekeningen van grote exactheid.

– Het ruikt er naar machineolie, zegt hij.

Pas dan begrijp ik dat zijn opmerking over de geurloosheid van de HTS letterlijk is bedoeld. Hij gaat op zijn neus af, en dat is nieuw voor mij.

Engel meldt zich aan voor de afdeling Illustratie, Joe voor Autonoom. Voor hun toelating moeten ze werk laten zien waaraan zowel talent als motivatie valt af te lezen. Engel gaat erheen met een map vol werk dat hem uitstekend kwalificeert, niemand is zo van nature kunstenaar als hij. Aan Joe heb ik nooit gedacht als kunstenaar, en voorzover ik hem ken hijzelf ook niet. Hij kan evengoed instrumentenmaker of technisch ingenieur worden, maar hoewel hij de ingenieurs bewondert omdat ze de wereld haar motoriek geven, vindt hij zichzelf bij nader inzien geschikter voor een vrijere richting.

Op de dag van het toelatingsexamen schroeft hij de vleugels van zijn vliegtuig en bindt het geheel op een aanhanger. Natte Rinus rijdt hem naar de academie, wanneer ze binnenkomen zegt de conciërge 'U mag hierbinnen niet roken meneer', zodat de kleine boer de hele morgen buiten staat. Joe rijdt de romp van het vliegtuig het gebouw in en zet hem in het lokaal waar de beoordeling zal plaatsvinden. Nadat hij de vleugels heeft bevestigd is het lokaal vol. Of hij het ook echt doet, vraagt een docent. Joe klimt erin en start de motor. Een tornado raast door het lokaal. Hij is aangenomen.

Maar kom, de tijd dringt, maandag over een week begint de grote test die zal uitwijzen wie er klaar is voor de wereld en wie niet.

Het is een wreedheid dat de examens plaatsvinden op de mooiste dagen van het jaar. De velden liggen te kreunen van groeizaamheid, bomen vouwen hun bladeren uit met het genot van iemand die zich uitrekt. Daarboven staat een tintelende voorjaarszon die alles aanspoort tot meer, en wij zitten rij aan rij in de aula en hebben er geen deel aan. Wij schuifelen onrustig met onze voeten, hoesten gedempt en kauwen op van overheidswege verstrekte ballpoints. Vervloekt de eerste die klaar is met zijn opgaven en die met serene superioriteit inlevert. Vervloekt ook de man die op rubberen zolen door de gangpaden sluipt. Helemaal vervloekt zij PJ met wie ik hetzelfde vakkenpakket deel zodat mijn hoofd zevenmaal verduisterd wordt door andere dingen dan anaërobe dissimilatie en de schijnvoetjes van amoeben. Ze moest zich schamen om de wellust van zo'n lichaam. Het seint niets dan overvloed. Ik bespied het witte vlees van haar ronde bovenarmen als een uitgehongerde kannibaal en voel me klein en kwaadaardig vanwege de ontregelende boodschap van haar heupen wanneer ze de zaal verlaat terwijl de meeste anderen nog zitten te werken. Een paar weken later zal ik op de examenlijsten eerst bij de E kijken en zien dat ze geslaagd is met een negen voor biologie en nooit minder dan een acht voor de overige vakken. Ikzelf blijk een rotsvaste 7,8-man maar dat wijt ik aan haar aanwezigheid.

Joe en Engel hebben wis-, schei- en natuurkunde in hun pakket, wat voor mij iets is als het decoderen van boodschappen van een andere planeet. De enige met economie 1 en 2 in zijn pakket is Christof, ik denk om de grondbeginselen van het ondernemerschap te leren dat door zijn geboorte voor hem is beslist.

Ook zij slagen alle drie voor hun examens, maar Joe verbiedt zijn moeder om een tas met een vlag uit te steken. Zelfs Quincy Hansen slaagt eindelijk, zij het na herexamens voor Nederlands en Engels.

En dan ben je geslaagd, gebeurt er dit:

– Het is een uitkomst, zei pa, een uitkomst.

– We hebben het er lang over gehad, zei ma. Als het niet gaat, verzinnen we wat anders.

– Laat hem eerst maar 's beginnen. Van moeten is nog nooit iemand slechter geworden, dacht je dat ze vroeger maar konden doen wat ze aanstond? Alle dagen hard werken, dan vroeg je je niet af of je het leuk vond, je deed wat je gezegd werd.

– Je moet niks. Het is een begin.

– Een uitkomst is het! Precies goed voor hem. Iedereen wordt er beter van.

– Maar denk dus niet…

– Dat weet ie nou wel.

– Dat we d'r beter van willen worden, we willen alleen dat je op eigen benen kunt staan. Voor als wij er niet meer zijn.

– Slaapt ie?

– Fransje?

– Valt gewoon in slaap…

– Van dat leren natuurlijk, hij is doodmoe dat jong.

– Ze zien hem anders alle avonden bij Waanders. Als ie dat kan, kan ie ook werken. 't Is echt een uitkomst.

Pa haalde het plastic van de berg voorwerpen in de tuin en stond er een tijdje naar te kijken. Het was een onoverzichtelijke berg mikadostokjes en ik zag twijfel in zijn bewegingen kruipen. Hij trok eens aan wat uiteinden en zette een paar delen rechtop tegen mijn huis. Hij vermeed het bij me naar binnen te kijken, hij wist dat ik vanuit de schaduwen naar hem loerde. Na een uur had hij de stapel ontleed: stangen bij stangen en roosters bij roosters. Hiervan begon hij stellages te bouwen tegen de muur van het huis. Wat overbleef na het opruimen van de stapel, was een wasmachine en het ding waarvan ik nu wist dat het een brikettenpers was. Dat werktuig zou het begin zijn van mijn carrière als brikettenperser. Papierbriketten, voor in de kachel.

Zo had pa het bedacht: ik zou de deuren langsgaan voor oude kranten, en omdat ik een goed doel op zich was, zouden de mensen graag meewerken en hadden wij papier in overvloed om briketten van te persen.

De achtertuin was nu een werkplaats geworden. Het papier werd gespoeld en verpulverd in de droogtrommel van de wasmachine, waarna ik het overschepte in de pers. Aan de zijkant van de pers zat een hefboom waarmee ik het metalen deksel op de papierpulp aandrukte, om het water eruit te persen. De vochtige briketten legde ik te drogen op de stellages tegen de muur. Pa nam de droge hompen mee naar de sloperij waar hij ze in de winterdag zou verkopen aan klanten, of er de kantine van de sloperij mee zou warm stoken, weet ik veel. ''t Is echt een uitkomst…'

Het was volop zomer geworden, de examens leken alweer ver weg, op sommige dagen voelde ik me, hoe zal ik het zeggen, nuttig. Ik drukte de persplaat zo hard aan dat mijn hand zeer deed, onder uit het rooster siepelde grijze smurrie, water vermengd met pulp en drukinkt, waarmee over de geboorte van een ijsbeertje in een dierentuin of zestien doden in Tel Aviv was bericht. Krantenkoppen flitsten langs wanneer ik de machine laadde, soms zat ik verzonken in kranten van een jaar geleden. Het maakte weinig verschil met de krant van vandaag, nieuwsfeiten lijken net zo op elkaar als Chinezen.

Als in een soort tijdmachine schoot ik heen en weer van een gewapende opstand in april naar de val van de president in oktober, en keek door het raampje van de wastrommel hoe de wereldgebeurtenissen nog een paar maal rondsloegen voor ze vervielen tot grijze pap. Laden, vullen, persen, drogen – mechanisch en efficiënt. Op goede dagen perste ik zo'n veertig tot vijftig briketten. Laden, vullen, persen, drogen. Het was simpel en maakte me gelukkig. Op de een of andere manier voelde ik me verwant aan Papa Afrika, zoals hij nu door Joe, Christof en Engel werd genoemd, die op de oude werf aan zijn schip werkte.

Wanneer ik aan het eind van de dag nog kracht in mijn arm overhad, reed ik naar hem toe. Ik hield van de werkzaamheden rond een schip, en rilde wanneer hij houtflinters schaafde die zich oprolden tot een dicht in elkaar gedraaide krul. Hij werkte zich in het zweet, staand in een zee van die lichtgele houtkrullen die heerlijk roken. Een meterslange telefoonpaal die de mast zou worden, rustte op een aantal bokken en werd op maat geschaafd. Wanneer Papa Afrika zich uit zijn gebogen positie oprichtte, kermde hij van de pijn in zijn rug en zette zijn handen in zijn zij terwijl hij zich uitrekte.

Hij liep rond zijn boot en mat haar met kritische blik.

– Hiermee maak ik *my ship*, zei hij, en stak tien vingers in de lucht.

Toen wees hij naar zijn hoofd.

– This is for the mistakes.

Ik hield ook van het kloppen van de beitels, dat van veraf klonk alsof iemand een holle boom bespeelde.

Papa Afrika begon het schip overnaads op te bouwen vanaf de kielbalk, en timmerde de planken vast aan de ribben binnenin. Toen hij daarmee klaar was lag er een écht schip, nog onaf maar niet heel ver van zijn voltooiing. De krullen sprongen van de giek.

Christof, die iets van boten wist, zei dat een feloek 'Arabisch getuigd' moest worden. Ik heb nooit kunnen wennen aan zijn betweterige toon. Hij bracht zijn incidentele kennis met zoveel aplomb dat ik het soms thuis nazocht. Ik heb hem nooit op een fout betrapt.

Christof ging rechten studeren in Utrecht. Ik zou hem niet missen. Toch, wanneer ik erover nadacht, hoorde hij net zo bij mijn leven als Joe en Engel. Ik had een paar jaar de tijd gehad om hem te bestuderen en het had me verbaasd als er iets verborgen was gebleven. Ik kende zijn zenuwtrek, een samentrekking van het rechteroog waardoor zijn mondhoek mee omhoogkwam. Het was maar een kleine beweging en het ging heel snel, alsof hij naar onzichtbare dingen knipoogde, en ik vroeg me af of hij ooit heeft geweten dat zijn tic alleen optrad met Joe erbij. Verder wist ik dat hij zijn patat oorlog per se zonder uitjes wilde en op zijn zestiende een natte droom had gehad waarin zijn moeder met drie borsten figureerde.

Al mocht ik hem niet heel erg, misschien is het toch een vorm van vriendschap te noemen wanneer je iemand zo goed kent, als een deel van jezelf dat je liever niet onder ogen zou willen zien.

Mijn werkdagen begonnen te voet. Er waren genoeg grijppunten tussen de machines en stellages om me voort te bewegen. Ik was al rond zeven uur op de been, vroeg genoeg om de hanen te horen kraaien bij tuinders in de polder. Het eerste uur was te sereen om te verstoren met wasmachinelawaai, dan las ik oud nieuws en rookte sigaretten die anderen voor me hadden gerold. Tegen achten begon ik te draaien. De briketten, grijs en breekbaar wanneer ik ze uit de pers haalde, droogden in ongeveer een week tot stevige lichtbruine broden. Na twaalven begonnen mijn benen zeer te doen; dan liet ik me in de kar zakken, en werkte zo nog een paar uur in de middagzon.

Ik voelde me gezond en sterk, ik had mijn eerste zelfverdiende geld in mijn zak en zat soms met Joe bij de Veerkop waar we biertjes dronken uit de fietstas aan mijn kar. Hij,

Christof en Engel waren er nog, en als je er niet over nadacht kon je je voorstellen dat dit altijd zo zou blijven, dat we altijd een soort gemeenschap zouden blijven vormen op die manier, en dat ik af en toe met Joe op de kade kon zitten terwijl hij kroondoppen in het water knipte en Papa Afrika ginds kermend zijn rug strekte.

PJ was toen al vertrokken, ze had een kamer gevonden in Amsterdam waar ze zich had ingeschreven bij de Letterenfaculteit. Ik had gehoord dat Joop Koeksnijder haar een keer was wezen opzoeken daar, en dat ze hem als een vreemde had behandeld.

Ik zag Koeksnijder op een middag op de markt en begreep opeens wat ik eerder had gezien, toen hij en PJ naar de overkant gingen en nog even met ons hadden gepraat: een man die zijn kostbaarste bezit zou gaan verliezen. Zijn wezen was al voorbereid op de pijn, het zat al in zijn bewegingen maar zijn bewustzijn had zich nog verzet. Nu ze weg was, keken we naar een armoedzaaier die één dag koning had mogen zijn.

Ik voelde met hem mee – hij was kleiner geworden, een man van vroeger, nog maar half de beheerste reus die hij eens was, maar ik zal er niet over liegen dat mijn opluchting groter was dan mijn medelijden. Ik gunde PJ aan niemand, en zeker niet aan hem.

Ze was mijn kostbaarste illusie.

Die situatie was niet ideaal: in het domein van de fantasie moest ik haar delen met Christof, die dezelfde visioenen had als ik. In mijn dagdromen schakelde ik hem uit met bijlen, vrachtwagens en dingen die door mijn toedoen boven op hem vielen.

Op zaterdag ging ik de huizen langs voor oud papier. Na een tijdje wist iedereen waar ik voor kwam en lagen de bundels reclamefolders en kranten soms al voor me klaar. Aan die folders had ik niets maar ik liet het zo, ik was geraakt door de zorgvuldigheid waarmee sommige mensen handzame pakketjes voor me maakten, samengebonden met eindjes touw en een platte knoop bovenop. Ze leken wel blij om zoiets te kunnen doen. Ik wist daar niet direct raad mee.

Sommigen lieten me buiten wachten, anderen zeiden 'kom toch binnen Fransje, kom toch binnen!' en gaven me koffie of een sigaret. Ik had die huizen altijd alleen van buiten gezien. Het leverde me veel nieuwe inzichten op. Nu kon ik mijn 'Geschiedenis' van binnenuit schrijven. Hoe leven wij? Wat gebeurt er achter de deur? Waar ruikt het naar? (Schoensmeer. Boenwas. Braadboter. Oude vloerbedekking.) Hier in Lomark luisteren we naar een transistorradiootje op de keukentafel, de radiobode ernaast, daarop sleutels en een acceptgiro voor de caritas. In de woonkamer familiefoto's op de schouw (katholieke families, dus altijd van ver genomen omdat anders niet iedereen erop past) en het eeuwige groen in de vensterbank.

Wat maak je daaruit op over ons? Dat het ons goed is gegaan, de tweede helft van de twintigste eeuw? We rijden luxewagens en stoken onze burgerwoningen op aardgas. De Duitser is al lang weg, daarna zijn we bang geweest voor communisten, atoomwapens en recessie, maar de dood is erger. Niemand vertelt ons wat we moeten doen maar we weten wat ons te doen staat. Nergens over praten maar nooit iets vergeten. Wij weten alles nog en sparen in stilte informatie over hen die ons omringen. Tussen ons bestaan onzichtbare lijnen die ons scheiden of verbinden, waar een buitenstaander geen weet van heeft, hoe lang hij hier ook woont.

Ik heb veel gehoord en gezien, in die huizen. Ik heb de stem gehoord waarmee we hier praten over heden en verleden, ik zal proberen hem te laten horen. Over de Nationaal-Socialistische Beweging bijvoorbeeld. Toen de NSB acht procent van de stemmen kreeg bij de Statenverkiezingen in 1935, hebben wij hier in Lomark daar flink aan bijgedragen. Sommige van de Alles-Wordt-Minder-Mannen weten het nog goed. Als ze erover zouden praten, klinkt het zo:

Hij heeft hier nog gesproken, Mussert, die net als wij aan de rivier geboren is. Hij was er voor ons, voor de middenstander en de tuinder die murw was door de crisis en nooit op regeringssteun heeft mogen rekenen. Hij, oud-hoofdingenieur bij de Utrechtse Provinciale Waterstaat, was een man van de delta. Wij, die niets anders wensten dan herstel van oude zekerheid, applaudisseerden het hardst voor hem die terugkeer beloofde naar Godsvertrouwen, Liefde voor Volk en Vaderland en Liefde voor de Arbeid. De bijeenkomst vond plaats in het Veerhuis aan de rivier. Op een winteravond kwamen ze met een paar auto's aan uit Utrecht, over de Lange Nek. In het zwakke licht van de buitenlamp stapten ze uit en verzamelden zich ordelijk bij de ingang, een klein leger mannen met hoeden en lange overjassen. Als op een onhoorbaar commando hieven ze de rechterarm voor de fascistengroet, gevolgd door een krachtig 'Houzee!' Uit hun monden sloeg damp, zwijgend en gedisciplineerd gingen ze het Veerhuis binnen.

De partij bewees ons een grote eer met het bezoek van de leider. Er waren meer dan tweehonderd mensen verzameld in de gelambriseerde Vredezaal, van heinde en verre gekomen om hem te horen spreken. Mussert was buikig en beslist zeer klein. Een gevoel van teleurstelling bekroop ons bij het zien van de man wiens donkere haar zich op zijn achterhoofd had teruggetrokken, met achterlating van een toefje op het voorhoofd, dat tot een parmantig kuifje was gekamd. Maar wat vergisten wij ons! Een stem riep: 'De leider!' Daarom trad Mussert naar voren uit de donkere wolk van WA-mannen en overzag ons met zijn opmerkelijk lichte ogen. Zijn lichaam was naar de taak gaan staan die hem door de geschiedenis op de schouders was gelegd: zijn kin stak naar voren en zijn schouders naar achteren, de hardloper die als eerste de finish passeert. Toen hij als door een krachtige veer bewogen zijn rechterarm hief, ontstak hij trots en vrees in ons, en kwamen wij als één man overeind om hem de groet te brengen. Zo stonden wij tegenover elkaar. Zijn arm zakte, duwde ons terug in onze stoelen als het ware, en daar diende hij ons de volgende stroomstoot toe.

– Volksgenoten!

Wij rilden van een volgzaam soort genot, van warmte en verering. Zijn rechteroog spoog vuur, maar het beredeneerde linkeroog woog elk woord dat zijn dunne lippen passeerde. Met starre ernst sprak hij ons toe over de degeneratie van de moderne tijd. Over het rode gevaar. Over het fiasco van de antirevolutionair Colijn.

– Men constateert een voortgaande afbraak van ons bedrijfsleven, terrorisering door een leger van crisis-ambtenaren en verarming. Wij zullen het volk bevrijden uit het knechtschap der politieke partijen! De boeren zullen weer traditiegetrouw hun roeping volgen, arbeiders van hoog tot laag, van directeur tot loopjongen, zullen weer leren beseffen dat zij tezamen in harmonie een taak te vervullen hebben tegenover hun volk! Nieuwe welvaart zal worden opgebouwd; streng, krachtig, maar liefderijk… Het weerbare volk zal zijn bodem, zijn vaderland, zijn imperium zo krachtig mogelijk verdedigen tegen ieder die onze zelfstandigheid of ons grondgebied wil aantasten!

Dit was niet het politieke dwaallicht waar zijn tegenstanders hem voor hielden, hier stond een staatsman. Hem zouden wij volgen, hij was de aangewezen man om ons uit de crisis weg te leiden naar betere tijden. Zelfs de harten van de twijfelaars gingen naar hem uit. Zijn stem koos de hoogte, het volume nam nog toe.

– Nederland zal onafhankelijk zijn van iedere buitenlandse macht, een bolwerk voor de vrede, bereid om zich te verdedigen tegen iedere aanvaller, bereid om mee te helpen bouwen aan een bond van Europese staten waartussen het vertrouwen is hersteld, die een waardig instrument zal zijn voor het behoud van de Europese vrede en de Europese cultuur!

Ons applaus regende op hem neer. Het deed hem zichtbaar goed zich te laten toejuichen. Hij sprak een uur, wij juichten harder, toen kwam er een ander op die ons onderwees over hoe wij zelf konden bijdragen aan het nationaal herstel. Daarna zongen wij 'Een vaste burcht is onze God' en het Wilhelmus, en daarmee was het afgelopen. Roezemoezend en vervuld van nieuwe hoop verlieten wij de Vredezaal. Velen kochten exemplaren van *Volk en Vaderland*. Ver weg, op de dijk, gloeiden de rode achterlichten van Musserts karavaan.

Voor Papa Afrika waren alle rivieren ter wereld gelijk. Ze mochten misschien andere namen hebben, het waren alle vertakkingen van een en dezelfde hoofdstroom. De Nijl was de enige rivier op aarde en al het water op aarde stroomde eens langs de werf van zijn vader in Kom Ombo.

– Hij denkt toch niet dat dit écht de Nijl is? vroeg Engel.

– Rhine, Nile, same, same, imiteerde Joe zijn stiefvader.

– Filosofisch bedoelt ie zeker, zei Engel.

– Heeft hij geen aardrijkskunde gehad? vroeg Christof.

– Hij kon Caïro niet aanwijzen in de Bosatlas. Hij weet niet eens waar hij nu precies is. Het kan hem ook niet zoveel schelen, geloof ik.

Stil van onbegrip keken wij naar het verschijnsel Papa Afrika, dat plukkend aan zijn snor en met een potlood achter het oor over de werf liep. Het schip was nu tot vlak boven de waterlijn rood geschilderd, daarboven was het wit. De mast moest nog worden geplaatst en het wachten was op het zeil, dat door Regina uit repen canvas aan elkaar werd genaaid. De maiden voyage zou eind augustus zijn, en Regina wilde die dag een feest op de werf. Ze had grote plannen; die kans op aandacht en bewondering liet ze zich niet ontgaan.

De dag naderde vlug, maar ik had er een slecht gevoel over. Joe, Engel en Christof zouden na dat weekeinde vertrokken zijn, de colleges begonnen in september, ik bleef achter in het dodenrijk. Met een brikettenpers. Ik beulde dat ding echt af en perste veel meer dan de droogrekken aankonden.

– Met zulke hoeveelheden zakt de prijs, zei pa.

Ma hoorde dat. Haar mond kneep samen, ze had haar armen over elkaar geslagen.

– Een geeltje krijgt ie vanaf nu, zei pa verontschuldigend maar strijdbaar. Een geeltje is nog altijd goed betaald. Met overproductie zakt de prijs, da's overal zo.

– Jij moet je afspraken nakomen, zei ma.

– Hij moet er niet zoveel maken. Als je weinig van iets hebt betaal je veel en als je er veel van hebt betaal je weinig, dat kun je overal navragen.

– Hij is je zoon.

– Hij brengt toch alles naar Waanders.

Hoe dan ook, vanaf die dag kreeg ik een geeltje voor vijftig briketten en paste ma het verschil bij uit de huishoudpot. Het meeste geld bracht ik inderdaad naar Waanders. Café Zaal Terras Waanders had het voordeel dat het aan de Rijksweg lag, buiten het dorp, wat gevolgen had voor de clientèle en de atmosfeer. Die was beter dan in De Zon, waar de stemming vaak, hoe zal ik het zeggen, *bijterig* was, daar brak soms opeens oud zeer door de omheining. De Uitspanning was meer een bingozaal voor oude mensen, daar kwam je alleen voor trouwerijen en als je moest schuilen voor de regen. Waanders was het geschiktst van allemaal. Er stopten vrachtwagens en personenauto's met mensen erin die ik nooit eerder had gezien, die me hoop gaven op de manier waarop een bepaald soort vrouwen hoop krijgt bij de intocht van soldaten van een vijandelijk leger.

Een voorbeeld.

– Wat mag het wezen voor de heren? vraagt de barvrouw aan een vrachtwagenchauffeur die de geur van warm asfalt met zich meebrengt.

Voor hem uit loopt zijn zoontje dat een dagje mee mag in de cabine.

– Wat wil je, vraagt de man aan de jongen met een stem die je niet van hem verwacht.

Hij draagt witte sokken in zijn slippers.

– Cola, zegt de jongen.

– En eten?

– Patat. Met.

– Patat voor de jongen en doe mij... doe maar brood met twee kroketten. Met veel mosterd.

– Doe ik er voor hem een beetje sla bij, zegt de barvrouw. Voor de vitamientjes. Nog iets drinken voor u?

– Mij ook maar 'n colaatje.

Oké, dit is misschien niet het beste voorbeeld maar soms is er echt wel wat te beleven in Waanders. In het weekeinde is er levende muziek en Ella Booij, de barvrouw, is je vriendin zolang je betaalt. Ze heeft de professionele overgave van een go-go-danseres maar in de keuken valt die glimlach als een oude korst van haar gezicht. Ze is niet van hier. Ze komt tegen het middaguur ergens vandaan met een witte Mazda-automaat en gaat daar na haar dienst weer naar terug. Of ze een man of kinderen heeft weet niemand, ze ziet er niet uit of ze van iemand houdt op deze wereld. Ik waardeer het dat ze zich tegen mij niet aardiger voordoet dan ze is.

Ze brengt de chauffeur met de witte sokken en de jongen twee glazen cola, een in elke hand. Ze zitten bij het raam, buiten huilt een vrachtwagen langs.

– Goed dat die E 981 er komt, zegt de chauffeur.

Ella kijkt naar buiten waar de zon de dingen in trilling brengt.

– Ja goed, zegt ze.

– 't Is geen doen zo. De vraag is of het gunstig is voor jullie natuurlijk.

De chauffeur kijkt naar Ella in de hoop op haar mening over de E 981, die dit achterland met Duitsland zal verbinden.

– Je weet het nog niet met zo'n geluidswal, vervolgt de man, kom je d'r voor of kom je d'r achter, daar gaat het om natuurlijk.

– We hebben het niet voor het zeggen.

– Nee. Dat zal wel niet, nee.

– We zouden wel willen...

– Maar zo is het niet.

Na een kwartier komen de kroketten en de patat. Verzadigd verlaten de vader en de zoon Waanders en nemen daarbuiten hun baan rond de zon weer in.

De toekomst van Lomark was voorlopig nog niet meer dan de code E 981. Ik had erover gelezen in de kranten, het was een plan dat onze aandacht verdiende. Ik had de indruk dat sommigen er enthousiast over waren omdat een vierbaansweg vlak langs het dorp economische voorspoed zou brengen, maar dat de algemene reactie er een was van schouderophalen. De huidige weg naar Duitsland voldeed in elk geval niet meer, die werd verstikt door een almaar aanzwellende massa voertuigen. Dus moest niet het aantal auto's omlaag, maar de weg verbreed. MIJN SPORT IS TRANSPORT las ik op de bumper van een vrachtwagen, en ZONDER TRANSPORT STAAT ALLES STIL.

Het mooist was de sticker met I ♥ ASFALT, wat ongeveer het motto was van elke regering na de Tweede Wereldoorlog, zodat er asfalt kwam. In onbegrijpelijke hoeveelheden. Joe had gelijk, de wereld werd aangedreven door bewegingsenergie. Hij zei: 'Daar werken de knapste koppen ter wereld aan, vergeet dat niet. De basis van de verbrandingsmotor is al meer dan honderd jaar hetzelfde, nu werken ze aan de verfijning ervan, hoe ze het autootje zo zuinig mogelijk kunnen laten lopen met zo min mogelijk emissie. Het ding wordt constant technisch geperfectioneerd, maar op een manier die voor iedereen betaalbaar blijft. Dát is het wonder van deze tijd, dat we voor een klein prijsje als kogels over de weg schieten. Maar wantrouw iedereen die dat vooruitgang noemt. Vooruitgang bestaat niet. Alleen beweging. Dat is de grote verdienste van de twintigste eeuw, dat we mogen bewegen. We leveren eerder ons stemrecht in dan ons autootje. Dus als die lui van de milieubeweging echt iets willen, dan zullen ze met iets beters moeten komen, en dat is er niet.'

De route van de E 981 lag nog niet vast, in de gemeenteraad van Lomark kwam het onderwerp zo nu en dan ter sprake, maar de vragen werden even lauw gesteld als beantwoord. We reageren nu eenmaal slecht op dreigingen die ver in de toekomst liggen.

Op de dag van de tewaterlating van Papa Afrika's feloek trok het feestgewaad van Regina Ratzinger meer aandacht dan dat hele schip. Iemand zei dat het een 'Arabische trouwjurk' was. Het was van een intens soort blauw en er waren met zilver- en gouddraad geheimzinnige patronen op geborduurd. Eronderuit staken glimmende muiltjes. Ze was tamelijk zwaar opgemaakt en de lovertjes van haar hoofddoek dansten op haar voorhoofd wanneer ze gasten begroette.

– Ik wist niet dat het een verkleedfeest was, mompelde Joe.

India ging rond met een dienblad met glazen bier en Cava erop. Ze had een legergroen T-shirt aan en een vale spijkerbroek. Haar huid was bruin en glinsterend, op zonnige dagen had ze citroensap in haar haren gesmeerd zodat het blond geworden was. Het was of we haar voor het eerst zagen. We konden onze ogen niet van haar afhouden.

Over de Lange Nek kwamen plukjes mensen naar de doop van Papa Afrika's schip. Het was een lichte dag in augustus, niet heel warm en met gefluister in de populieren. Het feest begon verlegen, het gezelschap mengde niet maar klonterde. Niet iedereen wist zich raad met de uitbundige presentatie van Regina en de enigszins gespannen afzijdigheid van Papa Afrika. Natuurlijk was hij zenuwachtig, iedereen zou zenuwachtig zijn! Dat zijn schip was opgebouwd aan de hand van oude herinneringen en niet volgens een gedetailleerd bouwplan, bracht hem plotseling aan het twijfelen. Had hij het zich goed herinnerd, klopten de verhoudingen wel? Op aandringen van Regina droeg hij zijn linnen pak, maar veel liever had hij een overall aangehad want dit was een werkdag en geen feestdag.

Soms klonk er een lach maar de meeste gasten wachtten af. De Alles-Wordt-Minder-Mannen waren er ook. Ze stonden dicht bij elkaar, kelkjes jonge jenever met suiker in de hand en maar om zich heen kijken. Hun ontging niets, alles zou straks, terug op hun bank, onderwerp van bespreking zijn.

Er werd mondjesmaat gegeten van de hapjes die op de lange tafel lagen uitgestald. Regina was dagen bezig geweest met die hapjes. Onder folie lagen spiesen met gekruid gehakt om later te roosteren. Er waren platte Arabische broden en kommen rode en groene tapenade, en voor de kinderen – die er niet waren – had ze amandelkoekjes gebakken in de vorm van hoantjes. Daar lag de liefde van een vrouw, en niemand had honger.

Piet Honing meerde de pont af en kwam van boord. Hij gaf Regina een hand.

– Een knap schip mevrouw, nietwaar. Jazeker. Heel mooi hoor.

Zijn ogen gleden over het uitgestalde eten achter haar rug. Ze nam hem bij de arm en zei: 'Neem Piet, toe, neem. Ach mensen, eet nou toch!'

Uit Lomark kwam de Peugeot-stationwagen van Eilander aanstuiven. Kathleen Eilander zat achter het stuur, ze reed de auto schuin het talud op en trok de handrem aan. Een verwilderd kijkende Julius Eilander stapte uit alsof hij ontvoerd was.

– Kathleen! riep Regina. Wat fijn dat je er bent!

– Wat zie je er móói uit Regina! En dát is het schip? Wat een juweel, wat schitterend! Waar is Mahfouz? Ik moet hem zeggen hoe móói ik het vind!

– Neem eerst iets te drinken, en eet! Eet! O, het komt nooit op zo.

Julius Eilander volgde zijn vrouw in haar spoor van oorlogszuchtig enthousiasme. Piet Honing stond naast Papa Afrika bij het schip, ze spraken in het wonderlijke abracadabra dat alleen zij beheersten. Hun handen wreven het hout, hun lippen vormden woorden die het schip aangingen. Maar een storm kwam tussenbeide.

– Mahfouz, how wonderful! I'm so proud...

De Egyptenaar grinnikte schaapachtig naar Kathleen Eilander. Julius Eilander greep Mahfouz' hand en slingerde er krachtig aan.

– Good job, good job. Je neemt me een keer mee zeilen hè, old boy?

Er waren ongeveer vijftig mensen verzameld. Het schip lag klaar op de helling, nu waren er mannen nodig om het over rubberen matten naar het water te duwen. Papa Afrika deed zijn schoenen en sokken uit en rolde zijn broekspijpen op tot onder de knie. Joe, Engel en Christof deden hetzelfde en ook Julius Eilander ging zitten om zijn veters los te maken. Nog drie mannen ontblootten hun voeten. John Kraakman van het *Lomarker Weekblad* maakte foto's.

– Komen we in de krant? riep India.

Kraakman likte zijn lippen.

– Blijf even staan zo, ja...

Hij drukte af en legde India vast terwijl ze met sterke, grote tanden in de camera lachte. Achter haar overlegden de mannen hoe ze te werk zouden gaan. Het schip kwam tot aan hun middel, ze waren erg kwetsbaar op hun blote voeten. Papa Afrika gleed uit zijn jasje en gaf het Regina, die het voorzichtig rond haar onderarm vlijde tegen de kreuk.

– Kus liefste! zei ze flemend.

Zij gaf hem een echte filmkus, vol overgave en met gesloten ogen. De ene arm had ze lichtjes rond zijn middel gelegd, de andere, waaraan zijn jasje hing, hield ze bevallig buiten de omhelzing. Hij gaf haar een meer alledaagse kus terug, die met gêne was vermengd omdat hij afkomstig was uit een deel van de wereld waar intimiteiten tussen mannen en vrouwen ongewenst waren in het openbaar. Hij maakte zich los en voegde zich bij de anderen. Ze grepen de boorden van het schip vast, Papa Afrika nam plaats bij de achtersteven. Op zijn teken.

– Jalla!

De mannen duwden tegelijk.

– Jalla!

Het schip schoof enkele centimeters van zijn plaats. Op dezelfde manier waren piramides tot stand gebracht, de sfinx, de koningsgraven... Papa Afrika schreeuwde, de mannen zetten kracht, je kon denken aan het terugduwen van een walvis naar zee. Langzaam gleed de boot naar het water, de voorste mannen hadden al natte voeten.

– Jalla! Jalla!

Nog twee-, driemaal duwden ze, toen gleed de feloek met verbazende lichtheid het water in. Papa Afrika stond tot aan zijn middel in de rivier met twee handen op de achtersteven.

– Lieverd, je broek, zei Regina zonder dat hij het kon horen.

Hij klom in de boot, knoopte de touwen rond de mast los en liet het zeil zakken dat langs de mast was opgebonden. Het schip dreef bijna tegen de zijkant van de veerstoep aan. Iedereen hield zijn adem in. Joe ging tot zijn knieën het water in om te helpen, maar het was niet nodig, Papa Afrika kreeg het zeil strak en zette de giek vast. Hij rende naar het roer en stuurde van de veerstoep af naar open water. Toen liet hij het zwaard zakken.

Kalm gleed het schip stroomafwaarts. Kraakmans camera klikte, Papa Afrika stuurde het schip in de wind. Men zuchtte toen het zeil wind ving en zich ontvouwde als een drakenvleugel. Het schip lag schuin en trok een spoor in het water. Gespannen keek Papa Afrika naar de top van de mast en toen naar achteren, naar ons. Wij konden zijn gezichtsuitdrukking niet goed zien maar toen we applaudisseerden, zwaaide hij. Soms vielen er plooien in het zeil, dan manoeuvreerde Papa Afrika het schip voor de wind. Nog even en hij zou uit het zicht zijn, voorbij de kade waar de schepen voor Betlehem laadden en losten.

De gasten waren vrolijk, ze waren getuige geweest van een succes; de tewaterlating was op de best mogelijke manier verlopen, wat een symmetrische schoonheid aan de middag verleende. Papa Afrika verdween in de bocht van de rivier, men keerde terug naar de tafel met limonades, bier en hapjes. Meneer Eilander liet zijn schoenen uit en wachtte aan de waterkant op de terugkeer van het schip. Mussen namen stofbaden in het zand onder de populieren, het was vrede op aarde. Regina's ogen dwaalden steeds af naar de rivier.

– Dus jij gaat naar de HTS? vroeg Kathleen Eilander aan Joe. Joe schudde zijn hoofd.

– Ik dacht dat je moeder zei dat je naar de HTS ging.

Ze zeiden een tijdje niks. Toen boog Kathleen, die groter was dan Joe, zich weer voorover.

– Wat ga je dan doen?

– Kunstenaar worden. Maar dat mag je niet zeggen geloof ik. Je bent kunstenaar of je bent het niet, dus kun je het eigenlijk niet worden. Zoals ik het begrepen heb ga je naar de kunstacademie om te ontdekken of je het bent. Kijk, Engel is kunstenaar, dat weet iedereen, maar ik? Ik kan goed dingen maken maar dat zegt nog niks.

Zijn ogen gleden over haar gezicht en zijn mond vormde de aanzet tot een lach.

– Wat ís er? vroeg Kathleen. Zit er iets? Hier?

Ze veegde langs haar mond.

– Nu zit er wel iets, zei Joe. Een beetje lippenstift, iets omhoog… daar ja.

Kathleen greep in haar handtas en diepte een klapspiegeltje op. Ze draaide zich met haar rug naar hem toe en poetste met driftige gebaren langs haar mond. In de uiterwaarden rezen schuine stofkolommen op achter de dorsmachines.

– Is het weg?

Hij knikte.

– Het is weg.

– Waarom laat je je eigenlijk Joe Speedboot noemen?' vroeg Kathleen scherp.

– Omdat ik zo heet.

– Heb je soms een speedboot?

Joe schudde zijn hoofd.

– En je echte naam?

– Er is geen echte naam, alleen maar een vergissing van mijn ouders.

Zijn lach zette het gesprek in een ander, warmer licht.

– Ik héét gewoon Joe Speedboot, mevrouw Eilander, echt.

– O, noem me Kathleen alsjeblieft, ik voel me zo oud als je mevrouw zegt.

– Als u dat wil.

– En je mag ook jij zeggen, Joe.

Kathleen keek naar de waterkant waar haar echtgenoot met een paar anderen stond te wachten op de terugkeer van het zeilschip, als gelovigen op de verlossing.

– Hij moet zijn hoed op doen, zei ze. Hij verbrandt zo.

Ze snoof.

– Ik vind wel dat je stiefvader lang wegblijft. Ik zou me doodongerust maken als ik Regina was. Zo'n boot kan toch zo zinken.

Regina en India stonden afzijdig van de mensen aan het water. India sprak geruststellende woorden tegen haar moeder, die krom stond van bezorgdheid. Julius Eilander kwam de scheepshelling omhoog met zijn schoenen in de hand en stelde voor om in noordwestelijke richting te rijden om te kijken of hij Papa Afrika ergens zag. Hij vroeg de autosleutels aan zijn vrouw. De Alles-Wordt-Minder-Mannen wachtten het vervolg niet af, ze bedankten Regina stroef voor 'de genoten gastvrijheid' en gingen terug naar hun bank.

Na een halfuur kwam Julius Eilander terug, hij was helemaal tot aan de Nieuwe Brug gereden maar had het grote zeil nergens gezien. Het was een dag waarop het vertrouwen in de goede afloop verdween. Een grijze stemming daalde als een aswolk op de achterblijvers neer.

– We moeten de politie waarschuwen, zei Julius Eilander.

– Daar heb je niks van te verwachten hier, zei zijn vrouw.

Niemand durfde Regina aan te kijken, alsof je alleen door te kijken het slaghoedje van haar angst en pijn zou indrukken en iets veroorzaakte dat je niet kon overzien. Julius Eilander reed naar Lomark, zijn vrouw bleef achter op de oude werf, samen met een paar anderen die 'hoe kán dat nou' en 'zoiets hou je toch niet voor mogelijk' zeiden. Het vuur doofde onder de rechauds, niemand stak de lampjes aan, het wachten kreeg het karakter van een wake. Het blauwe uur trok op rondom ons, merels zongen en joegen elkaar na in de struiken. Mevrouw Tabak, bij wie Regina schoonmaakte, ging weg. Ze zei: 'Probeer positief te blijven denken Regina, hoe moeilijk dat ook is.'

Over de Lange Nek kwamen twee auto's aan, Julius Eilander voorop en de politieauto van brigadier Eus Manting daarachter. Ze parkeerden op de veerkop, Manting stapte langzaam uit en kwam als een afgesloofde circusbeer op het gezelschap af. Hij knikte naar Kathleen Eilander, die hij zich herinnerde van een aanklacht over hinderlijk luchtverkeer.

– U bent mevrouw Ratzinger? vroeg hij Regina.

Hij haalde een blocnote uit zijn jasje, sloeg hem open en hield hem op enige afstand van zijn ogen.

– De situatie is me uitgelegd door deze meneer hier, ik heb de rivierpolitie ingeschakeld en melding gemaakt van de vermissing van een houten zeiljacht, ongeveer zes meter lang in de kleuren rood en wit. Zeg ik het zo goed?

Regina en India knikten.

– Goed, vervolgde Manting, aan boord bevindt zich de heer…

– Mahfouz, zei India vlug, Mahfouz Husseini.

– De heer Husseini. Waar komt de heer Husseini vandaan als ik vragen mag?

– Hij is Egyptenaar.

– Nederlands sprekend?

– Hij verstaat het beter dan hij het spreekt.

– En heeft hij inlichtingen verschaft over zijn bestemming, iets achtergelaten…

Regina opende haar mond in een hijgende ademtocht.

– Mahfouz ging zijn schip proberen, zei ze. Dat was alles. Een eindje varen. Heen en weer, meer niet. En waar is hij *nu*?

Ze priemde haar vinger als een oordeel naar Manting.

– En waar is hij *nu*?

– De collega's kijken naar hem uit mevrouw Ratzinger, meer kunnen we op dit moment niet…

– Wáár is hij *nu*?!

– Maakt u zich alstublieft niet te veel zorgen mevrouw, de collega's hebben hem met een paar uur boven water.

Er brak iets na die woorden. Regina draaide zich om en liep weg, ze huilde voor het eerst, met de scheurende uitha- len van een kettingzaag. Kathleen Eilander maakte brigadier Manting een vlammend verwijt met haar ogen vanwege zijn gebrek aan tact, en ging achter Regina aan. Manting stapte in de auto en reed achteruit de veerkop af. Toen hij keerde veegden de koplampen langs een gestalte aan de waterkant. Joe.

Zo liep die dag af, met Regina die stikkend van het huilen tegen het amfibievoertuig van Betlehem Asfalt leunde en Joe die de helling op kwam en stilstond bij de tafel waar genoeg voedsel op lag om de horden van Tamerlane te kalmeren. Hij stak een vochtig geworden hoantie in zijn mond.

– Donkey knows the way, zei hij zacht. Donkey knows the way.

In oktober was Papa Afrika nog altijd niet terug. In de oog-kassen van Regina Ratzinger smeulde een aanklacht tegen een wereld waarin mensen verliezen waar ze het meest van hou-den. Ze werd een vrouw waar mensen *langs* keken om dat niet te hoeven zien.

Van haar eerste echtgenoot had ze een graf dat ze kon be-zoeken, van de tweede bleef niet eens een lichaam achter om afscheid van te nemen. Wanneer de zon opsteeg uit de och-tendnevel en vlug klom in bleek en feller licht, liep Regina over de Lange Nek naar de rivieroever. Daar waar het schip te water was gelaten, stond ze als het standbeeld van een zee-mansvrouw die uitkijkt over zee. Ze leefde in een spagaat tus-sen hoop en verdriet, aan geen van beide kon ze helemaal toe-geven. Voor haar klonk het overgaan van de telefoon nooit meer zoals vroeger.

Je hart schrompelde als een appeltje wanneer je haar zag staan. Je bad met haar mee dat zo meteen die grauwe draken-vleugel de hoek om zou komen. Dat Papa Afrika zou afmeren en zeggen: 'I am sorry, it was more far, and the wind was low.'

En Regina stonk. O jezus, de stank van verdriet. Ik zeg ou-de uien en een loods tweedehands kleding. India zorgde zo goed en zo kwaad als dat ging voor haar maar voor zorgverle-ning heb je iemand nodig die verzorgd wíl worden. Regina had net zo goed in een grot in het woestijngebergte kunnen gaan wonen, ze had een mate van zelfontzegging bereikt die zelfs de heilige Abt Antonius bewonderend had doen klakken met zijn tong. Ze at de minimale hoeveelheid die nodig is om het organisme in stand te houden en zweeg. India kookte na school uitbundige maaltijden maar haar moeder schraapte alleen de uitlopers van haar bord. Er klonken huishoudelijke geluiden van spanning, van iets dat elk moment kon breken.

Ze waren volkomen afgemat en tot elkaar veroordeeld. Soms vertelde Regina zonder aanleiding jeugdherinneringen, dan kon je voor even denken dat je daar een moeder en een dochter zag die in gelijkmatige harmonie met elkaar samenleefden.

Na de verdwijning van zijn stiefvader wachtte Joe nog twee weken voor hij naar de kunstacademie ging, hij had geprobeerd zijn moeder te troosten. 'Misschien is ie wel gewoon teruggezeild naar waar ie vandaan kwam,' opperde hij, 'uit heimwee.' Regina's verzet tegen dat denkbeeld was fel. Voor Joe was ze een verlaten vrouw, voor zichzelf voor de tweede keer weduwe. Ze liet zich niet troosten of op andere gedachten brengen; Joe had geen reden om langer te blijven. Hij hing de oude legerrugzak van zijn vader om en ging naar Engel, die een kamer had gevonden in een Enschedese arbeiderswijk. Engel had laten weten dat er een bank was waarop hij altijd terecht kon. Joe vertrok met de bus van kwart voor zeven 's morgens, ik ging met hem mee naar de bushalte. Hij zei weinig, niks eigenlijk. We gingen op een belangrijk moment in onze vriendschap af, dat zou eindigen met Joe die naar me zwaaide door het achterraam van de bus, en ik die mijn poot in de lucht stak en met een dikke krop naar huis reed in de overtuiging dat er een tijdperk ten einde was.

Ergens in november was Joe terug in Lomark. Tenminste, toen stond hij ineens met een grote lach voor mijn raam. Ik wenkte hem, hij kwam binnen met een guts kou in zijn kielzog. Hij leek gegroeid zoals hij in de kamer stond met zijn zware legerjas en verregende kop. Ik was hondsblij hem te zien. Ook was ik door m'n sigaretten heen zodat hij er meteen een stel voor me kon draaien. Hij hing zijn jas over de stoel en kwam tegenover me zitten.

HOE GAAT IE? schreef ik op mijn blocnote, en hij schudde zijn hoofd.

– Tijd dat ik weer eens thuiskwam.

Het was niet best daar, zijn moeder en India waren allebei volledig uitgeput. Ik keek naar hem terwijl hij sjekkies voor me draaide en in het mosterdglas deed. Zijn haar was langer geworden maar dat was niet de reden dat ik het gevoel had dat er iets veranderd was. Ik kneep mijn ogen tot spleetjes en probeerde hem helemaal in me op te nemen maar kreeg er niet de vinger achter wat het was. Misschien was ik hem alleen maar ontwend.

– Ik was twee weken in Amsterdam, zei hij.

Hij likte langs een vloeitje en vouwde het dicht.

– Bij PJ.

Ik wendde mijn blik af. Jaloezie is even goed te zien als een zonsverduistering.

– Ze heeft iets met een schrijver. Een mafkees.

Joe vatte de laatste maanden voor me samen, vanaf het moment dat hij 's morgens was vertrokken met de bus.

Kunstbroeders zouden ze worden daar in Enschede, Engel

en hij. Ze gingen de lui eens wat laten zien. Maar op een dag laat in de herfst ging Joe met zijn jaargenoten op excursie naar het Van Gogh-museum. Voor de kassa stond een lange rij die in tien minuten maar een paar meter was opgeschoven. Net voor hen was een bus Japanners leeggestroomd, achter hen werd de rij gesloten door een groep misnoegde Groningers, die de moed er niettemin in hield. Joe keek rond. Hij had koude voeten. Niks ervan, had hij opeens gedacht, en verliet zonder een van zijn jaargenoten te groeten de rij om te verdwijnen in de richting van het Museumplein.

Daar stond hij, ver van huis en zonder reden om terug te gaan. Hij haalde diep adem, keek eens rond en besloot een tijdje in Amsterdam te blijven en te zien hoe de dingen zich ontwikkelden.

Tegen etenstijd was hij gaan nadenken over onderdak. Hij kende maar één iemand in die hele stad: PJ Eilander. Hij telefoneerde met PJ's moeder, die hem het adres van haar dochter gaf, in de Tolstraat, schuin boven een coffeeshop. Babylon, als ze zich niet vergiste.

Joe nam de tram. Hij ervoer duizelig geluk – niemand wist waar hij was, het leven kon alle kanten op, er waren evenveel mogelijkheden als combinaties op een fruitautomaat, en elke richting die hij koos was de goede want de machine stond op geven.

PJ was niet thuis. Joe wachtte in coffeeshop Babylon, hij zat bij het raam vanwaar hij kon zien of ze eraan kwam. Intussen had hij alle tijd om zich te verwonderen over de economie van softdrugs. In Lomark was het een tijdje sport om heel vlug een paar joints te roken en dan de grens over te steken naar Duitsland – om terug te komen met verhalen van een andere planeet. Dat was voor de lol, maar hier werd het roken echt serieus genomen, het was ze ernst. De gebruikers gedroegen zich alsof ze het daglicht zoveel mogelijk meden, en gaven zich met cultische toewijding over aan het draaien van enorme toeters waar ze geroutineerd de brand in joegen. Het leek heel wat. Als je een of andere inboorling was die zoiets voor het eerst zag had je gedacht dat je hier met de officiële godsdienst te maken had.

– Hé man, roken?

Joe keek op. Een man met zwarte krullen onder een rode hoed hield hem een trompetachtige joint voor.

– Nee bedankt, zei Joe. Ik zit hier te wachten.

– Doe niet zo lullig man, daar maken ze het voor.

– Echt niet, dank je wel.

– Je ziet eruit alsof je eraantoe bent.

Joe nam de joint aan.

– Ik ben Sjors, zei de man. De Stadsindiaan. Maar dat had je al gezien zeker.

Joe kwam te voorschijn uit een wolk.

– Ik heet Joe Speedboot, zei hij geknepen.

– Joe Speedboot! Je mag er wezen man, je mag er wezen!

Net als tienduizenden toeristen werd Joe op zijn eerste dag in Amsterdam stoned ('Jezus, als ik kon bouwen wat ik allemaal zag...'). Het was helemaal donker geworden, Sjors de Stadsindiaan was vertrokken en had buiten geroepen 'Veel geluk Joe Speedboot! Veel geluk!' en was ervandoor gegaan op zijn bakfiets. Joe bleef achter in de gezegende dromen van zijn eerste, tweede en derde joint ('Ik had vreselijk veel zin in Fristi. Dat spul stroomde als een ijskoude bergbeek naar mijn maag. Je hebt nog nooit zulke Fristi gehad.').

Het zal altijd de vraag blijven wat er was gebeurd als PJ's pakje sigaretten die avond niet leeg was geweest. Ze was al om een uur of zeven thuisgekomen, nu ging ze zonder jas naar beneden om sigaretten te halen bij de coffeeshop. De mannen aan de pooltafel keken op, bij de toonbank met de pot tabak, de vloeitjes en de aanstekers erop zei ze: 'Mag ik een pakje Marlboro?'

– Jij altijd schat.

Op weg naar buiten had ze in de schaduw van de ficus bij het raam een bekend gezicht gezien. De jongen zat met zijn ogen halfopen achter een grote hoeveelheid flesjes Fristi. PJ kwam dichterbij.

– Hé, Joe, zei ze. Joe, toch?

Zijn ogen gingen iets verder open.

– Hallo.

– Ik ben het, PJ, we zaten bij elkaar op school.

– Ik. Zie. Het. Wel. Hoor.

– Wat doe jíj hier? Iemand uit Lomark…

Zo was Joe bij haar binnengekomen, aangespoeld in een rieten mandje en omringd met vrouwelijke aandacht en veel vragen. Waar hij sliep? Nergens? Hij kon in haar bed, ze sliep zelf elke nacht bij haar vriend, ze zou 's morgens terugkomen. Hij zou wel honger hebben, ze had het over een zogenaamde vreetkick die het roken van wiet tot gevolg kon hebben. De pasta die ze maakte had Joe beter kunnen overslaan. Hij bereikte de wc net voor een guts rozerode Fristi met tagliatelle in tomatensaus in zijn slokdarm werd opgestuwd, wat een zoetzure melklucht in de wc en haar kamer verspreidde.

– O. Shit. O. Sorry.

– Jezus Joe, heb je het zakje erbij opgerookt?

Zijn ogen waren bloeddoorlopen, zijn lichaam even onvast als op de dag dat zijn vader werd neergelaten in het graf en hij was omgevallen tegen zijn moeder aan.

– Je moet slapen Joe, hier, ga liggen. Wil je je niet uitkleden? Nee? Ook goed.

– Dank. Je. Wel. Hoor.

De volgende morgen vond hij een briefje.

HÉ ROOKMAGIËR
BEN OM TWAALF
UUR THUIS. ONTBIJT

IN DE KOELKAST. PAK

WAT JE WILT

X PJ

De avond ervoor duurde in zijn herinnering honderd jaar. Door de kieren in het gordijn miezerde lauw licht binnen, hij ging weer in bed liggen met een arm onder zijn hoofd en rookte een sigaret. In de hoeken stonden dode planten. Zijn ogen gleden langs de schaduwen op het plafond, dat hoger was dan de kamer breed. Het ontbijt, zoals hij het had gezien bij koelkastlampjeslicht: een half bakje Hüttenkäse, een maansikkeltje oude kaas en een halve liter magere yoghurt.

Toen PJ een paar uur later binnenkwam, zat hij kaarsrecht op een stoel bij het raam vanwaar hij uitkeek over een landschap van verveloze balkons en tuinen waar de zon nooit kwam. Het bed was met militaire precisie opgemaakt en de gaskachel stond uit.

– Jeetje, wat ongezellig hier, zei PJ. Zit je daar al lang in het donker? Heb je al ontbeten? O sorry hoor, ik ben altijd zo gespannen als ik van Arthur terugkom.

– Arthur, zei Joe.

– O, dat kun jij niet weten natuurlijk, Arthur Metz, de schrijver. Dat is mijn vriendje. Mijn vriend, moet ik zeggen, hij haat verkleinwoordjes.

– Verkleinwoorden.

– Arthur Metz, herhaalde ze, nooit van gehoord? Dit is zijn laatste roman.

Joe kreeg een boek in zijn handen geduwd. *Mijn zachte dood* heette het. PJ stond aan het aanrechtblok en maakte koffie, ze keek over haar schouder naar Joe.

– Hij dicht ook, zei ze.

Verliefde trots sloeg als warmte van haar af. Achter op het boek stond een knappe man met vroege rimpels op zijn voorhoofd, onder zijn ogen lagen kringen.

165

– 's Nachts ben ik altijd bij hem, overdag wil hij alleen zijn. Hij kan niet schrijven met iemand om zich heen. 's Avonds na tien uur wil hij mij weer zien. Arthur heeft die afzondering nodig, hij is erg gevoelig. Alles wat zijn ritme verstoort brengt hem uit zijn doen. Als ik tien minuten te laat ben wil hij al weten waar ik was.

– Tjonge, zei Joe.

– Ik zou je graag aan hem voorstellen maar hij kan niet tegen nieuwe mensen. Hij wordt er bang van. Soms ook agressief, dat weet je nooit. Hij kan heel slecht tegen aanraking, hij krimpt soms helemaal als ik hem aanraak.

– Is hij, eh…

– O, Arthur is zo psychotisch als wat. Hij heeft drie zelfmoordpogingen gedaan. Maar wat hij me allemaal laat zien! Het is ongelofelijk wat hij me laat zien. Met hem is het totaal anders dan ik ooit heb meegemaakt, ik had nooit gedacht dat er zoiets bestond, begrijp je dat? Het is heel moeilijk uit te leggen.

– Beter nog dan Jopie Koeksnijder?

PJ moest hier zo om lachen dat de koffie over de rand van de mokken gutste.

– En hier Fransje, hier nog iets gebeurd? vroeg Joe aan het eind van het verhaal.

Ik fronste. Ik kon me niks herinneren dat de moeite van het overbrengen waard was. Het was stil geweest zonder hem en Engel, Papa Afrika en zelfs Christof. Bijna iedereen die ik kende was weg en zij die er nog waren interesseerden me niet. Quincy Hansen was gebleven, die zou ik m'n leven lang niet kwijtraken. Hij zat bij Betlehem Asfalt waar hij licht administratief werk verrichtte. Wat een verspilling van al die jaren kostbaar onderwijs.

Zelf perste ik nog altijd briketten, al was de productie gedaald sinds het was gaan regenen.

– Nee, niks? vroeg Joe.

Ik schudde mijn hoofd en schreef: PAPA AFRIKA?

– Shitsituatie. Alles kan. Theoretisch is het zelfs mogelijk dat hij naar Egypte is teruggezeild, maar…

Op Joe's gezicht waren de ongelofelijke moeilijkheden van zo'n tocht af te lezen.

– Maar het kán, zei hij, er zijn gekkere dingen gebeurd. Wat denk jij, zou hij zoiets aandurven, jij kon goed met 'm.

MOEILIJK.

– Moeilijk maar niet onmogelijk! Ik heb op de kaart gekeken en hij kan gewoon naar zee zijn gegaan. Via de Nieuwe Waterweg de Noordzee op, naar het Nauw van Calais. Als ie vlak langs de kust gebleven is, via de Franse kust richting de Atlantische Oceaan, de Golf van Biskaje, Noord-Spanje, ik bedoel, waarom niet?!

Hij deed een greep in de tabak en trok er een honingkleurige sliert uit. Ik krabde m'n kin en probeerde me de route voor te stellen, maar de Europese buitengrenzen zaten onvast in mijn hoofd.

– Stel je voor, helemaal langs Portugal naar Gibraltar, het kán! Als Thor Heyerdahl op een vlot van papyrus de Atlantische Oceaan over kon, waarom Papa Afrika dan niet in een feloek naar Egypte? Hij kon zeilen, zeker weten, en als je dan een beetje geluk hebt met het weer, waarom niet?

Ik knikte tegen al mijn kleingeestige bezwaren in.

– Bedenk eens wat hij allemaal heeft gezien toen hij eenmaal langs Gibraltar was… Algiers, Tripoli, Tobroek, en dan voorbij Alexandrië naar rechts, daar steek je 'm zo Egypte binnen. Ik zie het hem doen, echt.

Joe had dat geloof nodig, hij verdroeg het verlies van zijn stiefvader net zomin als zijn moeder, maar waar zij in grijze rouw gedompeld was, schiep hij de heroïek van een odyssee. Hij had het helemaal uitgedacht, ik zag hem in staat om die reis zelf te maken om te bewijzen dat het kon. En ongerijmd of niet, ik was er vrolijk van geworden, van de mogelijkheid van een goede afloop. Als Joe het voor mogelijk hield, wie was ik dan om te zeggen dat het niet kon? Hij was de Mogelijkheden-Man. Maar als Papa Afrika inderdaad had geprobeerd terug te varen, dan was er één ding waar ik Joe niet over hoorde. WAAROM? schreef ik.

– Herinner je je nog dat ze zijn paspoort had afgepakt? vroeg hij.

Ik knikte.

– Er waren ook nog andere dingen, zei Joe. Eén voorval dat ik me goed herinner was na de ramadan, vorig jaar vlak voor kerst. Misschien heeft het er niks mee te maken, ik weet het niet, maar ik ben het nooit vergeten in elk geval. Je weet dat Papa Afrika geen varkensvlees at, hij dacht serieus dat hij er dood aan ging, of er op z'n minst galbulten van zou krijgen. Dat soort dingen waren haram. Hij had wel meer van die ideeën, als India bijvoorbeeld zíjn dochter was geweest, had ie haar laten besnijden. Of dat de linkerhand van de duivel was zodat je daar niet mee mocht eten, erg haram ook. Daar hadden ze dan ruzie over, mijn moeder dan, hij maakte nooit ruzie terug. Daar was hij te rustig voor, dat weet je. She has a hot head, zei hij, en liet het erbij zitten. De dag voor kerst maakte mijn moeder lamsgehaktballetjes voor het avondeten, en de volgende avond, kerstavond was dat, vraagt ze hem hoe hij zich voelt. Goed, zegt hij, hoezo? Je voelt je dus niet ziek ofzo, vraagt ze, of anders dan anders? Hij schudt van nee, alles prima. Toen sloeg ze toe: je hebt gisteravond *varkens*vlees gegeten. Geen lam, várken. Zie je dat je er geen bulten van krijgt! Of straf van Allah! En zo ging ze nog een tijdje door terwijl wij met open mond aan tafel zaten.

Joe likte de laatste sigaret dicht en wurmde hem naast de andere in het mosterdpotje.

– Zoiets verzin je niet. India was woedend maar zelf zei hij niks. Wat een klotekerst was dat.

Dat Joe naar Lomark was gekomen om te blijven, begreep ik pas toen hij eind november werk vond als stenensjouwer in de bouw. Elke doordeweekse morgen om zes uur stond hij met een paar anderen te vernikkelen op de dijk waar ze werden op-gepikt door een busje. Ze gingen een onbewaakte grensover-gang over naar Duitsland waar ze werden ingezet bij de bouw van flatwijken en bedrijvenparken. Illegale grensarbeid be-stond al eeuwen over en weer. Via een ondoorzichtig web van aannemers en onderaannemers werden de bouwvakkers naar Duitsland gehaald omdat er over hen geen belasting en verze-keringspremies hoefden te worden betaald. Ze kregen hun loon per week en waren de lul als ze van de steiger vielen of een U-balk op hun voet kregen. Joe had een man gezien die in co-ma was geraakt nadat hij een betonnen element tegen zijn hoofd had gekregen dat aan een kraan door de lucht zweefde. Zijn maat ging verhaal halen op kantoor maar daar zeiden ze dat het zijn eigen schuld was, 'Man soll aufpassen an der Bau-stelle' enzo, en toen had die vriend zo'n aannemer gegrepen en was begonnen hem te wurgen met zijn eigen stropdas. Zulke dingen.

Aan het eind van de week dronken de wekloners Kartoffel-schnaps in de bus, gingen eten in een bruin, dampig restau-rant met gutbürgerliche Küche en kwamen straalbezopen thuis. Toen het begon te vriezen gingen ze in het vorstverlet, en dat was meteen het eind van Joe als bouwvakker, want in het nieuwe jaar kon hij bij Betlehem aan de slag.

Hij werd shovelmachinist.

Nu ook de familie Ratzinger een zoon had afgestaan aan de as-faltfabriek, was hun inburgering geslaagd zou je kunnen zeg-gen, maar zo gemakkelijk geeft Lomark zich niet gewonnen. Hier duurt zoiets generaties. En dan nog. Maar Joe was terug op het terrein waar hij ooit een vliegtuig had gebouwd, nu in dienst van Christofs vader Egon Maandag. De productie lag nog stil vanwege het hoge water, voorman Graad Huisman leerde Joe wat hij moest weten, hij kreeg rijles in een shovel. Bij de koffie begon Huisman te huilen. Geen van de onderhoudsmonteurs keek daarvan op, Huisman huilde bijna elke dag sinds hij de kanker in zijn knie had. Het rook naar sinaasappels en tabaksrook in de kantine.

Joe was nu een man in een oranje overall, buiten moest hij een witte helm op. Ik had er nooit aan gedacht dat ook hij op een dag zou moeten werken voor zijn geld, net als iedereen. Toen het water was gezakt wandelde hij naar zijn werk, soms liep zijn moeder mee, op weg naar de rivier waar ze ging kijken of ze Papa Afrika al zag. Ze zeiden dag bij het hek, Joe met zijn broodtrommel in de hand en een bult in de jaszak waar een appel of een citrusvrucht zat. In de kantine werden de productieschema's van de dag doorgenomen, daarna betrok de nieuwe ploeg zijn post. Joe klom in de cabine van de Liebherr, schoof zijn kont heen en weer in de stoel tot hij goed zat en startte de motor. De machine hoestte dikke zwarte rook, Joe genoot van de resonantie van de motor. Daarbinnen gingen de verwarming en de radio op tien. Radio is de verdoving van de werkman, zei Joe.

Op het terrein lagen de bergen zand en steen die over de rivier waren aangevoerd. Op aanwijzing van de operator moest Joe de doseurs gevuld houden: grote bakken met schotten ertussen waaruit de ingrediënten voor asfalt werden gehaald. Hij reed heen en weer tussen de doseurs en de bergen mineralen waaruit hij happen nam. Vanuit de doseurs werd het materiaal op een transportband naar het inwendige van de asfaltmachine getransporteerd.

Om halfeen was het pauze.

– Heb jij nog wat bijzonders?

– Nee, niks.

– Laat geworden zeker.

– Weer niet.

– O. Verder niks bijzonders?
– Nee, niks bijzonders.

Zo werd het voorjaar. Maar oostenwind en voorjaarsstormen kwamen als straf voor wie te vroeg had gejuicht. De bomen op de begraafplaats trommelden met houten vingers op de achterkant van mijn huis. De ramen waren beslagen, ik las in de stapels kranten dat het tracé van de E 981 vrijwel definitief langs Lomark kwam te liggen. In de gemeentekrant stond dat er een actiecomité was opgericht tegen dat besluit. De leden vreesden dat het dorp ingeklemd zou raken tussen beide vervoersaders naar Duitsland, de rivier aan de ene kant en de E 981 aan de andere, vooral omdat Lomark geen eigen afrit zou krijgen. Dat was cruciaal. We konden dan alleen nog worden bereikt door er bij Westerveld af te gaan en over de dijk verder te rijden naar Lomark. Het was een monsterlijk plan.

In weilanden van sympathiserende boeren langs de Rijksweg verschenen protestborden. GEEF LOMARK LUCHT was de meest poëtische tekst. Hij was afkomstig van Harry Potijk, de voorzitter van het comité met dezelfde naam. Potijk vergeleek de insluiting van Lomark met verstikking; dit had meer invloed dan een subtiele redenering. Harry Potijk was de gedroomde woordvoerder, het werd zijn finest hour. Hij was al twintig jaar voorzitter van het Heemkundig Genootschap en kon spreken als de ouderwetse boeken die hij zich in talloze uren van autodidactische inspanning had eigengemaakt. Zijn tot dan toe gelijkmatige bestaan werd door de komst van de E 981 in de gloed van een ideaal gezet. Hij kreeg de gelegenheid om de argumenten van het comité uiteen te zetten in de gemeenteraad.

– En als er dan een geluidswal komt zoals voorgenomen in

voorliggend plan, zei hij, en het wordt hoog water, wat dan? Dán zitten we als ratten in de val. We kunnen geen kant op, de dijkweg is overstroomd, onze huizen lopen onder en de vluchtroute is hermetisch afgesloten met een geluidsscherm.

Hij liet zijn woorden inwerken op de raad en de publieke tribune.

– Dan is mijn vraag meneer de voorzitter, zal ieder huishouden worden uitgerust met een rubberboot?

Van de publieke tribune steeg hoongelach op.

– Beperkt u zich tot de feiten alstublieft meneer Potijk, zei de voorzitter.

Potijk knikte serviel, maar dat was schijn.

– En als u dan zegt dat het water nooit zo hoog zal komen, wat weet u dan van de klimaatveranderingen wereldwijd? Van het verstoorde ecologische evenwicht dat aan de opwarming van de aarde wordt toegeschreven? Van de poolkappen die smelten?

Op dit punt in zijn betoog wees hij dramatisch naar de muur waarbuiten rivieren kolkten en de aarde ziedde van hitte.

– Weet u dan niet dat de rivier afgelopen zomer een laagterecord heeft bereikt, en dat een paar jaar terug het water hoger dan ooit heeft gestaan?! Bent u dat alweer vergeten?! Zelfs meneer Abelsen, u welbekend, die nu 93 is, heeft het water in zijn hele leven nog nooit zo hoog gezien. Er zijn krachten aan het werk die wij niet kennen en niet kunnen voorspellen, zodat we rekening moeten houden met wat nu nog een rampscenario in de verte is…

De eis van het comité was ondubbelzinnig: de snelweg werd geaccepteerd als voldongen feit, maar het ontbreken van een op- en afrit naar Lomark niet. Lomark móest een eigen op- en afrit krijgen, een luchtpijp, een geasfalteerde rokerslong.

Toen Harry Potijk begreep dat hij van het gematigde gemeentebestuur weinig te verwachten had, loodste hij zijn medestanders naar vergaander actiemiddelen: op een woensdag-middag vertrokken ze in een busje van autoverhuurbedrijf Van Paridon naar het Binnenhof in Den Haag. In hun fanta-sie werden de actievoerders misschien voorafgegaan door trommels en klaroenstoten, de werkelijkheid bestond uit de klinkers van het Binnenhof onder een grijze hemel, en nie-mand die luisterde. Er waren aanzetten tot een yell die ze in de bus hadden geoefend, maar die vielen dood als beledigingen in een vreemde taal. Er was een man langsgelopen met een aktetas en een paraplu die vriendelijk had geïnformeerd naar het doel van de samenscholing.

– Een Kamerlid! fluisterde mevrouw Harpenau, die biblio-thecaresse was.

Harry Potijk verhief zich en stak het mission statement af, maar werd onderbroken.

– O, maar het gaat om een snelweg? Maar dan moet u hele-maal niet hier zijn, maar bij het ministerie van Verkeer en Wa-terstaat. Op de Plesmanweg. Dat is wel een eindje weg.

In verwarring verliet het groepje het Binnenhof en ging op weg naar het opgegeven adres, dat nog ver lopen was. Ze pau-zeerden voor koffie en broodjes en toen begon het alweer te schemeren. Mevrouw Harpenau en twee anderen wilden maar weer eens op huis aan, want de kinderen... en zo ein-digde de mars op Den Haag.

Er verscheen nog een foto van in het *Lomarker Weekblad*, van ver genomen zodat de borden onleesbaar waren en het kluitje actievoerders op dat grote plein pijnlijk aandeed.

Die foto heb ik bewaard. Je ziet erop hoe belachelijk wij zijn zelfs wanneer we het goede nastreven.

De voorjaarskermis bracht een nieuwigheid: de Muizenstad. De attractie fascineerde door haar ouderwetsheid. Je ging een zwart gordijn door en kwam in een onaangenaam warme, donkere ruimte, waar de bittere lucht van muizenpis en zaagsel in je neus beet. Daar wachtte je het enigszins statische schouwspel van een houten burcht, op ooghoogte voor kinderen en wielgangers als ik. De burcht besloeg een paar verdiepingen, van binnen verlicht met slecht uit het zicht gemoffelde gloeilampen. In de straten rondom hing kerstboomverlichting, op de grond lag lichtgeel zaagsel. De hele burcht besloeg ongeveer tien vierkante meter en werd omgeven door een slotgracht, waarvan het water even ondoorzichtig was als dat in het drinkbakje van Dirks cavia's vroeger, die één voor één een afgrijselijke, geheimzinnige dood waren gestorven.

Het bewegende element van de Muizenstad – de kermis ís nu eenmaal het feest van vliegende, roterende en/of scharnierende bewegingen, zodat het me niet verbaasde dat Joe er niet was weg te slaan – bestond uit een paar honderd muizen. Bezoekers bekeken het gewemel van de knaagdieren met een nieuwsgierig soort afschuw. De beesten pisten, scheten en naaiden in wat in de mensenwereld de openbare ruimte zou heten, en daar moest men dan erg om lachen. Er was een ophaalbrug naar een eilandje in de slotgracht, de slotgracht en de achtermuur waren de grenzen van de muizenwereld. De stad was gebouwd in een rechthoek waar je aan drie kanten omheen kon lopen, de achterkant werd ingenomen door de buitenmuur waarop knullige wolken en een zon waren geschilderd. Het object zelf was helder verlicht, daaromheen, waar de mensen zich vergaapten aan de sprookjesachtige muizen-plaag, was het donker als in een spookhuis.

Natuurlijk zag ik in de Muizenstad de verzinnebeelding van Lomark, dat meurende nest waarin we tot elkaar waren veroordeeld tussen de rivier enerzijds en de toekomstige geluidsmuur anderzijds, maar het comité van Harry Potijk verzuimde zijn argumenten kracht bij te zetten met die metafoor.

Op een dag zag ik Joe en PJ op de kermis. Ze stonden bij de Spin met hun rug naar me toe, PJ zwaaide naar iemand bovenin zo'n rondzwiepend stoeltje en Joe telde het geld in zijn portemonnee. God wat had ik PJ lang niet gezien. Was ze magerder geworden? Ik keek naar haar goudblonde krullen en hoorde mezelf zuchten als een verdrietige hond.

Nadat Joe in Amsterdam was geweest hadden hij en PJ een soort vriendschap gesloten en zagen ze elkaar wanneer PJ in Lomark was. Dat was niet vaak. Met kerst was de laatste keer, maar toen had ik haar niet gezien omdat ik geen trek had in de nachtmis. Er zat dus bijna driekwart jaar tussen de laatste keer en nu op de kermis – maanden waarin mijn tijd had stilgestaan en de hare zich had versneld.

Ik reed achter hen langs in de richting van de Muizenstad. Het lawaai van alle machines kraste op mijn trommelvliezen. Ik kwam maar moeizaam vooruit op het platgetrapte gras, de kermis was vermoedelijk de enige gelegenheid waarvoor ik de vaste ondergrond van asfalt en klinkers verliet.

Ik wilde ongezien zijn. Ik was opeens woedend dat ik niet rechtop leefde maar alleen onvolgroeid en sprakeloos naar haar kon opkijken. Ik moest mezelf verbieden te denken aan wat er uit mij gegroeid zou zijn... op welke hoogte ik haar in de ogen had gekeken, welke woorden ik had gebruikt om haar aan het lachen te maken, zoals Joe haar liet lachen, zoals die achterlijke schrijver haar liet lachen. (Sinds ik wist van zijn bestaan was ik zijn naam een paar keer tegengekomen in de kranten. Dan hoonde ik hem en frommelde de kranten tot een bal. Ergens was iemand die hem haatte.) In PJ's bijzijn werden mijn gebreken verhevigd, werd ik nog eens zo klein en krom als ik al was. Daaruit was geen verlossing mogelijk.

In een van de echt openhartige, echt persoonlijke dagboekaantekeningen van het soort dat wel waar móet zijn omdat het over het gevoel ging (tranen liegen niet, haha!), had ik het erover dat ik mezelf lelijk de hoek in had geschilderd.

'...dromen mag maar denk niet dat je iets te verwachten hebt. Ik droom de KLEUR van mijn liefde voor PJ, het verbijsterend oranje van een zon die opgaat. Dit zal ik haar niet kunnen zeggen. Dit is volkomen kut. Ik bedoel, ik had net zo goed dood of een Chinees uit Wuhan kunnen zijn, zo raakt mijn bestaan nergens aan het hare. Soms lijkt het of ik ga huilen maar dat is onzin, ik zal van steen worden. Werk daaraan. Je moet veel oefenen zegt meester Musashi. Niet PJ-dingen denken. Dat verzwakt. Veel oefenen. Verstenen. Dat is mijn Strategie.'

Ik sloot me op in het donker van de Muizenstad om verstrooiende dingen te denken, over hoe je zo'n attractie moest vervoeren bijvoorbeeld, en hoe je ervoor kon zorgen dat de populatie niet explodeerde. Als de muizen zich ongeremd konden voortplanten zou de stad binnen de kortste keren één bewegende deken van zachte muizenvelletjes zijn, ze zouden facties vormen, de strijd om de middelen zou ontbranden, allen tegen allen en ieder voor zich, een bloedbad...

Misschien dat de eigenaar de nesten met een schepje verwijderde of opzoog met een kruimeldief. Het kon ook zijn dat de muizenbaby's werden opgevreten door de volwassen dieren, een verschijnsel dat ik vroeger had waargenomen bij Dirks cavia's, die op een nacht een nest jonkies in onbegrijpelijke razernij hadden uitgeroeid. 's Morgens vonden we de harige baby's: doormidden gebeten. Die anders zo onbenullige cavia's hadden een horror in hun ziel die je niet verwachtte. Niet lang daarna wachtte de volwassen dieren hetzelfde lot. De dader is nooit bekend geworden.

Ik stond met mijn wagen in het donker tegen de achtermuur geparkeerd, want het was niet alleen leuk om naar de muizen te kijken, maar ook om te kijken naar de mensen die dat deden. Ze waren zo gericht op de fonkelende bron van licht in het donker dat ze mij meestal niet zagen. Het was de positie die ik het allerliefst had, kijken zonder gezien te worden. In hun hoofden te kruipen en in hemelsnaam proberen te begrijpen wat er in ze omging.

Aan het besmuikte lachen van de mensen kon je horen dat ze muizen zagen die hét deden, verder klaagden vooral vrouwen over 'die lúcht, het lijkt wel ammoniak', en zag je kinderen extatisch worden over die opeenhoping van honderden van die smerige beesten.

Het zwarte gordijn ging open en liet schemerlicht van buiten binnen, ik zag de glans van PJ's haar. Achter haar volgde Joe.

– O die lúcht hier! zei PJ.

Het gordijn viel zwaar achter ze dicht, PJ viel met kinderlijk enthousiasme aan op de Muizenstad.

– Och, kijk nou wat een schatje! Die met dat lamme pootje.

Ze stak haar arm over de slotgracht en probeerde muizen te aaien. Met haar vinger joeg ze tientallen muizen de stuipen op het lijf.

DE MUIZENSTAD
ABSOLUUT NIET
MET DE HANDEN
AANRAKEN!!!!!!!!

stond op zeker zes kartonnetjes.

– Picolien Jane! zei Joe quasi bestraffend.

Ik ademde op m'n allerlichtst, hoe langer ze binnen waren hoe pijnlijker het werd als ze me zouden ontdekken. Mijn hart sloeg snel. Wanneer ik mensen bespiedde die ik kende, werden ze heel vreemd voor me. Ik raakte ver bij ze vandaan, paradoxaal genoeg werd niet de intimiteit maar juist de vervreemding vergroot.

PJ volhardde in het pesten van de muizen. Ze stond ver over de slotgracht gebogen en was bezig één bepaalde muis te isoleren van de rest. Ze zag kans hem in de richting van de ophaalbrug te manoeuvreren en sloot de weg terug naar de stad af met haar rechterhand, waarvan ze de vingers als de spijlen van een hek op de weg had gezet. Het diertje kon alleen nog de ophaalbrug op naar het eilandje in de slotgracht.

– Kom Robinson, hup.

In paniek rende hij de brug over het eiland op waarna PJ de ophaalbrug rechtop zette en hem scheidde van de rest.

– Dat is een beetje gemeen, zei Joe.

– Nee hoor, Robinson kan juist heel goed tegen eenzaamheid.

Joe lachte tegen zijn zin en liep achter haar langs naar het gordijn aan het andere eind van ruimte, waar een bordje UIT zacht groen licht verspreidde.

– Dag Robinson, zei PJ, braaf zijn hoor!

Ze gingen het gordijn door, PJ lachte om iets dat Joe zei, ik was weer alleen. Ik haalde een paar keer diep adem en keek naar de eilandmuis die een zenuwinzinking nabij was. Hij besnuffelde zijn nieuwe omgeving, ik zag dat muizen mooie glanzende kraaloogjes hebben.

Hoewel het vroeg in het voorjaar was en het stookseizoen er bijna op zat, verhoogde ik de briketproductie met een paar stuks per dag. Werken hielp tegen slechte gedachten.

– Het lijkt wel of ze die dingen vreten, zei pa telkens wanneer hij weer een nieuwe partij op de aanhanger laadde.

We konden buiten zijn zonder vast te vriezen of weg te regenen, het groen in de potten schoot hoog op. Ook het riet in de sloten groeide centimeters per dag. De harde boomsilhouetten van de winter kwamen in lichtgroen blad, kastanjes stonden vol bleke kaarsen en soms kolkte er ineens een geluksgevoel in je rond dat niks met een gebeurtenis of goed nieuws te maken had. Het zit in de lucht zeggen ze, en omdat ik geen betere verklaring heb hou ik het daar maar bij.

Ik was in de tuin en wachtte tot het papier was gecentrifugeerd.

– Koffie Fransje? had ma al geroepen omdat het elf uur was, en toen was Joe opgedoken uit het fietsgangetje.

– Welkom, zei hij, op deze schitterende Dag van de Arbeid.

Het was inderdaad 1 mei, en Joe had een idee: ik kende hem intussen lang genoeg om die blik te herkennen. Met zijn handen in zijn zakken keurde hij de uitdragerij die ik in het geheim Brikettenmij. F. Hermans & Zn. noemde, waarbij de Zn. het gevolg was van een stralende verbintenis tussen ene mevrouw Eilander en ondergetekende.

– Ja, vandaag is een geluksdag, zei Joe.

Hij nam de aluminium ladder die aan de achtermuur van het huis hing en vroeg om een klauwhamer. Met de klauw begon hij het hoefijzer boven mijn deur los te wrikken. Ma verscheen voor het raam van de keukendeur en gebaarde wat dat moest. Ik haalde mijn schouders op. De deur ging open.

– Dag Joe! Wat doe je?

Hij draaide zich half om op de ladder.

– Mevrouw Hermans, goedemorgen. Ik draai het hoefijzer om. Met de uiteinden naar beneden brengt ongeluk. Zo roep je het ook wel een beetje over jezelf af natuurlijk.

Met een paar daverende klappen sloeg hij het hoefijzer andersom weer vast zodat de ramen trilden in de sponningen. Woensdag sloeg alarm in zijn hok. Ik had het beest de laatste maanden verwaarloosd, en nam me voor daar verandering in te brengen.

– Is dat echt? riep ma terug. Heeft dat arme jong jarenlang…

Ik legde haar sissend het zwijgen op. Handenwrijvend stond ze in de deuropening, us Marie Hermans, zwaar van schuld en moederliefde.

– Geen zorgen, zei Joe terwijl hij de trap terughing, vandaag is een geluksdag mevrouw Hermans.

Hij haalde Marlboro's te voorschijn. Sinds hij bij Betlehem werkte, rookte hij vaste peuken omdat shag draaien onhandig was onder het werk.

– Sigaret?

O ja, er was iets. Hij had die Te-Land-Ter-Zee-En-In-De-Lucht-blik in zijn ogen, die iets beloofde, een Versnelling.

Ik wachtte het af. We zaten een tijdje tegenover elkaar in de kristallen helderheid van de eerste meimorgen en bliezen rookwolken in de lucht die zo fris was dat je 'm zou willen oplikken. Bij de buren hingen ze de dekens uit de ramen. Joe keek naar de briketten die te drogen lagen.

– Hoeveel van die dingen heb je eigenlijk gemaakt? vroeg hij. Duizend? Tweeduizend?

Ik knikte. Duizend, tweeduizend, wist ik veel.

– En hoeveel wil je er nog maken? vroeg Joe. Nog eens duizend?

Ik stak vijf vingers op.

– Vijfduizend! Bakker, bak je nog een brood voor me. Jezus Christus Fransje, wil je nog jaren kranten uitpersen?

Ik knikte plechtig. Kranten tot brandstof persen was mijn missie. Ik kon me niets beters voorstellen. Met zijn duim perste Joe de peuk in de grond. Er bleef een pootgat achter.

– Ik geloof er geen barst van. Wat ik wilde zeggen Fransje, ik heb de laatste maanden alle tijd gehad om na te denken op die shovel en ik zal je zeggen waarom dit een geluksdag is. Ik denk dat jouw arm betekenis heeft. Veel meer dan je zelf denkt. Ik heb bedacht hoe we die buitengewone arm kunnen uitbuiten voor die twee dingen waar de mens toe veroordeeld is, Geld en Aanzien. Jij, Frans Hermans, bent namelijk een armworstelaar.

Joe's geluk straalde tot bij de buren in de tuin.

– Is dat niet waar vrienden voor dienen, iets in jou te herkennen dat je zelf nog niet had gezien?

Ik fronste, nam een krant van de stapel en krabbelde met een stompje potlood HOEZO ARMWORSTELAAR in de kantlijn.

– Armworstelaar, je weet wel, armpjedrukken, met z'n tweeën aan een tafel met de armen in het midden, proberen de ander om te duwen. Je bent ervoor gemaakt! Ik zie het zo dat je nu een jaar of tien in trainingskamp bent geweest, met die kar en die briketten enzo, en dat nu de tijd is gekomen om te oogsten. Weet je nog dat ik je ooit vroeg om die staven om te buigen, in de loods? Op de bouw in Duitsland heb ik betonvlechters gezien, beesten van kerels die nog niet de helft klaarmaken van wat jij kunt. Je bent zo goed als onverslaanbaar Fransje, we hoeven alleen maar te beginnen. In heel Europa zijn wedstrijden, ik word je manager, we delen de opbrengst en houden er een goed verhaal aan over.

Hij keek bijna verliefd naar mijn arm, alsof ik er niet bij hoorde, waardoor ik verwarrende gevoelens van jaloezie voelde ten opzichte van mijn eigen lichaamsdeel. Dit was zijn plan: eerst moest ik op een uitgebalanceerd dieet van eiwit-shakes, koolhydraten en vetten. Daarnaast dagelijks oefenen op de techniek van het armworstelen, aan de hand van informatie die hij op de bibliotheekcomputer van internet had gehaald. Hij zou mijn trainer zijn. We zouden er de hele zomer op studeren en trainen, en in oktober beginnen met een toernooitje in Luik. De hoofdprijs was zo'n zevenduizend piek. De tweede plaats kreeg er vijf en de derde drie.

– Gouden handel, zei Joe tevreden.

Hij had alvast een wedstrijdschema opgesteld dat ons door heel Europa zou voeren. Vooral Oost-Europeanen waren verzot op armworstelen. Twee mannen, één tafel en dan duwen tot er een omging.

– Maar vergis je niet, waarschuwde mijn zelfbenoemde coach en manager, er komt verraderlijk veel techniek bij kijken.

Het eerste halfjaar van het wedstrijdseizoen zouden we rustig opbouwen, her en der een toernooitje, peilen waar ik stond in de armworstelhiërarchie. En omdat Joe daar onberedeneerd optimistisch over was, zouden we in mei volgend jaar deelnemen aan het wereldkampioenschap armworstelen in Poznan, Polen.

– Je hebt niet het gewicht, gewicht is onze achilleshiel. Schouder, borst en arm, daar moeten we het van hebben. Trapezium, biceps, triceps, pectoralis major en onderarm, die moeten met elkaar in harmonie zijn, dan kan het hard gaan Fransje. Ik voorzie…

Hier onderbrak ik hem door mijn hand op te steken.

– Ja, nu jij even.

Ik pakte het potlood en schreef drie letters in de kantlijn van de krant: NEE.

Joe tuitte zijn lippen alsof hij op een interessant schaakprobleem was gestuit.

– Nee?

Ik schudde mijn hoofd.

– Waarom, ik bedoel, denk er eerst even over... Waarom meteen nee?

GEEN ZIN IN.

En toen Joe na een tijd nog altijd met driftig wapperende handen en wijdopen ogen de voordelen van zijn plan uiteenzette, wilde ik van hem af.

SODEMIETER OP.

Ziedaar wat er gebeurt wanneer er op een dag iemand langskomt die je aanbiedt om je wereld een keer of tienduizend te vergroten: paniek. Joe bood mij competitie aan. Ik, de man van buiten mededinging die zichzelf ongeschikt had geacht voor deelname aan de strijd, die zichzelf buiten de ring had geplaatst als waarnemer en commentator, werd gevraagd armpje te drukken. Ze zouden naar me kijken, me beoordelen en uitjouwen of aanmoedigen. Wat Joe deed was niet minder dan mij een plaats in de wereld aanbieden, een bewegingsvrijheid die ik niet kon overzien. Het was verschrikkelijk. Dus ik zei nee. Ik zei niet zozeer nee, ik klapte volkomen dicht. Alles moest blijven zoals het was, want zoals het was, was het goed. Als het niet goed was zou het wel anders zijn. Opeens verdedigde ik met bittere kracht de waarde van een verbouwd tuinhuis, een briketteninstallatie en een paar honderd vierkante meter bewegingsruimte. Wie daarnaar wees zou ik z'n vinger afhakken.

Ik keek Joe de tuin uit. Hij ging met stomme verbazing over mijn keus voor spek en bonen in plaats van de ongewisheid van het avontuur. Ik was opgelucht en teleurgesteld dat hij zo vlug opgaf.

Goed, ik was dus vergroeid geraakt met de onbeweeglijkheid. Ik legde dat uit als een vorm van harmonie met mijn omgeving en de mensen daarin. Geluk kun je zoiets niet noemen, geluk geeft heter vuur, eerder was het afwezigheid van weerzin en doodsverlangen.

Een paar dagen nadat Joe in de tuin was opgedoken, vloog Woensdag weg. Ik had hem losgelaten, en voor het eerst kwam hij niet terug. Ma zei dat het door het voorjaar kwam, dat het de natuur was, maar ik had een soort liefdesverdriet. Telkens als ik een kauwtje hoorde dacht ik dat het Woensdag was, maar het hok bleef voorgoed leeg.

Het leek erop dat Joe het armworstelplan uit zijn hoofd had gezet, hij had het er tenminste nooit meer over. Hij verschafte zich een andere bezigheid door een auto te kopen, zijn eerste, een lange zwarte joekel die jaren had dienstgedaan als begrafeniswagen van Griffioen. Christofs grootmoeder was er nog mee naar haar laatste rustplaats gebracht. Het was een echte Joe-auto, een Oldsmobile Cutlass Cruiser, opgebouwd uit rechte lijnen en met een imposante vierkante grille. Er moest nog wel wat aan gebeuren maar het ding was goed onderhouden en had weinig gelopen. Joe bouwde er een gigantische muziekinstallatie in zodat je lang voordat hij er was de stompende bassen al hoorde aankomen.

– Ik vind 't een griezelig gezicht, zei ma, 't is toch net of de dood komt voorrijden. Ik heb iedereen gekend die d'r mee is weggebracht, had Griffioen 'm nou niet ergens anders kunnen verkopen? Voor de nabestaanden?

Joe schroefde de passagiersstoel eruit zodat ik mee kon toeren, want ik paste met kar en al in de vrijgekomen ruimte. We reden heen en weer over de dijk, gleden lui over de Rijksweg en maakten als een stel oude tuttebollen een stop bij Café Zaal Terras Waanders voor een softijsje. Hij dan, ik kreeg bier met een rietje want je kent het grapje van de spast die een ijsje probeert te eten. We keken naar het verkeer en de dalende zon die spiegelde in de ruiten. In de kleine speeltuin wachtte een vader zijn kind op aan het eind van de glijbaan.

– Nog een keer! Nog een keer! riep het meisje telkens wanneer ze beneden was, net zo lang tot er huilen van kwam.

Christof en Engel waren nu een jaar weg uit Lomark, Joe was teruggekomen en had vast werk bij Betlehem. Hij leek daar tevreden mee. Ik bedoel, hoe had hij ook iets moeten *worden*, hij was immers al iets: Joe, een rond, gaaf product van zijn eigen verbeelding. Ik was dankbaar voor zijn terugkeer.

In juli druppelden ze één voor één binnen, eerst Engel, toen Christof en uiteindelijk ook PJ. De periodes dat ze van huis waren werden steeds langer, net als bij Woensdag, die ook steeds langer was weggebleven, tot hij uiteindelijk helemaal niet meer terugkwam.

Engel had zijn eerste jaar spelenderwijs gehaald; hij werd erkend als uitzonderlijk talent en had in het tweede semester van het volgende jaar een beurs aangeboden gekregen voor de Ecole des Beaux-Arts in Parijs. Zulke feiten, die in ieder ander leven tot trots getoeter hadden geleid, aanvaardde hij met een onbewogenheid die me gek maakte van jaloezie. Hetzelfde imponerende stoïcisme vond ik in Joe. Christof had in dat opzicht meer een hazenhart zoals ik: wij waren altijd op onze hoede, lazen de tekens en beoordeelden ze naar voordeel of gevaar; wij leefden met een nerveuze neus in de wind, om zo te zeggen.

Sinds Papa Afrika was verdwenen, had de verzamelplaats op de Veerkop afgedaan. In de laatste zomer dat we samen waren in die samenstelling, werd Joe's auto de verzamelplaats waarmee we op zachte vooravonden naar Waanders reden om te drinken (ik) en anekdotes uit te wisselen over het afgelopen jaar (zij). Christof was lid geworden van een studentenvereniging en ontsloot een nieuwe wereld voor ons. Bij de subspecies van de corpsstudent werden de wetten van de kazerne vrijwillig aanvaard en moest de nieuweling ('feut' zei Christof) razendsnel een nieuw jargon aanleren om zich staande te houden. De boosaardige onderdrukking door ouderejaars studenten leidde volgens zijn zeggen tot 'vriendschappen voor het leven'. Hij was er trots op dat hij de vernederingen had doorstaan. Christof leek niet boos op zijn kwelgeesten, eerder leek hij naar het moment te verlangen dat hij zulke kwellingen zelf mocht toebrengen.

Engel bekeek hem met mild afgrijzen.

– Ze hebben op je gezicht ge*staan*?!

– Nou, niet echt gestaan, meer hun voet erop gezet, een tijdje.

Hierop zwegen allen.

– Maar iedereen doet het, verdedigde Christof de gebruiken van zijn vereniging. Je moet er gewoon even doorheen, na kerst werd het een stuk minder. Het was op een gekke manier ook wel leuk, een beproeving die je met z'n allen moest doorstaan.

Hij zuchtte.

– Het is moeilijk uit te leggen aan iemand die er niet bij was.

Joe opperde dat dat misschien juist de bedoeling was, een samenzwering te kweken waarvan alleen de leden wisten wat het betekende daar lid van te zijn. Christof knikte dankbaar. Altijd als hij in de problemen kwam stond Joe hem bij. Zolang ik hem kende had Joe Christof beschermd.

– 't Wordt fris, zei Engel.

Hij was die dag in beige pak met een wit overhemd waarvan de kraagpunten over de revers van zijn jasje staken. Het kunstzinnige milieu had hem weinig veranderd, al kon je beter zien wat voor soort man hij zou worden; het type dat je in tijd-schriftadvertenties aan het roer van een zeilboot ziet staan, met die eeuwige jongensachtigheid waar grijze slapen en oog-rimpels van het turen naar de horizon niks aan afdeden.

Hij had zijn eerste werk verkocht aan een galerie in Brussel, een reusachtige triptiek, inkt en papier, voorstellende een paard dat in een boom hing, in een verwrongen houding waar je maag van omdraaide. Desgevraagd wilde Engel wel uitleg-gen waar hij het idee daarvoor had opgedaan: in een klein mu-seum van de Eerste Wereldoorlog vlak bij Ieper in de Vlaam-se Westhoek. In een stereokijker had hij foto's gezien van paarden die door de kracht van een ontploffing in bomen wa-ren geslingerd; dat beeld had hem niet losgelaten.

Engel wendde zich tot Joe.

– Kom je trouwens je spullen nog een keer ophalen?

– Staan ze in de weg dan?

– Dat niet, als je ze voor december maar komt halen, daar-na ben ik naar Parijs.

– Ik kom wel een keer langs met Fransje, zei Joe.

Ik zag Ella Booij die glazen van de terrastafels haalde, en trok haar aandacht met wijde armslag.

– Méér bier Fransje? snerpte ze over de hoofden van twee klanten heen, een grijs, vitaal echtpaar dat uit een Valdispert-commercial leek weggefietst.

Toen Ella bier bracht, noemde ze Engel tot drie keer toe 'jongeheer', wat grote lacherigheid bij ons veroorzaakte. Ella kon haar ogen niet van hem afhouden.

– De troost van eenzame vrouwen, jij, zei Joe tegen Engel toen ze weg was.

De zomer brak uit als een zweer. Ma klaagde over gezwollen enkels en dikke vingers waardoor haar trouwring knelde. Ik-zelf had een razende uitslag op mijn rug en kont, alsof ik door de brandnetels had liggen rollen. Toen kwam PJ naar Lomark. En wat deed Joe, die kloot, die nam haar op een zaterdagmorgen gewoon mee naar mijn huis waar ik met ontbloot bovenlijf briketten perste in de zon, omdat ma 's morgens met haar Enkhuizer Almanakstem had meegedeeld dat zonlicht goed was tegen de uitslag.

Joe en PJ kwamen het fietsgangetje uit zonder dat ik ze had horen aankomen, en zo stonden we opeens oog in oog met elkaar, alle drie op de een of andere manier sprakeloos. Ik zocht iets om me mee te bedekken maar mijn overhemd lag op bed, en krimpend onder PJ's blik kreupelde ik tussen de brikettenmachinerie naar binnen. Joe kwam me achterna. Verwoed probeerde ik m'n overhemd aan te trekken maar de vogelarm was onwillig en de andere arm schokte onbeheerst.

– Doe niet zo kwaad, zei Joe. Kon ik het weten dat je half-naakt rondliep. Hier, laat me…

Ik sloeg zijn arm weg. Het moest opzet zijn, de enige, écht enige keer dat ik me buiten had vertoond zonder bedekking, en hij had me aan háár ogen blootgesteld. Buiten pakte PJ de hendel van de persmachine vast en haalde hem over. Ik zag dat ze minder bleek was dan anders, de kleur van haar huid was nu van het allerlichtste beige, haar ogen van een vervaarlijker turquoise. Later hoorde ik dat ze naar een Grieks eiland was geweest met Vriend Schrijver.

Joe was langsgekomen om te vragen of ik meeging om zijn bullen op te halen in Enschede. PJ zou meegaan, Engel moest nog worden opgehaald van het Veereiland. Hij knoopte mijn hemd dicht en mompelde 'gifkikker'. DEWALT stond er in gele letters op zijn zwarte T-shirt.

– Hallo Fransje, zei PJ toen ik buiten kwam. Sorry dat we je zo overvielen.

Het was de eerste keer dat ze zich rechtstreeks tot mij richtte. Ik zag ma kijken in de woonkamer en wenkte haar. Toen ze in de keukendeur verscheen maakte ik een drinkgebaar. Ze groette Joe en stelde zich voor aan PJ, 'maar ik had jou al wel 's gezien natuurlijk'. Ze vormden een wonderlijk contrast, het meisje van de wereld en ma, dat grove monument van zorg en arbeid. Ook al leken ze dezelfde taal te spreken, ik wist zeker dat als je ze bij elkaar aan de keukentafel zou zetten, er na een uur een abrupt einde zou komen aan de hoeveelheid woorden die ze allebei begrepen, een grens aan hun gemeenschappelijk voorstellingsvermogen.

Ik maakte nogmaals het drinkgebaar.

– Willen jullie koffie, thee? Iets anders? Fris misschien? Allebei koffie? Dan zet ik even bij, da's zo gedaan, nee hoor, niks geen probleem. Melk, suiker? Allebei zwart? Da's gemakkelijk te onthouden, hè.

Ik wilde me krabben, zo jeukte mijn rug, verergerd door de wezenloze traagheid van ma en het inquisitoir dat voorafging aan een simpele kop koffie. PJ stelde een paar vragen tegelijk over de brikettenproductie die ik op een blocnote beantwoordde zonder haar aan te kijken.

– Mooi handschrift heb je, zei PJ toen ma met koffie kwam.

– Hij schrijft alles op, haastte ma zich te zeggen. Je kunt het zo gek niet bedenken. Die zit echt d'n helen dag te schrijven. Och Fransje, laat dat meisje je boeken zien? Hij heeft 'n helen muur vol.

Ik siste naar haar als een in een hoek gedreven slang, maar PJ's belangstelling was gewekt.

– Dat is bijzonder, zei ze, een jongen met een dagboek.

Ma, die zich achterwaarts had verwijderd tot bij de keukendeur, knikte en wreef haar handen op die manier waardoor ik me slecht voelde over mezelf. PJ vroeg of ze de dagboeken mocht zien. Ik ging haar voor het huis binnen en wees ze aan.

– Dat zijn ze? vroeg ze.

Haar vinger, dezelfde waarmee ze de Muizenstad de stuipen op het lijf had gejaagd, gleed langs tweeënnegentig, chronologisch gerangschikte cahiers, waarvan ik de enige afnemer was bij boekhandel Praamstra. Ze draaide zich naar me om.

– Ik mag zeker niet…?

Ik schudde nee.

– Dat dacht ik al.

Ze zakte door haar knieën tot bij de vroegste jaren en zuchtte.

– Wat staat erin, ik bedoel is het allemaal persoonlijk of gaat het ook over de buitenwereld, dingen buiten jezelf?

Ik maakte een instemmend geluid.

– Beide?

Ik knikte. Ze kwam overeind.

– Mijn vriendje, wist je dat hij schrijver is? Van Joe zeker. Arthur zou dit fantastisch vinden. O Fransje, mag ik één pagina zien, alsjeblieft?

Er lag een roofzuchtige schittering in haar ogen. Ze warmde me op tot gevaarlijke hoogte. Ik wist dat niets onmogelijk zou zijn voor haar, ze kreeg wat ze wilde, niemand weerstaat schoonheid met een wil. Ik trok een willekeurig cahier uit de kast, legde het op mijn schoot en bladerde erin tot ik een neutrale pagina vond: veel Joe, het begin van de winter en een stroeve dag op school. Die gaf ik haar. Weer zuchtte ze.

– Het is mooi, zei ze na enige tijd, echt mooi. Je handschrift, zoveel… órde, en dat een hele kast vol. Ik heb nog nooit zoiets gezien, dit moet wel het boek over alles zijn. Dat jij, wie had dat gedacht bedoel ik, alleen maar schrijft en schrijft, alles ziet maar niks zegt.

DEFINITIE VAN GOD, schreef ik, en smaakte voor het allereerst het genot van haar lach. Ze klapte het boek dicht en schoof het terug in de ruimte tussen twee andere.

– En ik, vroeg ze, kom ik erin voor?

Wat kon ik antwoorden? Zou ik het bevestigen dan wilde ze weten wat ik over haar geschreven had, ontkende ik het dan verloochende ik mijn liefde en stelde haar teleur. Een spasme kwam en ebde weg, ik schreef:

– Je hebt m'n cijferlijsten bekeken! Het was trouwens een 8,5.

Ik schudde mijn hoofd, schreef haar eindcijfers onder elkaar, middelde die en kwam uit op 8,4. (Ja, ze was onder de indruk.)

Bij het vertrek keek ma ons na achter het raam. Ik zat voorin in mijn eigen stoel, PJ zat achterin op een paardendeken omdat er geen achterbank was, alleen de rails waarover voorheen kisten in en uit werden geschoven.

– Wat een lieve moeder heb je, zei ze.

We haalden Engel op en reden Lomark uit. Combines haalden graan van de velden, zwermen meeuwen volgden de machines alsof het een vloot vissersschepen was. In de hemel hing lichtgele stofnevel.

PJ vroeg Joe of hij het achterraampje wilde opendoen (elektrisch) en stak haar blote voeten naar buiten. Ze lag achterover met haar armen onder haar hoofd, haar truitje was opgeschoven en liet haar buik onbedekt. Ik zag de vorm van haar borsten. Engel luisterde naar Joe's theorie over Papa Afrika's odyssee. De hypothese had zich verfijnd: Joe had op internet Europese weerkaarten bekeken en de mogelijke route van zijn stiefvader nagezocht, en in augustus en september vorig jaar geen grote storingen waargenomen.

Voor de duur van die autoreis was ik bedwelmd door voorstellingen van iets goeds dat te gebeuren stond. Ik liet het raam een eindje neer, de aarde rook naar warm stof en gras, Engel praatte harder tegen de wind in.

Ergens in die trage, vloeiende dag kwamen we aan bij zijn huis in Enschede, in een arbeidersbuurt geheel opgetrokken uit rode baksteen. Er zaten dikke mensen in tuinstoelen op de stoep en er waren onwerkelijk veel futloze kinderen die frisdrank slurpten.

– Welkom in de barbecuebuurt, grinnikte Engel. De vetput van de Nettorama.

PJ gruwde.

– Hebben ze hier nog nooit van calorieën gehoord?

Een buurman stak een beugelfles Grolsch naar ons op, ik zag nat piekhaar onder zijn oksel.

– Hé Engel, hej vriend'n bij oe? Kom eem zitt'n joh, drink'n wie-n pilsje.

Engel woonde in een bovenhuis, hij zette de deuren naar het balkon open en we zagen achtertuinen vol plastic meubilair en aanstootgevende bergen kinderspeelgoed.

Er was een halve liter Albert Heijn-rosé in huis maar geen rietje. Engel schonk uit in theekopjes, PJ zei 'kom, ik help je even' en bracht het glas naar mijn mond als een moeder. Ik was gulzig met drinken en kijken, ze was zo dichtbij dat ik over de rand van het glas lichte zomersproeten zag rond haar neus. Ik dronk tot de bodem.

– Jee, zei ze.

– 't Is medicinaal, legde Joe uit, anders trilt ie zo. Nog een zeker?

Ik grijnsde.

– Je hoort het, zei Joe.

Toen er heel in de verte het onmiskenbare gerommel van onweer klonk, begon hij zijn spullen te verzamelen. Een slaapzak, de rugzak van zijn vader, en map schetsen en twee kleisculpturen die een soort machines voorstelden die je in de bouw verwachtte.

– Je pannen, zei Engel, vergeet je pannen niet.

Joe legde alles in de auto en zei dat we moesten gaan.

– We moeten bij daglicht rijden, de koplampen doen het nog niet.

PJ goot vlug het laatste glas in mijn keel, haar betrokkenheid deed me goed. Engel bleef achter in Enschede en zwaaide ons uit. Het onweer was dichtbij, boven de stad was de lucht van mica. Engel zwaaide tot we de straat uit waren. Het was de laatste keer dat ik hem in leven zag.

Het weekend daarop kwam Joe me halen voor een ritje naar de sloperij: hij had onderdelen nodig voor de koelinstallatie en het elektrisch circuit. Met een soort theatrale nadruk realiseerde ik me dat ik sinds mijn ongeluk niet meer op de sloperij was geweest. In de afgelopen jaren was de verwerkingscapaciteit met de helft uitgebreid, was er een nieuwe pers voor autowrakken gekomen en waren de afvalscheidingmethoden verfijnd. Hoewel dit de indruk kon wekken van geavanceerdheid bleef de handel wat hij altijd al was: wrakken en oude rommel. Toch was het niet zo'n zigeunerbende die je je daarbij voorstelt; alle sloopafval werd gescheiden en afgewerkte olie werd keurig opgevangen en afgevoerd. ISO 9000 gecertificeerd, Hermans & Zn., dat daar geen twijfel over bestaat. Ik heb dat altijd grappig gevonden, dat pa een nét sloopbedrijf wilde waar mensen met een gerust gevoel naartoe konden, als een abattoir zonder bloed.

Joe parkeerde voor het kantoor. Daarbinnen was het sociale hart van de onderneming: de koffie- en groentesoepautomaat. Joe opende het portier aan mijn kant, ik hees mezelf uit de stoel naar buiten en hij tilde de kar eruit. Over roestige metalen platen duwde hij me het terrein op. Ik keek rond maar zag nergens een bord BRIKETTEN TE KOOP, zodat ik me afvroeg hoe pa ze eigenlijk onder de aandacht bracht.

Dirk zat op de mobiele kraan. In de grijper hing een zojuist geperst autowrak dat hij met fijne motoriek boven op een stapel andere wrakken manoeuvreerde. De pers plette wrakken tot ze nog maar dertig centimeter dik waren, het klonk als een vertraagd ongeluk. Toen Dirk ons zag, bleef het wrak slingerend hangen.

– PA IS DAAR! brulde hij.

– Wat is ie dik geworden, zei Joe zacht.

We waren op veilige afstand voor ongunstige constateringen over Dirks uiterlijk. Mijn broer wás dik geworden, maar niet op de geleidelijke manier die de huid vriendelijk roze doet glimmen, maar explosief dik, zonder dat zijn omgeving de kans had gekregen geleidelijk te wennen aan zijn nieuwe vormen. Hij had rode vlekken in zijn hals en couperose op zijn wangen door hoge bloeddruk. D'n Dirk was ten langen leste gaan lijken op wat hij altijd al was: een vreemde dorpse alcoholicus die een beetje naar eenzaamheid rook.

We gingen de demontagehal binnen. Op een entresol vol houten kisten van ongeveer een meter hoog klonk, tienvoudig versterkt, het geluid van een geïrriteerd iemand die helemaal onder in een metalen gereedschapskist een klein steeksleuteltje zoekt.

– Volluk! riep Joe.

De herrie stopte, pa verscheen.

– Jongens.

Op zijn onderlip kleefde een peukje van tabak en rijstvloeipapier. Ik had eens gezien dat hij zo'n peukje op de grond gooide, dat op de natte nicotineflos terechtkwam en rechtop bleef staan. Pa kwam het trapje af op zijn leren klompen.

– Wat kan ik voor je doen, zei hij tegen Joe.

Zijn kunstgebit gaf licht in de schemerige schuur.

– Nou… begon Joe.

Dat was het moment waarop ik bij pa een schrikreactie waarnam. Geen grote schrik maar een explosie diep op de zeebodem. Ik was getraind in het lezen van zulke micro-expressies. Zijn ogen flitsten heen en weer tussen mij en wat achter mij was. Ik draaide mijn hoofd zo ver ik kon, maar de hoek was te groot. Met het handvat stelde ik de zwenkwieltjes bij en draaide de kar negentig graden. Ook al was de achtermuur in de schaduw, ik zag het met verlammende scherpte: een muur

196

van papierbriketten... opgestapeld tegen de bakstenen achterwand. Duizend, tweeduizend, tienduizend, wie zal het zeggen.

Mij bekroop een lange, koude rilling. De briketten waren netjes gestapeld, alsof ze bedoeld waren om een isolerende muur te vormen. Pa had al die tijd nauwelijks één briket verkocht maar mij onophoudelijk betaald voor almaar meer. 'Ze vreten die dingen Fransje', en de prijs van zijn falend handelsinstinct was mijn wekelijks loon geweest – godverdomme om mij een gevoel van eigenwaarde te bezorgen of weet ik veel wat die twee voor mij hadden uitgedacht.

Pa kuchte als een motor bij koud weer. Dat was het afschuwelijkst van alles, dat hij net zo verlegen met de situatie was als ik. Ik hoorde Joe iets vragen over een radiator, zo ver weg dat het leek of hij in een andere kamer zat. Pa was stil van ontreddering, ik zag mijn eigen schaamte weerspiegeld in zijn ogen, en zo stonden we elkaar aan te gapen in die Spiegelzaal van Pijnlijkheden.

– Goed, zei Joe, ik wacht wel even.

Ik verliet de demontagehal en ging naar de auto. Droge modder knarste onder de banden. Even later verliet Joe de schuur met een hamer en een schroevendraaier in zijn hand. Hij gebaarde dat hij er zo aan kwam. Uit de autoradio klonk het weerbericht. Ze hadden het over regen.

ZWAARD

Wat bleef mij anders over dan te proberen armworstelaar te worden? Ik ging in training, Joe en ik richtten ons op het eerste toernooi in Luik, eind oktober. Er waren halters in huis gekomen en hij had een partij eiwitsupplementen op de kop getikt in de smaken aardbei, vanille en citroen. In poedervorm, aan te lengen met melk. De smaken hadden meer te maken met kleur dan met fruit want ze waren allemaal even zoet en romig, met een kalkachtige afdronk.

De belangrijkste spiertraining deed ik zittend op de grond: ik leunde met mijn elleboog op een laag tafeltje en hield een halter in mijn hand. Die trok ik langzaam naar me toe waarna ik hem weer liet zakken tot vlak boven het tafeloppervlak, alles heel langzaam, met continue spierspanning om de spieren tot maximale arbeid aan te zetten, net zo lang tot de vlammen uit mijn arm sloegen. We waren begonnen met zestien kilo en drie setjes van twintig, met telkens een halve minuut rust. Geleidelijk werd het aantal heffingen minder en steeg het aantal metalen ringen rond de dumbbell. Na vijf weken had ik er achtendertig kilo aan gehangen, wat veel is voor een oefening die alleen bestemd is voor de biceps. De onderarm trainde ik met de wrist curl, een kleine polsbeweging met de halter.

Ik leefde op een dieet dat door ma werd bereid op strikte aanwijzing van Joe. Ik werd magerder in mijn gezicht (ma's waarneming/bezorgd) en zwaarder in mijn arm en bovenlichaam (Joe's waarneming/opgetogen). Omdat het aantal oefeningen dat ik kon doen beperkt was, reed ik elke dag ook nog een keer heen en weer naar Westerveld. Dat was een tochtje van 4,2 kilometer heen en 4,7 kilometer terug omdat ik dan langs het Witte Huis reed waar PJ's ouders woonden. Wit was het huis allang niet meer en het rieten dak was donkerbruin, begroeid met mos en aan vervanging toe. Mijn oeroude fantasieën met betrekking tot de vrouwen in dat huis bleken met de jaren een zichzelf vernieuwende kracht te bezitten. Je kon zeggen dat ik elke dag even ging snuffelen als een hond, aangetrokken door lokstoffen die veel sterker waren dan welke visuele stimuli ook. Je kon ook zeggen dat ik me kapot verveelde en mijn hoofd wilde vullen met zoete illusies, waar ik mezelf dan weer om verachtte omdat het een inbreuk was op het regime tegen ontregelende PJ-dingen.

De zware training had tot gevolg dat ik nu een klein formaat olifantspoot in mijn mouw droeg. Die stond in geen verhouding tot de rest van mijn lichaam, maar de symmetrie was al jaren zoek. Joe heeft veel gestudeerd op een manier om mij niet alleen sterker maar ook zwaarder te laten worden. Dit heeft elf kilo opgeleverd. Elf kilo. Dat maakte vierenzestig in totaal, wat betekende dat mijn zwaarste tegenstanders ruim twintig kilo méér konden wegen, want de categorie lichtgewicht ging tot vijfentachtig kilo. Ook al snavelde ik me van 's morgens tot 's avonds nokvol, ik zou altijd een zeer lichte lichtgewicht blijven. Ik raadpleegde Musashi hierover maar vond nergens iets over het ideale gewicht van de ware samoerai.

In *Go Rin No Sho* bestudeerde ik vooral de leerstukken Water en Vuur opnieuw, die niet zozeer over de strategie gaan maar praktischer van aard zijn, en je onderwijzen over de manier waaróp je moet vechten. Daarin is een man aan het woord die in zijn dan negenenvijftigjarige leven nooit één gevecht verloren heeft.

Toen ik nog heel jong was en het boek las, vereerde ik het als een bijbel: dit was het woord van Kensei, Zwaard-Heilige, maar van wat er stond begreep ik alleen de buitenste laag, die ridderlijke fantasieën stimuleerde, alleen al door de namen van de tactieken waarmee je de vijand kon verslaan. Ik noem de Vuur en Stenen Slag. Deze heb ik op het schoolplein geoefend op Quincy Hansen, waarbij ik met mijn bezemzwaard dwars door de verdediging van zijn schooltasschild brak. Ik noem ook het Lichaam van een Rots, dat ik zonder tegenstander oefende: 'Wanneer u de Weg van de strategie beheerst kunt u uw lichaam plotseling in een rots veranderen. Dan kunnen de tienduizend dingen u niet raken. Dat is het lichaam van een rots. Niemand kan u in beweging brengen.'

Ik oefende het Lichaam van een Rots op de dag van de cyclomaaiers. Ik dacht de bevrijdende zwaarte te kennen die bedoeld werd. De trekker naderde, ik bleef liggen. Ik had gewaarschuwd moeten zijn, Musashi zelf zegt dat onrijpe strategie de oorzaak is van smart.

Nu, zoveel jaar later, las ik alles opnieuw maar leek het of er iets anders stond. *Het Boek van de Vijf Ringen* was een toverbal met telkens nieuwe kleuren. Nu zou ik het kunnen toepassen om armworstelaars te verslaan. Ik nam de vrijheid om 'arm' te lezen waar 'zwaard' stond. Onjuist was dat niet eens, want wat is het zwaard anders dan een scherp en kunstzinnig gestileerde *verlenging* van de arm? Musashi zelf heeft met 'zwaard' vermoedelijk ook andere dingen bedoeld, want hij versloeg zijn gevaarlijkste tegenstander Sasaki Kojiro met een roeispaan. Het gaat om de geest van dingen, het woord is alleen maar een lastdier met steeds nieuwe betekenissen op zijn rug.

Joe was ingenomen met mijn fascinatie voor het boek. Toen hij las over Een Schaduw in Bedwang Houden en beter nog, Het Schelden van Tut-TUT, liep hij door het huis met het boek in zijn hand en zei een paar keer dat hij het schitterend vond. Het Schelden van Tut-TUT wás ook iets bijzonders: 'U slaat met een heel snelle beweging toe terwijl u de vijand uitscheldt. Haal uit bij "Tut" en sla toe bij "TUT". Deze momenten komen steeds weer voor in uitwisseling van slagen. Het schelden van Tut-TUT moet steeds in hetzelfde moment met het heffen van uw langzwaard plaatsvinden terwijl u net doet alsof u daarmee naar de vijand steekt. U moet dit leren door vaak te oefenen.'

– Tut-TUT! zei Joe. Tut-TUT!, en lachte zich suf.

Hij begreep dat de aansporing om veel te oefenen betekende dat ik tegenstanders nodig had, want bij de halters had het geen enkele zin om Tut-TUT te roepen. Ik verlangde hevig naar iemand op wie ik mijn toegenomen kracht en inzicht kon loslaten.

Om kort te gaan, Joe vond Hennie.

Hennie Oosterloo was bordenwasser in De Uitspanning en woonde al zo lang iedereen zich kon herinneren in Lomark. Hij woonde in een houten huisje dat je voor weinig bij het tuincentrum koopt. Het huisje stond achteraan op het parkeerterrein van De Uitspanning. Er waren meer overeenkomsten tussen Hennie en mij dan het soort huis waarin we woonden: hij was, op mij na, de zwijgzaamste inwoner van het dorp. Hoewel hij al over de vijftig moest zijn leek hij onschuldig als een baby. Hij was lomp sterk maar deed geen vlieg kwaad zeiden ze.

Hennie was een paar jaar geleden het onderwerp van gesprek geweest nadat hij zich door het bedienend personeel van De Uitspanning had laten opjutten om mee te doen aan de Trekker-Trekwedstrijden in juli. Nu hing er in het restaurant een foto aan de muur van Hennie in een strak mouwloos hemdje waarop CAFÉ REST. DE UITSPANNING LOMARK stond, met in zijn handen de eerste prijs, bestaande uit een waardecheque alsmede een zilveren schaal met inscriptie. Hij hield cheque en schaal vast als een inboorling een stofzuiger.

Ik weet niet of er licht doordrong in het brein van Hennie Oosterloo, of hij vreugde had beleefd aan zijn overwinning of een knagend gevoel van onbehagen ervoer over zijn leven dat verstreek in de spoelkeuken, maar aan zijn gezicht was in ieder geval niets af te lezen. Hij had altijd dezelfde gelijkmatige uitdrukking, geen uitdrukking eigenlijk; het gezicht stond als het ware altijd in zijn vrij. Hij had een dunne baard en slappe lippen, verder had zijn gezicht geen deuken of uitstulpingen, en leek de huid te strak rond de schedel gespannen. Hennie was zo'n vanzelfsprekendheid dat ik altijd langs of door hem heen gekeken had, en nu kwam hij plotseling mijn leven binnen in een blauwe trainingsbroek van badstofachtige snit. Hoewel er HARDROCK CAFÉ CAPE TOWN op zijn T-shirt stond, wist ik zeker dat hij nooit zo ver van huis was geweest. Hij wrong zich door de deuropening van mijn huis.

– Hennie, dit is Fransje, zei Joe. Fransje, Hennie.

Hennie draaide zijn hoofd van rechts naar links, ergens in het midden van die glijdende blik zat ik maar hij leek geen onderscheid te maken tussen een transistorradio, een stapel kranten of mijn hoofd. Joe stond een beetje ongemakkelijk tussen ons in; aan één zwijgend personage was hij intussen wel gewend, maar twee van zulke ondoorgrondelijkheden brachten ook voor hem sociaal lijden met zich mee.

– Laten we maar beginnen. Hennie, als jij daar gaat zitten, tegenover hem, daar ja.

Joe posteerde ons recht tegenover elkaar en haalde twee gelijkgevormde stukken hout uit een plastic tas.

– Handvatten, zei hij. Vind je het goed als ik die op je tafel schroef, ik wil je laten zien wat in het echt ook de wedstrijdopstelling is. Deze dingen zijn ervoor om niet met trekkracht te smokkelen.

Hij plaatste de stukken hout tussen Hennie en mij in, waar ze bleven staan op twee metalen hoeken met in totaal vier schroefgaten erin. Uit de zak kwam een accuboor, hij boorde vier schroeven dwars door het tafelblad. Ik trok mijn stoel aan en pakte met mijn goede hand de spastische vogelarm die ik naar het handvat bracht. Eén voor één boog ik de verkrampte vingers open en sloot ze rond het handvat. Klemvast. De andere arm plaatste ik op de elleboog in het midden van de tafel, en ik opende mijn hand.

– Alleen dit nog, wacht even.

Met een blok stoepkrijt tekende Joe een vierkant rond onze armen.

– Dit is de box, zei hij. Daar móet je binnen blijven. Als je arm buiten de lijnen komt heb je verloren. Nou Hennie, als jij ook... zo ja. En dan je andere arm net zoals Fransje... dank je wel.

Hennies rechter onderarm zonk als een spoorboom, ergens in het midden van het vierkant sloten onze handen zich in elkaar. Allebei hadden we met de andere hand het handvat beet, zodat er een compacte, symmetrische opstelling was ontstaan. Het was vreemd en intiem om de warme, droge hand vast te houden van iemand die ik nauwelijks kende.

– Begin maar, zei Joe.

Hij drukte op de stopwatch van zijn horloge. Onze handen balden zich, ik zorgde er meteen voor dat mijn hand boven die van Hennie kwam zodat hij zijn pols achterwaarts moest buigen; het was een belangrijke psychologische slag om bovenop te komen. Maar het was de vraag of psychologie effect had op het schildpaddenbrein van Hennie Oosterloo. Hij hield zijn arm waar hij was, onbeweeglijk op het midden van de tafel. Zo, hij koos de afwachtende strategie, liet mij aanvallen en wachtte op zijn kans. Ik zorgde ervoor goed spanning te houden om me niet in een onbewaakt ogenblik te laten overvallen, en dacht aan Het Worden van de Vijand ('In strategie op grote schaal heeft men altijd de indruk dat de vijand sterk is, en daarom heeft men de neiging om voorzichtig te worden.') Maar wat voor baat had Hennie erbij om niets te doen? Bedóelde hij wel iets? Niet te veel denken, me niet te veel in de vijand verplaatsen – hem aanvallen als een steen uit een katapult. De tafel kraakte en ik voelde dat hij een beetje meegaf. Misschien had mijn aanval iets in hem geprikkeld want hij kromde zijn schouders en oefende een soort aanvallende tegendruk uit. Het begon traag maar ik voelde het groeien als slecht weer. Ik hoorde mezelf kreunen met een stripboekachtig geluid en verloor de Strategische Houding ('Laat geen rimpels verschijnen op uw voorhoofd en tussen uw ogen. Rol of knipper niet met uw ogen maar houd ze ietwat gesloten.') Langzaam, alsof ik smolt, ging ik om.

– Hé, Fransje!

O, ik wilde hem niet teleurstellen, niet hem, niet mijn eerste gevecht… Ik kneep mijn ogen dicht en voelde uit het defaitisme een bloedwolk van woede opstijgen, dezelfde als toen ik de dakdekker wurgde, een warme, rode gloed achter mijn gesloten ogen…

– En… drie minuten!

We lieten tegelijk los, het was het einde van mijn eerste gevecht. Elk gevecht zonder dat een van beiden neergaat, eindigt na drie minuten. Het gaat in het armworstelen altijd om de best of three. Als jouw hand ook maar een fractie boven die van de ander uitkomt, heb je gewonnen. Hennie Oosterloo en ik eindigden ons eerste potje onbeslist, zo zag ik het, maar ook al probeerde Joe niks te laten blijken, ik voelde dat hij er meer van had verwacht.

– Nou? vroeg hij. Nog een keer?

Ik knikte.

– En jij Hennie?

Hennie pakte het handvat en plantte zijn elleboog op tafel. Ik schudde de vermoeidheid uit mijn arm en nam mijn positie weer in. Ditmaal liet ik de Strategische Houding meteen voor wat hij was en sloot mijn ogen – ik had de indruk dat het *zien* van de tegenstander mij juist kracht kostte. Ik ging vol in de aanval met de Vuur en Stenen Slag, het toeslaan met alles wat je hebt. Ik voelde mijn arm en schouder trillen van kracht die zich ontlaadde, de woedende rode gloed verspreidde zich achter mijn ogen als inkt in water. Uit mijn binnenste rolde een onderdrukt, smartelijk geluid aan. Het klonk als Tut-

TUT!, en toen ik mijn ogen weer opendeed stond Hennies bovenlichaam onder een vreemde hoek. Mijn hand drukte de
zijne op het tafelblad. Vanuit die schuine, verslagen positie
keek Hennie onbewogen naar mij op met zijn fletse water-
verfogen.

– Jézus, zei Joe.

Ik liet los en Hennies bovenlichaam veerde terug.

Dit was mijn tweede gevecht. Ik had een man verslagen van
zeker veertig kilo zwaarder. Joe ramde me op mijn schouders
van plezier.

– Fantastisch man, fan-tas-tisch!

Toen ik lachte begon Hennie ook te lachen zonder dat hij
wist waarom. De loden wolk die rond mijn huis hing sinds de
ramp van de papierbriketten, maakte plaats voor licht en
lucht.

Er kwam een derde gevecht dat verloren ging omdat ik nog
in die gewelddadige overwinningsroes van het tweede verkeerde. Er zouden er in de daaropvolgende weken nog vele
volgen; Hennie ontving een knaak per gevecht en ik leerde per
keer meer over Het Ineenstorten Kennen, de Vier Handen die
Loslaten en het leerstuk dat een bruisende stroom adrenaline
op gang bracht wanneer je erover nadacht: Het Verpletteren.

Het werd herfst, het toernooi naderde, soms voelde ik me on-
overwinnelijk, soms dacht ik dat we er nooit aan hadden moeten beginnen. Eind oktober reden we naar Luik. Een paar kilometer buiten Lomark zag ik langs de Rijksweg de voorbodes
van wat komen ging. Er stonden mannen in het weiland met
fluorescente oranje hesjes over hun nette goed: landmeters.
Joe minderde vaart. De landmeters riepen over grote afstand
dingen naar elkaar en bogen het hoofd weer achter de theo-
doliet. Het land werd verdeeld in onzichtbare lijnen, ergens
lag een kaart uitgevouwen waarop onze toekomst was uitgestippeld als een textielpatroon in een damesblad.

– Je houdt het niet tegen, zei Joe. Sinds ik een auto heb begrijp ik het beter. Ik denk zelfs dat je het niet kúnt begrijpen zonder auto. Het land is in een soort versnelling geraakt die zichzelf alleen maar versterkt, als een kar die van de heuvel af dendert. Stilstand is achteruitgang, die gedachte. Echt óveral groeit de kanker van snelwegen, buitenwijken, bedrijventerreinen. Dit land kan alleen zo snel veranderen omdat het nauwelijks over zichzelf nadenkt, of heel slecht over zichzelf denkt, en daarom zo snel mogelijk wil lijken op iets dat óveral op kan lijken. Een ziel als een muntstuk, met aan de ene kant folklore en aan de andere opportunisme. Folklore is die haan van Lomark, trots zijn op een verzonnen verleden, en het opportunisme bestaat uit de gretigheid waarmee zo'n snelweg wordt aanvaard omdat ze denken dat het voordeel brengt. Daar hoor je niemand over, behalve dat groepje van Potijk, maar dat is weer een soort folklore op zichzelf. Hopeloos dat dorp, echt hopeloos.

Het was voor het eerst dat ik hem zo hoorde praten – als een buitenstaander. Natuurlijk haatte ik die scharminkelige soephaan in het wapen van Lomark even diep als hij. Die haan was de mal waaruit iedere Lomarker werd gestanst en gepredestineerd tot zwakheid en een hoop gekakel. Wij wisten dat het beest van schrik had gekukeld toen de noormannen kwamen, en niet van dapperheid. Maar dat Joe zo afstandelijk over Lomark sprak gaf me een ongemakkelijk gevoel, alsof we niet meer samen tot dit dorp waren veroordeeld en hartelijk lachten om zijn achterlijkheid, maar hij de zaak opeens van buitenaf bekritiseerde terwijl ik er nog middenin zat. Het kon betekenen dat hij binnenkort ook naar míj zo keek… hoe lang zou het dan nog duren voordat hij ook míj beoordeelde als zo'n hopeloos geval uit de rivierklei? Waarom gedroeg hij zich opeens als een buitenstaander terwijl ik hem in gedachten altijd in bescherming had genomen wanneer ze in Lomark schamperden over 'import' zoals hij en zijn familie? Wanneer hij zijn buitenstaanderschap plotseling als een geuzenteken droeg, betekende dat het gelijk van die Blut-und-Bodenmentaliteit die ik zo verafschuwde: dat nieuwkomers altijd buitenstaanders zouden blijven, gewantrouwd en in stilte bespot. Begreep hij niet dat het een heel fragiel bouwsel was, en dat hij zo het evenwicht verstoorde? Hij en zijn familie waren de voorbodes van vernieuwing, een vertrekpunt uit het oeroude ressentiment en een geschiedenis om je voor te schamen. Wanneer hij zich op die manier boven ons stelde, kregen ze in het dorp alsnog hun gelijk – hoe kon ik hem dat uitleggen?

We draaiden de snelweg op, ik staarde zijwaarts door het raam. Over deze weg reed ik vroeger met ma naar dokter Meerman. Ik herinnerde me vooral de temperatuur van de metalen voorwerpen waarmee ik door Meerman werd beklopt en bevoeld: alsof hij ze speciaal voor mij in de koelkast bewaarde. Van de terugweg was het panische optimisme overgebleven waarmee ma de woorden van Meerman aan mij doorgaf: doorzetten, goede moed houden, veel oefenen, niet piekeren – net zo lang tot ik me uit de rijdende auto wilde laten vallen.

Joe probeerde een paar voorkeurzenders maar vond niks, wat niet erg was, het weldadige suizen van de motor was me net zo lief. Ik verlangde naar het einde van die dag, wanneer ik m'n potjes achter de rug had en mijn plaats in de hiërarchie kende. Joe had een lijst van de veertig sterkste armworstelaars in het lichtgewichtklassement uitgeprint (een onoverzichtelijke hoop namen, geboortejaren en kilo's), maar het ging natuurlijk om de eerste tien, en daarvan de nummer Eén. Ik weet nog precies wanneer ik zijn naam voor het eerst hoorde. Joe prikte zijn vinger op de lijst alsof het een te veroveren doelwit op een stafkaart was.

– Islam Mansur, zei hij. Dat is onze man, de ab-so-lute koning van het armworstelen. Maar één meter zevenenzeventig hoog maar o wat een monster. Wat denk je, iets voor Frans de Arm, alleen als richtsnoer desnoods?

Daarop hebben we allebei opgelucht gelachen: van Hennie Oosterloo naar Big King Mansur was een grap. Ik kon niet wachten tot ik hem in actie zou zien, Islam Mansur, de Libiër die met gemak zwaargewichten versloeg. Tijdens de trainingsperiode kwam Joe geregeld met beetjes informatie over hem aan: hij zou geboren zijn in een tent in de Sahara, maar de dag en het jaar waren onduidelijk. Het armworstelen had hij ontdekt in het Vreemdelingenlegioen, toen hij gelegerd was in een kamp in Djibouti. In cafés won hij soms van vier mannen tegelijk. Hij verliet het Legioen na twee contractperiodes en begon in Europa te bodybuilden. Het armworstelen deed hij er voor de lol bij, en hij werd met hetzelfde gemak wereldkampioen. Mansur was een held in eigen land maar woonde tegenwoordig in een buitenwijk van Marseille. Het horen van zijn naam bracht opwinding bij mij teweeg, natuurlijk associeerde ik hem met Musashi; Islam Mansur was de Arm-Heilige, die net als de Zwaard-Heilige nog nooit een wedstrijd had verloren.

We stopten bij een Shell-station. De Oldsmobile liep één op een emmertje zodat we nog heel wat benzinestations zouden aandoen de komende tijd. Ik zag in de zijspiegel hoe Joe de slang in de tank hing en zijn hoofd draaide om naar de voortsnellende cijfers op de pomp te kijken. Even later stak hij zijn hoofd binnen door het portier.

– Iets drinken Fransje, of een Snickers ofzo?

Ik keek hem na terwijl hij naar het pompstation liep. Weer voelde ik die loze weemoed die ik de laatste tijd soms had, van die jankerige gevoelens alsof er iets ergs gebeurd was. Zoals nu, nu ik opeens branderige ogen kreeg van Joe's spijkerbroek die een beetje afzakte. Zijn broek was veel te zwaar door alles wat hij in zijn zakken had, waardoor zijn broek altijd afzakte, maar op dat specifieke moment, toen de schuifdeuren opengingen en hij tussen ruitenwisservloeistof en snijbloemen naar binnen ging, hield ik de ontroering niet tegen. Er was een verband met de Strategie van het Verstenen. Sinds ik de afstand tussen mij en de PJ-dingen probeerde te vergroten, was het aantal ontroeringsmomenten gek genoeg juist toegenomen. Soms beleefde ik bepaalde dingen alsof ze er al niet meer waren, en dan werd ik zo. De rest van de tijd was ik als een steen. Of probeerde dat te zijn. Wat hard werken was.

Joe kwam terug en stapte in.

– Als je moet pissen zeg je 't hè.

De luie motor van de Oldsmobile veroorzaakte een diepe resonantie die langs je stuitje naar boven trok. Pas bij Maastricht remden we weer af omdat de snelweg daar om de een of andere krankzinnige reden werd onderbroken door stoplichten – daarna zag ik op de borden dat Luik nog maar zevenentwintig kilometer was. Ik wiebelde erg met mijn voet.

– Moet je naar de plee?

Ik schudde van nee. Het bleef een tijdje stil.

– Het is maar spel, zei hij toen. Alles spel. Als we er een goed verhaal aan overhouden is het mooi zat.

We keken naar elkaar en glimlachten als bejaarden om een gedeelde herinnering. Ik vroeg me alleen af wanneer iets een goed verhaal was. Eerloos verliezen in Luik was dat beslist niet. Er stond meer op het spel. Iets dat met geloof te maken had, of we in staat zouden zijn het idee van vlees en bloed te voorzien, of we slaven waren of meesters, zelfs om 'het vechten om te overleven, het ontdekken van de betekenis van leven en dood, het leren kennen van de weg van het zwaard', zoals Kensei zegt.

We reden Luik binnen. Ik wiebelde nu vreselijk. Joe vroeg een paar keer de weg in zijn schoolfrans, naarmate we het doel dichter naderden verspreidde zich een steeds zenuwachtiger verkramping door mijn ledematen. We gingen het écht doen, en hoe vaak ik die dag ook zou verliezen, ik zou aan een metalen tafel zitten en me meten met mannen die ik nog nooit eerder had gezien. Joe herhaalde de laatstgehoorde routeaanwijzing en stuurde zijn auto – in Lomark inmiddels tamelijk algemeen 'Speedboots grafbak' genoemd – door de sombere straten. We reden verkeerd, Joe probeerde rustig te blijven en prevelde: 'Drie keer links is ook rechts.' Het leek of hij net zo zenuwachtig was als ik. Oké, iets minder dan, maar zenuwachtig zeker. Hij had er veel voor op het spel gezet.

Een uur voor aanvang vonden we café Metropole met zaal voor biljart, darts, dansavonden en armworstelen. We zochten lang naar een parkeerplaats die groot genoeg was voor de Oldsmobile. In de buurt van het café zag ik nummerborden uit Frankrijk, Duitsland en Engeland. Mijn linkerarm was verkrampt tot een stok, de ander schokte met tussenpozen op en neer waardoor het soms leek of ik de Hitlergroet bracht.

Joe duwde me de straat over, de stoep op en de buitendeur van het café door. We stonden in een smalle gang met rechtdoor een trap omhoog en rechts de deur naar het café. Achter de toog stond een fiks besnorde man die de spiegel achter de bar opwreef. Joe vroeg de weg, de man wees naar boven. Ik hees me uit de kar en begon aan de beklimming van de trap. Trede voor trede trok ik mezelf hogerop. Joe had de wagen opgevouwen en droeg hem achter me aan. Zweet siepelde over mijn rug toen ik eenmaal boven was – het gif van bier en tabak dat uit mijn poriën weglekte. Uit het trapgat steeg de geur op van smeulende sigaren en oud tapijt.

Ik was in een schemerige gang met wanden van bruine schrootjes. Aan het eind van de gang ging een deur open, een golf van lawaai stroomde naar buiten. We hoorden glasgerinkel, luide stemmen en zware dingen die werden verschoven over een houten vloer.

Het zaaltje was laag, er stonden tientallen stoelen in een wanordelijk patroon, en er waren zeker honderd mensen verzameld. Onder het plafond golfde een nevel van sigarettenrook. Ik zag mannen met tatoeages en bollende spiergroepen onder gaatjeshemden en strakke, mouwloze T-shirts. In het midden stond het altaar van deze marginale cultus: de metalen tafel met de rechtopstaande handvatten erop. Joe ging op zoek naar de organisatie om ons in te schrijven. Ik greep de leuning van mijn stoel vast tegen de onbeheerste schokken die met hoge frequentie door mijn lichaam daverden. O sigaret, o bier... Ik kon me niets herinneren van een eigen wil die me hier had gebracht. Toen Joe terugkwam gebaarde ik om een sigaret, hij stak er een voor me op en hing hem tussen mijn lippen.

– Knock-outsysteem, zei hij gespannen. Eén keer verliezen en je bent weg. Ze beginnen met de lichtgewichten, daarna de zware jongens. Er worden weddenschappen afgesloten vlak voor je begint, op het 'ready? go!' begin je. Hoe voel je je?

Ik knikte.

– Je begint tegen... hier, Gaston Bravo heet ie. Die komt hier vandaan hoorde ik dus laat je niet afleiden door zijn publiek. Ik help je op de kruk, jij hoeft je alleen maar te concentreren op dat eerste potje. Tut-TUT, oké?

Hij haalde de sigaret tussen mijn lippen vandaan en tipte de as af. Bedienden renden heen en weer met dienbladen, iedereen praatte hard om uit te komen boven anderen die ook hard praatten, het had de sfeer van een soort kermis. Vlak voor de eerste wedstrijd zwol het rumoer nog aan, twee mannen kwamen uit het publiek en gingen aan de wedstrijdtafel zitten. Er werd grof gegokt. De scheidsrechters namen hun plaatsen in aan weerszijden van de tafel, en op het 'ready? go!' gingen de mannen los. De zaal was te klein voor het stormachtige lawaai dat losbarstte, horen en zien verging je. De een was duidelijk een bodybuilder, de ander een potige landarbeider met een gezonde bruine kop. Het deed me plezier dat de landarbeider het eerste potje won, hij leek namelijk de minst sterke van de twee, en het was in mijn eigen belang dat de schijn zou kunnen bedriegen.

Het gemak waarmee hij won maakte giftige woede los bij de bodybuilder, op de manier waarop Dirk woedend werd wanneer hij werd gedwarsboomd. Het tweede potje duurde langer maar werd weer gewonnen door de landarbeider, die naar de volgende ronde ging. De verliezer verliet de zaal, waarbij hij nogal hardhandig een knap, tenger meisje voor zich uit duwde.

Er volgden nog vijf gevechten voordat ik aan de beurt zou zijn. Ik zag grofstoffelijke hufters met aardappelkoppen, aan wie je zag dat ze zich via smerige treiterijen op het schoolplein uiteindelijk tot aan deze wedstrijdtafel hadden gezwoegd, van wie het hele leven eruit had bestaan anderen te onderdrukken, waar het armworstelen de letterlijke uitdrukking van was. Zij die verloren moesten tijdelijk hun snoeverijen staken maar je voelde dat dat van korte duur zou zijn; binnen de kortste keren zouden ze zich beroepen op hun slechte conditie die dag, een tegenstander die vals speelde en een stekeblinde scheidsrechter om hun gekwetste zelfgevoel te balsemen. En hun vrouwen en kinderen zouden in die vervalsing berusten om erger te voorkomen.

Nou ja, misschien waren ze niet allemaal zo erg maar de helft toch zeker. Met genoegen zag ik een aantal van hen ten onder gaan.

– Klaar? vroeg Joe op zeker moment.

Ja, daarvoor waren we hier – heel even overwoog ik te weigeren op te gaan, of me meteen te laten wegdrukken. Joe duwde de wagen tot bij de wedstrijdtafel. Het werd stiller, we voelden de twijfel rondom over wie van ons tweeën de worstelaar was. En als Joe het was, wat had ik er dan mee te maken? Toen ik me uit de kar hees en met een hand op de kruk steunde, ging er gefluister door de rijen, dat in volume toenam toen Joe me op de kruk hielp.

– Mesdames et messieurs! galmde de spreekstalmeester, François le Bras!

François le Bras, ík? Dat moest wel want hij kondigde de ander aan als Gaston Bravo. Ik keek naar Joe, die lachte. Grapje. Alleen was mijn tegenstander er nog niet. Ik zag hem in de eerste rij van het publiek. Ik wist dat hij het was omdat hij door de andere mannen naar voren werd geduwd.

– Allez, Gaston!

Ik maakte een snelle inschatting: immigrantenzoon, te jong om nog in de mijnen te hebben gewerkt en daarom nu in een ander laaggekwalificeerd werkje beland (later hoorde ik dat hij aan de productielijn werkte bij een wapenfabriek in Luik). Hij had een zogenaamd 'knap uiterlijk' (gelakte zwarte haren en grote sentimentele ogen).

Een van beide scheidsrechters ging vragen waar hij bleef. Bravo wees naar mij en gesticuleerde heftig. Ik begreep het, hij wilde het niet tegen mij opnemen. Niet tegen een stoelganger, zoals voetballers niet willen spelen tegen een meisjesteam. Ik zocht oogcontact met Joe, die gebaarde rustig te blijven, verwarring was in ons voordeel. Na enig soebatten kwam Bravo naar de tafel. Hij keek me niet aan, ging zitten en plantte zijn elleboog in de box. Ik deed hetzelfde en pakte zijn hand. Een bange hand, en een golf van teleurstelling overviel me: ik zat tegenover een man die het spel vanwege zijn tegenstander niet meer serieus nam. Het was pijnlijk en beledigend. Ik had op vele tegenslagen gerekend maar niet op deze. Ik weerhield mezelf ervan steun te zoeken bij Joe, ik stond er nu alleen voor.

– Ready... Go!

Ik sloeg hard toe om de belediging te wreken. Hij was al halverwege een nederlaag toen hij leek wakker te schrikken en alsnog enig verzet bood, maar te laat: 1-0. Het gejoel van het publiek was verschrikkelijk, iedereen had z'n geld gezet op Bravo, ze spoorden hem aan met de furie van hoekmannen op de beurs. Voor het tweede potje leek Gaston Bravo van plan de zaken anders aan te pakken.

– Ready... Go!

En daar was hij al, zijn hand kwam boven, ja zeker had hij indrukwekkende spieren en o wat een fraai gewelfde torso die hij er vol in gooide waardoor ik een graad of tien aan hem moest toegeven, maar daar bleef het bij. Zonder dat ik me kwaad maakte drukte ik hem langzaam en zonder een spoor van twijfel tegen het koude tafelblad. Ik hield zijn hand nog een paar martelende seconden onder de mijne voor ik losliet. François le Bras – Mooie Jongen: 2-0. Mijn eerste officiële overwinning, en ik voelde geen vreugde. Hij had me niet één keer recht aangekeken, hij had me niet als mens beoordeeld maar als defect, en ik had hem verslagen op haat-kracht. Ik denk dat het hem koud liet, mijn hele wezen was hors concours voor hem.

– François le Bras! zei Joe, held! Geen enkele kans had ie, geen enkele... Wat is er?

Ik wendde mijn blik af, die vol woede en frustratie was. Joe hapte naar lucht.

– Jij begrijpt er echt geen zak van. Wint zijn eerste gevecht en is teleurgesteld door de manier waarop... Fransje, luister goed, de enige reden dat we hier zijn is omdát je in een rolstoel zit, begrijp je dat? Zonder dat ding had je nooit zo'n wonderarm gehad, het is er een direct gevolg van, dus als zo'n zakkenwasser je daar op zijn eigen zakkenwasserige manier op wijst is dat toch niks nieuws voor je? Denk aan de Strategie! Jezus, tegen de tijd dat ze gewend zijn aan een kereltje in een rolstoel is het al 1-0! Je hebt net een bullebak uit de sportschool naar huis gestuurd. Begrijp dat alsjeblieft?

Ik probeerde een glimlach. Misschien moest ik me er niet tegen verzetten dat ik als een freak beschouwd zou worden in dit milieu. Misschien moest dat mijn kracht zijn. Een bittere pil maar ik moest vooruit. 'Vandaag overwint u wat gisteren was, en morgen overwint u wat u vandaag bent' – *Go Rin No Sho*. Wanneer begreep ik zulke dingen nu eens écht in plaats van alleen met de woorden te spelen omdat ik ze zo indrukwekkend vond?

– Wil je bier? vroeg Joe, omdat het trillen van de arm weer begonnen was.

Ja ik wilde bier, en weer voelde ik die peilloze vriendschap.

Het volgende gevecht was tegen de landarbeider die ik eerder aan het werk had gezien. Hij bezat een ander soort kracht dan Hennie Oosterloo of Gaston Bravo: peziger, alsof hij hem uren kon blijven uitoefenen zonder moe te worden, als een lastdier. Alleen – en dit stelde ik vast met een mengeling van triomf en spijt (omdat het me een aardige kerel leek) – het was niet genoeg. Ik verpletterde hem in minder dan een minuut. Hij glimlachte een beetje, schoof even over zijn kruk tot hij goed zat en zette zijn arm in de box voor het tweede partijtje. Weer kwam ik meteen boven.

'U moet leren om de vijand in een handomdraai te verpletteren.'

Weer drukte ik door zijn weerstand heen.

'Het is van wezenlijk belang hem direct totaal te verpletteren.'

Hij was op driekwart van de weg naar de ondergang.

'Het voornaamste is om het hem onmogelijk te maken zich ook maar enigszins te herstellen.'

Dit is Het Verpletteren zoals Musashi het voorschrijft: 'Wanneer wij hem niet totaal verpletteren zou hij weer overeind kunnen komen.'

Ik had de landarbeider verpletterd maar hij gaf geen enkele blijk van teleurstelling. Hij kwam van zijn kruk, liep rond de tafel en pakte mijn hand om me te feliciteren. Hij droeg zijn verlies als een heilige, en door mijn hand te schudden leek hij mij te vergeven voor het feit dat ik hem verpletterd had. Ik had wel sorry willen zeggen of zoiets, of de wedstrijd overdoen en hem laten winnen om van dat rotgevoel af te zijn.

– Allemachtig, zei Joe, de halve finale. Besef je dat?

Een minuut of vijftien later begreep ik vooral dit: dat mijn volgende tegenstander een Waal was die ik eerder had zien winnen, de man die ten minste één gouden ring om elk van zijn olievingers droeg, evenals om beide duimen. Vlak voor de wedstrijd deed hij ze af, en schoof ze weer om toen hij klaar was. Ook een van beide voortanden was ingelijst in goud. Hij maakte de indruk geheel uit roet en motorolie te zijn opge-trokken. Zijn kracht was moeilijk in te schatten.

We vielen tegelijk in het 'go!' van de scheidsrechter. Na een halve minuut was ik er vrij zeker van dat we dezelfde strategie hanteerden. Ik liet hem komen, er was geen haast. Haast heb je als je bang bent te verliezen. Al die tijd keek de roet-en-olie-man mij aan met licht samengeknepen ogen. Zeker, hij bena-derde de Strategische Houding heel dicht, op een natuurlijke manier, want het leek me niet dat hij Japanse technieken zou bestuderen. Hij hield voortdurende spanning op zijn helft van de driehoek die onze armen vormden, waarbij ik het gevoel had dat hij zich inhield. Hij bewaarde iets om op een zeker moment tegen mij in te zetten, en was al in het voordeel met zijn hand boven. Eerst moest ik die situatie zien op te heffen.

Ik sloot mijn ogen en boog mijn hoofd, ik voelde direct de weldaad van de Gloed, dat onzichtbare instrument voor ex-plosieve krachtsvermeerdering, en bracht de driehoek weer op het nulpunt. Ik had moeten voelen dat hij te gemakkelijk toegaf, want op het moment dat we weer in de beginpositie stonden, sloeg hij toe. Hij had gewacht op mijn initiatief en Tai Tai No Sen op een superieure manier toegepast, het 'met hem meegaan en toch voor zijn'. Toen ik mijn ogen opensloeg blikkerde zijn goudbeslagen grijns me tegemoet en lag ik machteloos zijwaarts gebogen.

Blijf kalm, zei ik tegen mezelf. Er is nog niks verloren. Ik zoog lucht in; adem in, adem uit. Dit was een tegenstander die ik rotsachtig moest bestrijden. Toen we ons aan het twee-de potje zetten, weerstond ik zijn eerste aanval. Hij oefende veel meer kracht uit dan de eerste keer omdat hij nu zeker was van zijn zaak. Daarmee was hij in zekere zin mij geworden zoals in de eerste krachtmeting, zodat ik kon verwachten wat hij ging doen. Toen ik opkeek zag ik dat hij zijn ogen in grote krachtsinspanning gesloten hield. Ja, het was een schitterende omdraaiing van de eerste match!

Voor ik verder ga, moet ik misschien eerst even uitleggen dat er, wanneer je aan het armworstelen bent, een voortdurende wisseling van spierspanning te voelen valt, van heel miniem tot zeer sterk, en het is zaak goed op zulke drukverschillen te letten die voelbaar zijn als het wegvallen of toenemen van wind. Musashi schrijft dat we er in het tweegevecht voor moeten zorgen dat de tegenstander van houding verandert en dat we voordeel moeten halen uit zijn onevenwichtige ritme.

Het was een genot om de kracht van de roet-en-olieman te voelen toenemen, hij wilde me haastig verslaan. Op het hoogtepunt van zijn krachtsvermeerdering gaf ik een heel klein beetje mee, een paar graden, net genoeg om een minieme modificatie te veroorzaken, en dát was het Enige Juiste Moment: ik gooide alles erin wat ik had en drukte hem in één keer voorbij het nulpunt. Hij zuchtte ontsteld maar het was niet meer te stoppen, zijn hand kletste op het tafelblad.

De zaal loeide verontwaardigd, vanuit een ooghoek zag ik Joe achterover in zijn stoel zakken van opluchting. De roet-en-olieman grimaste naar zijn aanhangers, een troepje goudbehangen caravanmensen dat geluiden maakte alsof het vee bijeendreef.

We namen onze positie in voor het derde en beslissende gevecht. Ik keek naar hem vanuit een soort innerlijke verte, en zag iets dat ik nog niet eerder had gezien bij iemand die ik verslagen had: vernedering. Het hield zich op rond zijn neus en mond, kleine spiertrekkinkjes die wezen op een gekrenkt ego. Ik wist nu dat hij vol in het offensief zou gaan, hij zou zijn caravangenoten laten zien dat het vorige potje niet meer dan een stomme vergissing was geweest en de nederlaag wegpoetsen met een stormaanval.

Hier deed ik iets wat hem in verwarring bracht, ik bracht mijn mond naar mijn bovenarm en pakte de bovenkant van de mouw tussen mijn tanden. Zo trok ik de trui langs mijn arm omhoog. Ik hapte vier keer in de trui om de mouw tot boven de biceps te krijgen, toen zette ik mijn arm in de box. De spiertrekkingen op zijn gezicht waren verergerd, het evenwicht van onze eerste match had hem helemaal verlaten. Het was een schil geweest, van buitenaf opgeplakt, niet van binnenuit verlicht. Ik keek naar Het 'Ineenstorten' Kennen. Alles kan ineenstorten, noteerde Kensei in die laatste weken voor zijn dood. 'Huizen, lichamen en vijanden storten ineen wanneer hun ritme wordt verstoord.' Zijn advies is dan om, wanneer je het Ineenstorten ziet gebeuren, de vijand zonder een kans voorbij te laten gaan te achtervolgen. 'Concentreer uw blik op het ineenstorten van de vijand, jaag hem dan op en val hem aan zodat hij geen kans krijgt om op te staan.' Met als toevoeging: 'Maak gebruik van al uw kracht wanneer u hem achternazit. U moet de vijand volkomen neerslaan zodat hij zijn positie niet meer kan innemen.'

Dank Kensei.

We vielen tegelijk aan. Hij gooide zijn hoofd zijwaarts en zijn bovenlichaam schoot woest naar voren. Het was de charge van de stier. Ik deed mijn ogen dicht, de Gloed spoelde aan als een duistere zee, mij geheel ten dienste. Ik wist dat het de razernij was die mijn voorvader Hend Hermans had bezeten, voordat ze hem met een koevoet hadden doodgeslagen. Het was een familiekenmerk zoals anderen rood haar hadden of korte vingers. Het was in Dirk en mij tot volle bloei gekomen.

Ik begon te wrikken met mijn arm, op de manier waarop je een zware kar een paar keer heen en weer beweegt om hem over een richel te krijgen, heen en weer, Tut-TUT, heen en weer. We schoten over het nulpunt en weer terug als een populier in de wind, ik speelde met hem tot ik voldoende aanloop had voor de laatste slag, en op TUT! ging hij neer. Brak hij af, als het ware. Ik viel bijna van mijn kruk toen ik losliet.

Voor het eerst die dag voelde ik een weldadige roes. Joe sprong van zijn stoel en omhelsde me krachtig.

Ik had bloed geproefd.

Ik zou op zoek gaan naar meer. Ik was doorgedrongen tot de extase in de kern van het menselijk bestaan: strijd en zege.

Joe zei almaar hoofdschuddend 'superieur, écht su-pe-rieur', en heel licht en warm steeg ik op tegen het plafond. We hadden de finale gehaald, de beste twee...

– Hier man, neem nog een bier, zei Joe, je trilt de hele boel bij elkaar.

Voor het eerst hoorde ik dat er een weddenschap op míj werd afgesloten. Geld verwisselde razendsnel van hand, iemand zei dat het een idiote keuze was, ik kon onmogelijk winnen van de laatste die met mij was overgebleven, Mehmet Koç, een prijsvechter van het zuiverste water. Ik had hem al aan het werk gezien tegen een zwarte powerlifter uit Portsmouth, en was een beetje geschrokken. Koç was een soort Turkse worstelaar met borsthaar dat omhoog leek te willen groeien als een omgekeerde baard.

– Wat denk je? vroeg Joe gedempt en indringend.

Ik tuitte mijn lippen ten teken dat ik er niet gerust op was.

De speaker kondigde Koç en mij aan, ik hoorde geluiden van afkeuring en aanmoediging. Ook al waren de kenners het erover eens dat ik geen kans had, toch had ik in voorgaande wedstrijden een dubbelzinnig soort sympathie verworven.

Over het vervolg kan, nee wíl ik kort zijn: ik werd tweemaal finaal van tafel geblazen door een Turkse Hulk. De kenners hadden het nu eens goed gezien, nadat ze zich de rest van het toernooi hadden vergist. Tegen Mehmet Koç hielp geen enkele strategie omdat hij simpelweg veel te sterk was. Ik had ongeveer de weerstand van een fietspomp. Het gaf zelfs een soort opwinding om zo verpletterd te worden als door de Turk, het was de kracht en de schoonheid van een golf die je overspoelt en je ademloos laat rondtuimelen onder water.

Ik moest dus sterker worden. Onafgebroken trainen. Niet verslappen. Maar de eerste tweede prijs was binnen! Nadat we het geld hadden gewisseld bij de grens, verdeelde Joe de buit met een grote casinogrijns. Vijfduizend gedeeld door twee: ik had nog nooit zoveel geld gehad.

Toen we thuiskwamen, was de briketteninstallatie opgeruimd, geen spoor meer, alleen de donkere plekken op de tegels waar de wasmachine en de pers hadden gestaan. Ook de droogrekken tegen de muren van mijn huis waren weg, alles geruimd. Zonder een woord. Goed, prima. Mij best, dan doen we er het zwijgen toe.

De brandende pijn in mijn onderarm die me anderhalve dag na het toernooi overviel, was gewone spierpijn die na een paar dagen verdwenen zou zijn, ernstiger en langduriger was de ontsteking van de bicepspees. Ik zat bewegingloos thuis, onmachtig mezelf voort te bewegen. Elke inspanning bracht steken teweeg die te vergelijken waren met de verlammende pijnschichten tijdens de groeispurt in de puberteit.

– Dat kan toch niet goed zijn, zei ma, zie jezelf nou 's zitten.

Ik vergrootte haar bezorgdheid door tien briefjes van honderd over tafel naar haar toe te schuiven.

– Wat is dát? zei ze scherp. Ik hoef jouw geld niet, je bent mijn kind, ik zal nooit…

Ik sloeg op tafel. Daarna schreef ik: NEEM. HET IS NIKS.

– Dúúzend! Da's toch niet niks! Ik zet 't op je Plusrekening, anders gaat het maar op aan d'n Heer mag weten wat.

MOEDER, NEEM HET ZÉLF. ZO WIL IK HET.

Ze keek me lang aan, ik keek smekend terug, vermengd met een soort woede. Ze knikte, vouwde de briefjes één voor één dubbel, schoof ze in elkaar en zei dat ze hoopte dat het geen 'verkeerd geld' was. Ze stak het pakketje in haar schort.

In zijn middagpauze kwam Joe kijken hoe het ermee stond. Hij masseerde mijn arm en smeerde er tijgerbalsem op. Nadat hij het mosterdglas vol sigaretten had gedraaid ging hij weer naar zijn werk.

Zon en wolken wisselden elkaar af in een onrustig patroon zodat het soms licht, dan weer donker was in huis, een verschijnsel waar ik als kind al somber van werd. Om kwart over vijf kwam Joe terug.

– Man, wat een grafstemming hier. Ben je al buiten geweest vandaag?

Niet veel later duwde hij me de dijk over. De lucht was grijs als daklood, zware wolken drukten het licht uit de uiterwaarden. Aan de horizon kierde nog een laatste, bleke streep licht. Een zwerm spreeuwen zocht een heenkomen, meeuwen ruzieden boven de donkere velden en ver weg veegden regensluiers door het grijs. Het vooruitzicht van weer een winter bedrukte me.

Twaalf dagen later kon ik voor het eerst weer licht trainen. Dat was een bevrijding; intensief gebruik van mijn spieren was noodzakelijk geworden tegen het donker van binnen. De halters, de entree van de neutrale ziel Hennie Oosterloo, het toernooi in Luik, het had de man van de daad in me wakker gekust. Het afmatten van mijn bewegingsstelsel had een bevrijdende werking op mijn geest, veroorzaakt door het vrijkomen van endorfinen. Dat was de eerste conclusie van het armworstelen. De tweede was dat er brandende eerzucht in me bleek te schuilen. Met de filosofie van Kensei had dat niks te maken, het was woede en bloeddorst en ik begreep nu waarom sommige sporten symbolische moordpartijen zijn.

Ik brak me het hoofd over hoe ik ooit kolossen als Mehmet Koç moest verslaan. Hoe verwijder je een berg met stoffer en blik, die vraag.

Ik zag maar één oplossing: verlossing per naald. Hoewel ik dit aan Joe heb voorgesteld, heeft hij nooit iets ondernomen om zulke paardenmiddelen aan het trainingsregime toe te voegen. 'Als we met een paar maanden training al zover komen als in Luik,' zei Joe, 'ben je nog lang niet aan het einde van je natuurlijke capaciteit.' Wel verhoogden we de hoeveelheid eiwitsupplementen en het aantal spieroefeningen, en kreeg ik een pot creatine van hem, een omstreden spierversterkend middel uit dierlijk weefsel. 'Alvast voor je verjaardag,' zei hij.

Ze zeggen dat veel sporten de testosteronspiegel verhoogt. Ik weet niet of dat er de oorzaak van was dat ik onmatig van PJ droomde in die tijd, ontuchtige dromen waarin niet werd geneukt. Kun je een copulatie dromen als je het in werkelijkheid nog nooit hebt gedaan? Van die dromen herinner ik me gewelddadige, afmattende scènes tussen mij en andere mannen voordat zij en ik elkaar aanraakten. De aanraking veroorzaakte gevoelens die zo extatisch waren dat ik zeker wist dat ze in het echt niet bestonden. Haar lichaam (onscherp) draaide ze daarbij zo dat ik haar kut niet zag. Dit was de truc van mijn droomverstand om het gebrek aan anatomisch inzicht te camoufleren.

Maar de echte bijzonderheid van die dromen was deze: dat ik rechtop liep, rende en sprong. En wanneer ik de liefde met haar bedreef, was dat met een heel lichaam.

Het was Joe die kwam met het verhaal dat PJ bij haar ouders thuis was en dat het 'niet goed' met haar ging. Niet goed betekende: afgetuigd door Vriend Schrijver. Die had in een aanval van psychotische razernij huis, tuin en keuken vernield, alsmede de tempel van zijn geliefde. Ze was al dagen bij haar ouders en liet zich niet zien. Ik zag een verontrustende samenhang tussen het geweld in mijn dromen en dat van Vriend Schrijver met de losse handjes.

Joe en ik gingen naar bloemenhuis Acacia in de Breedstraat en lieten een bos bloemen samenstellen in de kleuren rood en wit om te laten bezorgen bij het Witte Huis.

– 't Is eigenlijk meer het seizoen voor herfsttinten, zei die kwezel van een verkoper.

Dit hebben we genegeerd.

– Wilt u er nog een tekstje bij voor de begunstigde?

Joe keek naar mij.

– Jij bent hier de schrijver.

Ik kreeg een dubbelgevouwen kaartje aangereikt met een gat erin gestanst. Ik schreef:

WIJ ZIJN THUIS
JE VRIENDEN
JOE EN FRANSJE

– Wat is dat nou voor een tekst, zei Joe. Moet er niet iets bij van beterschap ofzo...

Ik schudde van niet, ik had groot vertrouwen in PJ's vermogen om de boodschap te decoderen; ze zou lezen dat wij er waren als ze ons nodig had en aan haar dachten zonder ons fysiek op te dringen. Zo was het.

Het eerstvolgende toernooi, in een Weense achterbuurt, werd een fiasco. Ik zal er niet diep op ingaan omdat het een tussenfase was, een eenmalige neerwaartse curve in een verder opwaartse grafiek. Daar moet je de mensen niet mee vermoeien, vind ik. Het was een paradoxale nederlaag omdat ik toen juist in een periode van exponentiële spiergroei zat. Daar kwam op de lange duur grotere kracht van, maar het veroorzaakte diepe inzinkingen in het spiervermogen op de korte termijn. Daarom ging Wenen verloren. Wel verscheen er voor het eerst een fotootje van mij in de krant. Je ziet vooral die arm met gezwollen aderen erop, en schitterend afgetekende spiergroepen. Daarboven zien we een hoofdje dat zo gaat ontploffen. Tot het moment dat die foto in Lomark in beperkte omloop kwam, door Joe die een stapel van de *Wiener Zeitung* had gekocht, heeft nauwelijks iemand geweten wat we precies uitvoerden. Toen ze dat wel wisten, ontstaken ze in een soort mateloze nieuwsgierigheid naar het buitenissige. Joe was met dit verhaal dé man in de kantine van Betlehem. Er werd meteen een wedstrijdje gehouden tussen de operator en Graad Huisman. Huisman won en begon niet lang daarna te huilen vanwege die kanker in z'n knie.

Bij de koffie zei ma dat iedereen haar het hemd van het lijf vroeg. Of het waar was dat ik mannen versloeg die twee keer zo zwaar waren als ik, en of ik een toernooi in Antwerpen had gewonnen. In café De Zon, waar het voorval met de dakdekker niet was vergeten, ging het praatje rond dat ik niet zonder 'middelen' zo sterk had kunnen worden. Ik merkte dat er anders naar me gekeken werd – dát er naar me gekeken werd. Het was erg stimulerend.

Ik begon anders te ruiken in die tijd. Ik weet niet of het alleen transpiratie was of ook iets anders, ik weet bijvoorbeeld niet of je testosteron kunt ruiken, maar in elk geval zette zowel Joe als ma meteen een raam open als ze binnenkwamen. Joe kocht een deostick voor me, 8x4 van de firma Beiersdorf, die tot op de dag van vandaag ongebruikt op het plankje in de keuken staat als een van de ontelbare herinneringen aan hem.

Nog elke dag reed ik langs het huis van de familie Eilander op de terugweg van mijn trainingsroute naar Westerveld. Ik vloog er eigenlijk zo snel langs dat ik nauwelijks tijd had om naar binnen te kijken. Soms, als ik van Joe wist dat PJ thuis was, keek ik helemaal niet. Ik hoopte dat ze mij zou zien en naar buiten zou komen en mijn naam zou roepen, en me zou uitnodigen in dat mysterieuze huis dat ik nog nooit vanbinnen had gezien. Ik wilde dat ze me bier zou voeren zoals ze me die dag in de zomer rosé had gevoerd, slimme dingen zou zeggen en me prikkelende details zou meedelen over de wereld van de schrijvers die ze nu van dichtbij kende. Wanneer ze mij zou vragen hoe het met mijn schrijven stond, zou ik haar laten weten dat ik ermee was opgehouden, wat de waarheid was: ik schreef niet meer.

Ik had nu een paar jaar onafgebroken het uitzicht vanuit mijn hoofd geschilderd, en toen was het genoeg. Ik zou dit brengen met de romantische stelligheid van een kunstenaar die zijn talent niet als verplichtend beschouwt maar als iets dat hij kan achterlaten als een paar oude gympies. Zo terloops mogelijk zou ik daarna haar aandacht vestigen op mijn worstelarm en ze zou inzien dat ik een man van de daad geworden was. Het was een andere tijd, er werd iets anders van me gevraagd. En was schrijven niet een hoogst onmannelijke bezigheid? Waar armworstelen in hoge mate superieur aan was? Dit zou ze begrijpen. Ze zou bewondering hebben voor mijn standpunt en denken aan Vriend Schrijver, die ik me voorstelde als een diepneurotische inktridder met dunne ledematen. Ik kwam goed te voorschijn uit die vergelijking. En dan zouden we – we zouden, we zouden…

Ik zeg niet dat de Strategie van het Verstenen altijd even succesvol was.

Over de keer dat PJ was afgetuigd hoorden we niks meer, het bleef bij een wild gerucht. Joe zei dat hij bloeduitstortingen bij haar oor en boven haar oog had gezien, die toen al over hun hoogtepunt heen waren en zich terugtrokken in een verblekend geel waas. Ze had er verder niets over gezegd.

Niet veel later werd duidelijk dat het geen incident was geweest: ze kwam opnieuw beschadigd thuis. We begrepen dat ze weigerde aangifte te doen. De wet verbiedt weliswaar het mishandelen van meisjes met pijpenkrullen en een schitterend breed gezicht, maar zonder aangifte heb je daar niets aan. Het Witte Huis werd haar revalidatieoord. Ditmaal stuurden Joe en ik een grappige beterschapkaart met een hond erop met zijn staart in het verband.

Nu reageerde ze wel – door op een ondoorzichtige, natte zaterdagmorgen op mijn deur te kloppen.

– Ik stoor toch niet hoop ik Fransje? Regina zei dat Joe hier misschien was.

Maar Joe was waarschijnlijk bij Natte Rinus aan het werk. Hij had een afgeschreven shovel van zijn werkgever Betlehem Asfalt gekocht en knapte dat ding op. Hij wilde meedoen aan een of andere race, meer wist ik er niet van. Ik gebaarde PJ plaats te nemen op de stoel tegenover mij. Toen zag ik het: haar gespleten onderlip. Twee krammen hielden de scheur bij elkaar, op haar kin zat een misvormende rode bult. Er schoten woedetranen in mijn ogen maar PJ schudde haar hoofd.

– Het ziet er erger uit dan het is. Een lief kaartje, dat jullie hadden gestuurd. Maar hoe is het met jou Fransje, ik hoor allerlei dingen over je, dat je aan een soort wedstrijden meedoet? Met je arm?

ARMWORSTELEN, schreef ik. De handvatten en het vierkant van krijt stonden nog altijd op het tafelblad, ik nam de beginpositie in en gebaarde haar hetzelfde te doen. Ze zette haar arm tegenover de mijne in de box van vervagend krijt, onze handen sloten zich ineen.

– En nu?

Ik drukte een beetje en zij drukte terug.

– Dat is het?

Ik knikte en liet los. Dat was het.

– Nee, nou doorgaan! Ik wil nou wel voelen hoe sterk je bent.

Ze lachte en vertrok haar gezicht van pijn door het trekken van de gescheurde lip. Ik zette mijn arm weer in de box en drukte haar heel beheerst tegen het tafelblad, alsof ik haar neervlijde op een bed.

– Ik kon helemaal niks, zei PJ verbaasd. Geen wonder.

VOLGENDE WEEK TOERNOOI ROSTOCK, schreef ik. GA MEE.

– Rostock? Waar is Rostock?

MECKLENBURG-VOORPOMMEREN, A/D OOSTZEE.

Het prijzengeld van Rostock was hoog en er was sprake van dat Islam Mansur zou meedoen.

– Daar gaan Joe en jij naartoe? Misschien ga ik wel mee. Ik wil voorlopig niet terug naar Amsterdam.

Ze lachte weer, voorzichtiger nu.

Zo kwam het dat Joe en ik op vrijdagmorgen stopten bij het Witte Huis om haar op te halen. De zwelling op haar bovenlip was op z'n retour, de krammetjes waren uit haar lip verwijderd. Ze had een slappe bruine schoudertas om. Ze reisde licht, voor een meisje. Joe deed de achterklep voor haar open, ze klom in de auto en zei goedemorgen tegen mij. Kathleen Eilander kwam het huis uit in een duster die glom van slijtage, maar zelfs in dat vod was ze nog aantrekkelijk met borsten waarvan je zag dat ze een beetje hingen.

– Pas je op mijn dochter Joe, zei ze met dat rare accent van haar, ze is mijn enige.

Ik denk dat Kathleen Eilander voelde dat ik vanachter het raam naar haar keek want ze sloeg opeens haar armen over elkaar alsof ze het koud had. Ik had gekeken om materiaal te verzamelen voor toekomstige masturbatiefantasieën, en wendde vlug mijn blik af. Kathleen keek ons na maar zwaaide niet.

Het was stil in de auto, de eerste paar uur. Ik kon niet uitmaken of het een pijnlijke stilte was of niet.

– Honger! zei Joe toen we een goed eind op weg waren in Duitsland.

We stopten bij een tankstation. Een toiletjuffrouw mopte de vloer in de plees, buiten dreunde het verkeer ritmisch over oneffenheden in het betonnen wegoppervlak.

– Ik heb voor jou ook Kartoffelsalat met een curryworst besteld, zei Joe toen ik aanschoof. Je moet goed eten.

Mijn blik zwierf naar de koelkast met de glazen deur naast de counter.

– Bier komt eraan.

Aan de tafel naast ons zat een man die zijn bestek napoetste met een servet. PJ had een stille dag, wij kregen haar daar niet uit. Joe stond op van tafel en ging de klapdeur door, het tankstation binnen. Hij kwam terug met een Falk-wegenkaart van Duitsland, vouwde hem half uit op tafel en volgde onze route met zijn vinger.

– Hé, het dorpje Lilienthal, hier, bij Bremen. Herinner je je Lilienthal nog?

Zeker herinnerde ik me Lilienthal, Otto, de ingenieur die met vleugels op zijn rug een paar meter gevlogen had in de negentiende eeuw. Joe's wijsvinger ging verder langs de E 37 die bij Bremen overging in de E 22 naar Hamburg, en dan door naar Lübeck. De Oostzee! Van daaraf een eind parallel aan de kust, langs Wismar, dan Rostock.

In de namiddag reden we het haventerrein van Rostock op. Het was al bijna donker. We zagen grote ferryboten, flonkerende paleizen die wachtten op afvaart naar Kaliningrad, Helsinki of Tallinn. We reden langs supermarkten waar Scandinavische passagiers groot alcohol en tabak inkochten. Joe stuurde de wagen een kade op en we passeerden een muur van dennenstammen die harstranen lekten. De geur was overweldigend. Aan het eind van die kade werd een schip vol metaalschroot gelost, verblindend verlicht met bouwlampen. Een grijper hapte in het restmateriaal van de hooggeïndustrialiseerde wereld, uit het ruim kwamen geperste autowrakken, koelkasten, velgen en ondefinieerbare afgeschreven gebruiksvoorwerpen te voorschijn. Slingerend werd het spul aan land gehesen en losgelaten boven een apocalyptische berg schroot.

– Ach kijk nou, zei Joe, het eind van alle beweging.

Achter ons was een geluid. PJ werd wakker, haar hoofd verscheen tussen de stoelen.

– Waar zijn we? vroeg ze met haar slaapstem. O wauw.

We keken naar het verwerkingsproces en fantaseerden over het einde van de wereld, maar dan stilletjes ingezet aan de achterkant, in de voorhoede ging de consumptieve verkwisting gewoon door en wist niemand er nog van. Joe had het over entropie en de wet van het onherwinbaar verlies. Hij reed een eindje achteruit tot bij de muur van sparren, waar we zicht hadden op de volgende stap op de weg van het schroot. Een kraan slingerde een magneet in het rond ter grootte van een Mini Cooper, en selecteerde daarmee metaalresten die op vrachtwagens werden geladen. Het moment dat de kraanmachinist het magnetisch veld ophief, viel het metaal met scheurend geraas in de laadbak.

Op de parkeerplaats rechts van ons stond een eenzame Trabant met een handbeschreven vel op de achterruit: ZUM VERKAUF. Een ferry blies drie holle signalen voor vertrek.

We reden langzaam over het haventerrein, op ruim bemeten parkeerplaatsen stonden vrachtwagens in het gelid, er waren kades met tientallen geleedpotige kranen die hard afstaken tegen de hemel die vol kunstlicht was. Wanneer we even stilstonden en Joe de motor afzette, hoorde je het gelukzalig dreunen van dieselmotoren en generatoren. We raakten in de verheven stemming die je hebt wanneer je iets ziet dat groots en ondeelbaar is. PJ boog zich voorover.

– Ik vind het heel leuk om hier met jullie te zijn, zei ze. Dat wilde ik even zeggen.

Ik keek strak voor me uit naar het zwarte water dat glom als olie, Joe startte de wagen.

– We gaan het havenrestaurant maar 's opzoeken.

We zochten onze weg tussen loodsen, een energiecentrale en het grootste aantal benzinestations dat we ooit hadden gezien. We vonden de Ost-West-Straße gemakkelijk, feitelijk was het de hoofdstraat van dat deel van de haven, waaraan ook het Hafenrestaurant lag. De namen daar gaven niks anders weer dan de functie van het object. Het Hafenrestaurant was een laag en vierkant gebouw met alleen een begane grond. MITTAGESSEN AB 2,50 lazen we op het raam, uit het gebouw stak een lichtreclame van Rostocker Pils. Ja graag.

Binnen, onder het systeemplafond met tl-bakken eraan, vonden we twee wedstrijdtafels en een menigte mannen. Nauwelijks vrouwen, zodat alle visuele aandacht opeens in agressieve, ongecontroleerde golven in PJ's richting gutste. De meeste mannen zouden bij het zien van een vrouw als zij signalen van begeerte uitzenden, maar in het havenrestaurant was het nog een graadje erger: we hadden te maken met een publiek dat weinig omgang met vrouwen had: vrachtwagenchauffeurs en zeelui. Toch dacht ik niet dat PJ schrok van de hormonale turbulentie die ze veroorzaakte.

Ik was een minuut of tien erg chagrijnig toen ik hoorde dat Islam Mansur er niet zou zijn. Ik had de Arm-Heilige aan het werk willen zien, om een glimp van zijn strategie te doorgronden. Wel waren er Aziaten, negers en talloze karpatenkoppen, hardgebakken kerels maar ook scharminkels van wie je je afvroeg hoe ze zich staande hielden onder het afmattende arbeidsregime van een haven of een schip. Joe en ik wisten dat we getuige waren van iets bijzonders, een plaats aan de rand van de wereld vol mannen van alle continenten die een leven lang in beweging waren voor het maandelijks loon. PJ stelde voor drinken te halen, Joe zei 'laat mij maar' om de hengstige sfeer daarbinnen niet verder op te drijven. Ik kreeg mijn Rostocker Pils, er was zelfs een rietje. We hadden bijna negen uur gereden, PJ had geslapen maar wij niet, wij waren wakker van een opwekkend soort verwachting.

Om halfnegen nam ik voor het eerst mijn positie in. Ik was er nu beter aan gewend om kortstondig het middelpunt van de aandacht te zijn, zodat ik me goed kon concentreren. Eigenlijk wilde ik mijn tegenstander helemaal niet zien, hem geblinddoekt te lijf gaan, omdat gedachten en verwachtingen over hem alleen maar afleidden van de Strategie.

De eerste tegenstander leek mee te doen omwille van een weddenschap of uit de hand gelopen grap. Zonder onverschillig te worden verpletterde ik hem volkomen. Het deed me plezier om PJ te horen klappen van verrukking. Wacht maar tot het echt begint, zei ik in gedachten tegen haar. Joe hielp me van de kruk in mijn stoel, we posteerden ons afzijdig van het gewemel bij de ingang tussen gele, stervende dwergficussen. PJ kroop voor het eerst die dag uit haar cocon van stilte.

– Die arm van jou! Het leek wel een bovenbeen, bijna eng om te zien… die aderen!

Joe knikte tevreden.

– Een soort bovenbeen ja. Zit maanden werk in.

Ik grijnsde ongemakkelijk en zoog bier door het rietje. Deze dag, alle wedstrijden, ik zou het allemaal aan haar opdragen, ik zou ze één voor één verpletteren tot er geen meer over was.

Aan de tafels gingen de wedstrijden intussen door, licht- en zwaargewichten elk aan een tafel. Het bloeddronken geschreeuw in vele talen verstomde alle gedachten. Joe probeerde mijn volgende tegenstander aan te wijzen in de menigte, een Rus die steeds aan het zicht werd onttrokken door de massa lichamen die heftig bewoog op het ritme van de wedstrijd. Toen kreeg ik hem in beeld, Vitali Nazarovitsj, bleke huid en fletsblauwe ogen. Onder zijn T-shirt had hij het bovenlichaam van advertenties voor Calvin Klein. Ik draaide mijn hand rond. Soepelheid geeft een levende hand, zegt Musashi.

Korte tijd later keek ik tegen de nekspieren van Vitali Nazarovitsj aan, die uitstaken als boomwortels. Ik denk dat ik zo van armworstelen hield vanwege de vrolijke stompzinnigheid ervan. Er waren geen verborgen boodschappen en bedoelingen. Geen woord, en toch was er sprake van indringend primair contact. Nazarovitsj was werksterk, wat anders was dan sportschoolsterk, het soort dat knapt als een ballon wanneer je 'm te zwaar belast.

Het hing erom wie het eerste potje zou binnenhalen. We maakten de drie minuten helemaal vol en eindigden onbeslist. In de rust merkte ik dat Nazarovitsj naar PJ keek. Niet stiekem of met een blik die pseudo-toevallig langsgleed, nee, openlijk en zelfverzekerd. Ik durfde niet te kijken of ze zijn geflirt beantwoordde.

Tot dan toe hadden de Rus en ik een gelijkmatig ritme. Dat was nu verbroken. Voorafgaand aan de grote krachtsinspanning was er een helle flits in mijn hoofd, een bliksem. Ik kwam zo sterk naar voren dat ik even bang was dat de aanhechting van mijn spieren zou scheuren. De Rus kreunde toen hij neerging. Hoera voor creatine.

Joe stak zijn duim naar me op. De Rus schudde zijn hoofd in de richting van twee van zijn maten. Ik wilde dat hij die nacht zou woelen op zijn brits over een totale nederlaag die hij niet begreep, dat zelfs de lust tot masturberen hem zou zijn vergaan. In zijn droom zou hij zijn kinderangsten herbeleven, de volgende dag zou hij moe en prikkelbaar zijn.

Nazarovitsj stak zijn kaak agressief naar voren aan het begin van de derde match, maar ik had zijn krachten gepeild, hij kon mij niet verslaan. Een gelijkspel was het maximale wat hij tegen mij kon behalen. Met deze wetenschap viel ik aan.

'... ga met een kalme geest in de aanval, terwijl u van het begin tot het einde voortdurend het gevoel houdt dat u de vijand gaat verpletteren. Het moet uw mentaliteit zijn om de vijand volledig te overwinnen. Dit is Ken No Sen.'

En dat was het eind van de derde ronde. De Rus kon terug aan boord van zijn smerige vrachtvaarder. Hij zou mij niet vergeten.

– Je kwam ver naar voren, zei Joe. Zo ver heb ik je nog nooit naar voren zien komen. Het werkte goed. Pas wel op dat je niet uit de box schiet, let op je evenwicht.

Nummer drie was een Tsjechische vrachtwagenchauffeur op leren klompen. Hij stonk uit zijn bek naar oud bloemenwater, wat niet zo erg was geweest als hij niet de gewoonte had om krachtig uit te ademen onder het worstelen. Achter mij zei een Duitser dat ik 'het lichaam had van een kind maar de arm van een zwaargewicht'. Daar kon ik mee leven.

De Tsjech ging eraf in twee rondes.

Om mij heen groeide het soort bewondering dat wordt gevoed door onbegrip en ontzag. Een van de zwaargewichten, een reus van honderdtwintig kilo, kwam mij zonder iets te zeggen de hand schudden. Hij zei iets tegen Joe, we dachten dat het Pools was.

– Ik denk dat het iets goeds betekende, zei PJ toen hij weg was. Hij keek niet kwaad geloof ik.

Opeens voelden we ons nogal misplaatst in het Hafenrestaurant, tussen die menigte buitenmaatschappelijke elementen uit een wereld die échter – want harder – leek dan de onze. We lachten bemoedigend naar elkaar en besloten het ons tot in detail te herinneren.

Er werd schitterend geworsteld daar, en het begon steeds sterker naar knoflook en bier-adem te ruiken. Joe haalde drie broodjes worst en twee halve liters voor hem en PJ, en een fles Rostocker voor mij. Als het even kon had ik het liefst flesjes. Na ma kende niemand mijn gebruiksaanwijzing zo goed als Joe. Hij hoefde bijna nooit iets te vragen, het meeste wat hij over me wist kwam uit zijn eigen opmerkzaamheid voort. Dat was al zo sinds hij het elektriciteitshuisje opblies waar de kermis z'n prik vandaan had: ik geen kermis, dan niemand kermis.

In Rostock wekte ik meer vertrouwen dan in Luik, waar slechts een enkeling op mij had ingezet. Hier ging het stukken beter, geld flitste heen en weer onder het noemen van de naam die ze me daar gegeven hadden: das Ungeheuer. Het was de één na laatste wedstrijd: won ik die, dan stond ik in de finale.

Ik zat tegenover een stoïcijn. Stoïcijnen vreesde ik het meest. 'Als u denkt: "Dat is een meester in de Weg, die de principes van het zwaardvechten kent," dan zult u zeker verliezen.'

Het was een vierkante Aziaat, niet erg lang maar met imponerende schouders. Natuurlijk was ik extra op m'n hoede omdat ik aannam dat Aziaten van nature dichter bij de Strategie van de samoerai stonden dan wij.

Hij had een ijzeren greep maar ik sloeg net iets sneller toe zodat mijn hand boven kwam. Hij kwam er direct overheen met een tegenaanval die me compleet uit het lood sloeg. Hij drukte met alles wat hij had en kermde alsof hij stenen scheet.

– Kom op Fransje! riep PJ met de zenuwen in haar stem.

Maar er was geen houden meer aan, ik was op verschrikkelijke wijze aan het verliezen. Hij gebruikte alleen de Vuur en Stenen Slag, zo hard mogelijk rammen in de hoop op een snelle overwinning – die hij kreeg. Tot er een wonder gebeurde, een wonder, niet minder: een heftige rilling die vanuit zijn arm doortrok naar de mijne. De Aziaat slaakte een scherpe kreet en ontspande plotseling al zijn spieren waardoor we terugveerden naar het nulpunt. Hij rukte zijn hand uit de mijne en greep met de andere hand naar zijn onderarm, waarbij hij heel andere pijngeluiden maakte dan wij: een soort hoog en langgerekt janken dat ninja's maken in tekenfilms. Joe schoot op me af, 'Wat gebeurde er?!', en na een paar minuten bleek mijn vermoeden juist: de Aziaat had door de kracht van zijn eigen aanval een pees in zijn onderarm gescheurd.

Het oog van de naald.

– Hoe erg kun je zwijnen, zei Joe.

– Ik hád het niet meer, zei PJ terwijl ze in mijn goede schouder kneep. Hij keek zo… gemeen, alsof er geen verschil was tussen dit of iemand vermoorden.

De finale zou gaan tussen mij en ene Horst, achternaam onbekend, maar eerst keken we naar de halve finales van de zwaargewichten, en zagen hoe de Pool die mij een hand gegeven had zijn tegenstander verpletterde. Het was groot machtsvertoon, de alfadieren op hun best.

Het zat me dwars dat ik daarna nog moest. Het publiek kwam voor entertainment, een paar uur zonder gedachten zijn. Toen ik opging heb ik daarom – voor het eerst in mijn leven – mijn handicaps een beetje overdreven. Horst, die op een noorman leek met zijn blonde baard, was er een beetje door van slag, dat hij een soort Quasimodo tegenover zich kreeg. Het publiek deed wat het moest doen: op mijn hand zijn. Ik keek de kring rond. De stemming was geladen, er kon elk moment iets gebeuren. Een kleine man schreeuwde naar me waarbij vlokken schuim uit zijn mond spatten. Horst nam de beginpositie in. Mijn hand verdween in de zijne.

– Ready… Go!

Horst drukte me zonder met zijn ogen te knipperen voorbij de vijfenveertig-graden-grens. Dat is kritiek. PJ gilde zacht. Uit alle macht probeerde ik me uit die positie te werken. Ik putte uit reserves die ik nog niet eerder had aangesproken en kwam terug tot vlak onder het nulpunt, waarop Horst gewoon een nieuwe aanval inzette. Ik kwam nooit uit de verdediging, en hoewel Horst het potje won, leek hij ontevreden dat hij me niet op het tafelblad had gekregen.

Ik draaide mijn hand. Starheid betekent een dode hand. We begonnen opnieuw.

– Tut-TUT! riep Joe.

'U slaat met een snelle beweging toe terwijl u de vijand uitscheldt.'

Kom maar op dan blonde hufter. Maar mijn aanval strandde op de zijne. Nazizwijn. Ik zag in wat mijn enige mogelijkheid was: zijn pols buigen, waarvoor ik hem een beetje naar me moest toe halen omdat ik anders niet over zijn dode punt heen kwam. Soepelheid geeft een levende hand. Ik keek naar Joe, die een snelle blik op zijn stopwatch wierp.

– Dertig seconden!

Dertig seconden. Fuck jou, Kartoffelsalat.

– Vijftien!

Ik had hem heel langzaam een eindje in mijn richting gekregen, volgens Het Kennen van de Momenten moest het nú. Hoewel zijn hand groter was, was de mijne sterker omdat alle fysieke verrichtingen in mijn leven afkomstig waren van handkracht. Ik zette zoveel kracht op mijn pols dat mijn kiezen kraakten, zijn pols boog ver achterover. Het viel perfect in het eindsignaal, de scheidsrechters wezen mij unaniem als winnaar aan. Ik had gewonnen met een subtiliteit, het was mijn meest strategische overwinning tot nu toe.

Nog één ronde. Mijn arm voelde nog goed, geen kramp of verzuring, ik voelde me in staat zijn moreel te breken. Horst Worst begon de derde match met nauwelijks zichtbare tegenzin. Hij had erop gerekend met twee keer klaar te zijn en zat nu nog met een gelijkspel. En een tegenstander wiens muze toekeek. (Zie je me PJ? Bewonder je me?)

Oké Horst Wessel, het duurt maar even. Ik zal je afbreken lelijke puistenkop. Met je flikkerse baard. Doet het zeer? Frans de Arm calling, of je klaar bent voor de totale vernedering. Het doet maar even pijn. Komt ie: in de naam van de Vader… de Zoon… en de Heilige Geest…

Horst ging ver neer maar niet helemaal. Ik wilde hem volledig neerslaan en dacht aan schreeuwen. 'Schreeuw al naar gelang de situatie. De stem is iets levends. Wij schreeuwen tegen het vuur, tegen de wind en tegen de golven. De stem laat onze energie zien.'

Mijn eerste schreeuw had iets verkrampts, ik had al zo lang niet geschreeuwd. De tweede was al voller, sterker. Pas de derde was een schreeuw die ik zelf geloofde: rond en krachtig en de belichaming van de strijd. En Horst boog. 'Wij schreeuwen nadat we de vijand hebben neergeslagen – dat is om de overwinning uit te roepen.'

Sterf hond.

We aten Italiaans in het centrum van Rostock. Het liep tegen middernacht, in de Burger King aan de overkant werd schoongemaakt. Er kwam een fles rode wijn en bier op tafel. Het was sensationeel geweest, mijn arm schokte van de energie die zich ontlaadde. PJ voerde me Quatro Stagioni en tomatensalade met basilicum. Tussendoor rookte en dronk ik – alles tegelijk en in onfatsoenlijke hoeveelheden. We voelden ons autonoom en heroïsch. We dachten aan Lomark en lachten omdat we de wereld aan het veroveren waren. We zouden rondtrekkende ronin zijn, landloze prijsvechters zonder heer, en vrij zijn onder de levende hemel. Ik was extatisch en wilde dat het nooit zou eindigen, en dat is meestal het moment dat de tent gaat sluiten. We konden nog een fles wijn en een paar flessen bier meekrijgen in een plastic tas, maar dan was het echt Schluss. We gingen lachend en lawaaiig, het was een groots gevoel dat er iets was verlopen zoals we het van tevoren hadden gedroomd.

Nu moesten we een hotel zien te vinden. Men wees ons de weg naar het station, dat baadde in onwerkelijk groen licht. Vlak bij het station was het InterCity Hotel, dat vol was vanwege een beurs voor de offset-industrie.

– Anders rij ik wel terug, zei Joe.

Nog steeds vrolijk verlieten we de lege stad. In het satellietdorp Kritzmow kregen we een laatste kans: langs de weg lag Kritzmow Park, met een supermarkt, een bank, een *Spielparadies* en een hotel. We parkeerden de auto en dwaalden door de verlaten voorzieningenkern tot we Hotel Garni vonden.

– Goed, zei Joe, je weet nooit.

Hij drukte op de bel en herhaalde dit na een minuut of twee. Er klonk gerommel in de intercom, en toen een vrouwenstem.

– Ja?

Maar de deur bleef dicht, inchecken kon maar tot acht uur 's avonds. Maar Joe had nog een laatste kaart in zijn mouw, en zei dat we een gehandicapte bij ons hadden, eentje die héél moe was. Waar hij het woord Behinderte vandaan haalde was een schitterend raadsel. Het stemde tot nadenken in de intercom. Uit een ooghoek zag ik op de eerste verdieping een gordijn bewegen, en ter illustratie van mijn gebreken reed ik een meter heen en terug. Toen zoemde de deurontsluiter.

De vrouw boven aan de trap was kortaf maar niet onsympathiek. Ontbijt tot tien uur. PJ kreeg een kamer alleen, Joe en ik deelden een kamer met een tweepersoonsbed. We dronken door op onze kamer maar de extase kwam niet terug, de ervaring was dun geworden. Na een half flesje bier wenste PJ ons goedenacht en ging naar haar kamer. Joe hing gevloerd in een fauteuil, ik lag achterover op bed.

– Ik zag wat je deed, zei hij met zijn ogen dicht. Je trok hem langzaam naar je toe, maar zo dat hij het niet merkte. Het was briljant. Ik wíst dat je om de tijd vroeg toen je keek, ik wíst het.

Hij nam een slok maar de fles was leeg.

– Heb jij nog?

Maar ook ik was leeg. Hij kwam overeind en keek de kamer rond naar de plastic tas met flessen uit het restaurant.

– Kut, dan staat ie bij PJ.

Hij ging even de kamer uit en sloot de deur zacht achter zich.

Toen ik wakker werd stond er 03:52 op de display van de wekkerradio. In alarmrode getallen. Het licht brandde, ik had mijn kleren aan, Joe's kant van het bed was onbeslapen. De schok was later dan de waarneming: hij was al bijna twee uur weg. Een verlammend besef verspreidde zich door mijn lichaam: Joe en PJ...

Ik zat rechtop in bed, bestormd door beelden van Joe en PJ die een wereld waren binnen gegaan waar ze mij niet meer nodig hadden. Aan een eenpersoonsbed hadden ze genoeg. Dat ík alleen op een tweepersoonsbed lag verdikte het gif. Ik had het zelf veroorzaakt, ik had haar meegevraagd, uit ijdelheid, omdat ik wilde dat ze me zou bewonderen. Voor haar had ik het toernooi gewonnen – en Joe nam de hoofdprijs. Het hete beest van jaloezie vrat in mijn innerlijk. Hij wíst wat ik voor haar voelde, hoe kon hij het niet weten! Dit maakte hem technisch gesproken een verrader. Joe Verrader. Onze verwantschap, mijn altijddurende overgave aan hem: betekenisloos. De ramp had niet groter kunnen zijn, dit was een crisis waarvan de gevolgen niet waren te overzien. Ik zou worden teruggeworpen in de diepste eenzaamheid. Nooit meer worstelen. PJ nooit meer zien, Joe niet, hen voor de rest van mijn leven mijden als de pest. Er nooit een woord over loslaten maar in hooghartige verbittering opbranden aan mezelf.

04:37 en hij was nog altijd weg. Joe en PJ; ik had die mogelijkheid nooit serieus genomen. Ik zweer het. Terwijl ze zo voor de hand lag. En ook zo eenvoudig ging: Joe trok de deur achter zich dicht en alles was anders. Moest ik hem gaan zoeken? Voor haar deur wachten, zacht binnengaan, hen vinden? Naakt, slapend?

Hen wurgen.

ROLSTOELER ROEIT
LIEFDESNESTJE UIT

05:20. Buiten kwam het verkeer op gang.

243

Zaterdagmiddag waren we terug. Op zondagmorgen luisterde ik naar Radio God. Ik liet de zender opstaan, ik wilde haten. Er werd een huwelijk aangekondigd tussen Elizabeth Betz en Clemens Mulder. Die laatste kende ik toevallig, dat was de dakdekker uit De Zon.

– De kerkelijke inzegening zal om halfdrie plaatsvinden, zei de man Gods met vaseline op zijn stembanden.

Ook de dakdekker had dus een vrouw gevonden om kleine dakdekkertjes mee te produceren. En niemand die er wat van zei. De man Gods ging over op de sterfgevallen.

– Mevrouw Slomp die in de leeftijd van tweeëntachtig jaren overleden is.

Orgel, lento.

– Mevrouw Tap die in de leeftijd van zevenenvijftig jaren overleden is.

Orgel, andante.

– De heer Stroot die in de leeftijd van drieënzeventig jaren overleden is.

Orgel, allegro moderato.

– Laat Uw licht schijnen over de rouwdragende families, Heer!

Orgel, allegro con brio.

Toen het volgens de man Gods tijd werd om liefdegaven uit te reiken, draaide ik hem weg voor Sky Radio.

Op woensdag verscheen er een foto van mij in het *Lomarker Weekblad*. Ik worstelde met de Tsjech, we hingen schuin als een schip. 'INTERNATIONAAL SUCCES VOOR TWEETAL UIT LOMARK', stond boven het verhaaltje dat droop van lokaal sentiment. De informatie was correct maar karikaturaal, maar ma was trots op dat verhaaltje. Als ik me niet vergiste had ze meer belangstelling voor de weergave in de krant dan voor de werkelijkheid. Pa zweeg dieper dan ooit, sinds de ontdekking van het bedrog met de briketten leefden wij met de rug naar elkaar, allebei met een ander soort schaamte in onze ziel. Ma zei dat hij het artikel naast de koffie- en groentesoepautomaat had gehangen. 'Het stukske' was wekenlang vertrekpunt van veel van haar conversaties, ze wist niet dat Joe een paar uur na die foto zijn maagdelijkheid verloren had. Dat zijn handen, gewend aan tandwielen en aandrijfassen, nog nooit zoiets zachts hadden gevoeld. Dat hij sindsdien een weerzinwekkend soort gloed om zich heen had, terwijl ik 's nachts de liefde uitziekte als koorts. Ik masturbeerde me wezenloos tegen aanvallen van jaloerse razernij.

Mijn vriend en mijn gedroomde geliefde hadden de driehoek verbroken, de driehoek die de basis was van elke vaste constructie. Ik was losgeraakt van de nieuwe verbinding, een zwevende punt in de duisternis. Sinds Joe terug was in Lomark en bij Betlehem was gaan werken, had ik geloofd in de illusie van onveranderlijkheid. Nu was hij verliefd.

Maar hoe kon ik Joe en PJ uit mijn bestaan verwijderen? Ze waren de enigen met wie ik verwantschap voelde. Ik stond voor een wezenlijk moment in mijn volwassenwording: de capitulatie.

Het kostte grote wilskracht om met Joe om te gaan alsof er niets aan de hand was. We bezochten toernooien en ik bleef hopen op Islam Mansur. Joe heeft denk ik nooit iets gemerkt van de koude diepte tussen ons. Ik twijfel eraan of hij ooit geweten heeft dat ik van PJ hield, dat ik haar begeerde sinds haar eerste dag in Lomark. Hij was nooit erg gevoelig voor het domein van de liefde. Hij vertelde vrijuit. Over hoe PJ Vriend Schrijver had verlaten toen het geweld in hun relatie structureel was geworden. De schrijver was haar nog een tijd blijven lastigvallen omdat zijn pathetische narcisme niet toestond dat híj verlaten werd.

– Soms ben ik er blij om, zei Joe, dat hij het zo heeft verneukt, niet van die mepperij en zo, maar gewoon. Anders was dit nooit gebeurd.

Hij kreeg echt een *zachte* uitdrukking op zijn gezicht wanneer hij zulke dingen zei.

– Alles is anders nu, zei hij, terwijl er eigenlijk weinig veranderd is. Alleen dat met PJ. Ik word wakker met het gevoel dat er iets op me wacht, iets goeds en belangrijks. Elke dag is een belofte. En wanneer ik ga slapen is dat gevoel er nog steeds. Het is een soort perpetuum mobile, een ononderbroken stroom energie die geen brandstof vraagt. Behalve een telefoontje soms, of een kus.

Ik knikte, er kroop maagzuur op in mijn slokdarm. Ik kon hem haten. Ik was vaag geschokt door het gemak waarmee ik dat denkbeeld accepteerde. Op de een of andere manier was het idee me niet onwelkom; het zou gemakkelijker zijn om de man te haten die bezat wat ik het liefst wilde hebben. Intussen hoorde ik hem met masochistisch genot uit. Altijd moedigde ik hem aan méér te vertellen. Alleen over seks, daarover zweeg hij, misschien uit piëteit, misschien uit discretie.

Hij was met haar naar het Dolfinarium geweest, in Harderwijk. In het grote bassin was een show met dolfijnen die werd omlijst door een sprookje met heksen en feeën. Het werd uitgebeeld door lachwekkend slechte acteurs, de droesem van de beroepsgroep. Het draaide allemaal om een wonderparel die door de opperfee consequent 'wondrrpaerrl' werd genoemd. De dolfijnen stonden geheel los van het sprookje, het enige wat die beesten hoefden te doen was soms synchroon opspringen uit het water, met een haring als beloning. Aan het eind was er een liedje van verzoening tussen de heksen en de feeën. De dolfijnen sprongen door een hoepel. Joe en PJ had-

den erg gelachen, het verhaal van de wondrrpaerrl zou een van
hun dierbaarste gemeenschappelijke herinneringen worden.

De novemberhemel was helder en koud en vol oranje condensstrepen van vliegtuigen, oplichtend als vuurpijlen. Hier beneden stond alles in zijn naakte gedaante. In de uiterwaarden stegen ordeloze wolken kieviten op, trage ontploffingen van duizenden exemplaren die voor de vorst uit naar het zuidwesten trokken.

Joe zat al zijn vrije uren achter in de schuur bij Natte Rinus en werkte aan zijn shovel. Toen ik hem daar eens opzocht, zag ik na jaren het vliegtuig weer. Het stond gedemonteerd en beschadigd tegen de achtermuur. Daar, in ellendige staat, stond het object dat me eens had vervuld van krankzinnige hoop — dat er een uitweg was die met groot denken en de wil te maken had. En Joe gaf er niks meer om. Ik had een dikke krop van jankerigheid. Ik baande me een weg tussen een onttakelde 2CV, een antieke hooischudder en nog wat andere machines uit de begindagen van de landbouwindustrialisatie door. Natte Rinus bewaarde alles. Die was zo zuinig dat hij zelfs de vuilnisbak op slot deed wanneer hij het huis uit ging. Hoewel hij niet erg geliefd was in het dorp, had hij tijdens de oliecrisis de lachers op zijn hand gehad met de uitspraak: 'Wat nou oliecrisis, ik tankte vroeger voor een geeltje en dat doe ik nog steeds.'

De vleugels van het vliegtuig stonden rechtop tegen de muur, er zaten akelige winkelhaken in. Ik reikte met mijn hand tot aan het staartstuk en klopte erop met mijn wijsvinger. De huid was nog net zo strak als toen Engel hem gespannen had met tie-rips. Het was een prettig geluid. Het vliegtuig hoorde in een luchtvaartmuseum, het was een wonder dat een paar jongens een luchtwaardig toestel hadden gebouwd, het hoorde het pronkstuk van een collectie te zijn. Vooraan was het het ergst beschadigd, er staken stangen door de gescheurde huid, je keek er zo doorheen. De propeller was losgeschroefd en lag onder de romp, alles was bedekt met een laag plakkerig stof.

– Er zijn dakpannen op gevallen, riep Joe voor in de schuur.

Ik keek om, hij stond op het laddertje naar de cabine van de shovel en zag mij vanaf die hoogte tussen de rotzooi. In het dak van de schuur zag ik het gat, daarboven was de hemel. Rondom het vliegtuig lagen bemoste brokken dakpan. Het stak me dat Joe er niets meer op uit deed, maar zo was hij. Hij maakte iets, verkende de mogelijkheden en liet het dan uit zijn handen vallen. Conservatisme was hem vreemd, hij liet tijd en dakpannen hun werk doen terwijl hij een nieuw hoofdstuk begon in zijn mobiliteitsonderzoek. Hij dacht weinig aan dingen die er niet waren, morgen en gisteren waren er allebei niet zodat ze weinig belang voor hem hadden. Dat deed ik hem niet na. Er waren dagen waarop ik het haatte dat ik met mijn rug naar de toekomst stond; een rivier die terugstroomt de bergen in.

Joe's obsessies gingen altijd over beweging. Beweging aangedreven door de verbrandingsmotor. Ik herinner me een donkere hotelkamer die naar oude jasjes rook, ik denk ergens in Duitsland of Oostenrijk, toen Joe vanaf het andere bed over zijn favoriete onderwerp lag te oreren in het donker. Soms zag ik zijn sigaret opgloeien.

– Angst en overmoed, zei hij, dat is de motor van de geschiedenis. Eerst angst, dat zijn alle gedachten en gevoelens die je vertellen dat je iets niet kunt. Daar zijn er veel van. Het probleem is, ze zijn vaak waar. Maar je hoeft alleen maar te weten wat nodig is, meer niet. Te veel weten leidt tot angst en angst tot stilstand. Het zijn de ploeteraars die je vertellen dat je iets niet kan als je er niet voor bent opgeleid, maar talent trekt zich daar niks van aan. Talent bouwt de motor, de ploeteraar vult olie bij, zo zit het. Wat denk je, dat Fokker wist wat hij deed? Die had niet eens een brevet, alleen talent en een hoop geluk. Overmoed is net zo belangrijk als talent: ik *kan* het niet maar ik *doe* het toch. Dan zie je vanzelf wel of het gaat. We wisten nauwelijks wat we deden toen we dat vliegtuig bouwden, weet je nog? We hebben veel geluk gehad. Sommigen hebben geluk, anderen niet, daar is weinig anders over te zeggen. We konden helemaal geen vliegtuig bouwen, daarvoor hadden we de techniek niet in huis. Maar rekenen kan ik wel, en Engel ook. Engel kan zelfs verschrikkelijk goed rekenen. Rekenen moet je kunnen als je een vliegtuig bouwt. Samen hebben we de sterkteberekeningen gemaakt van de vleugels en de romp. Rekenen en wegen, constant wegen. We hebben een beetje gesmokkeld met de accu, die woog iets van dertien kilo, die hebben we als laatste geplaatst – een beetje achterin omdat hij neuslastig was.

Ik hoorde een diepe zucht in het donker.

– Ik was banger dat het niet zou lukken dan dat ik zou neerstorten.

Zijn gezicht lichtte op in de vlam waarmee hij de asbak zocht.

– Nog één ding Fransje. Energie waar niets mee gebeurt, die niet wordt bewerkt, vervalt tot warmte. Warmte is de laagste vorm van energie. Dan komt bewegingsenergie zoals van de motor, en dan elektriciteit of eventueel atoomenergie. Maar warmte is de laagste trap. Iemand die zweet zet beweging om in warmte, net als een kachel dat doet met brandstof. En warmte is verlies. Entropie Fransje, de wet van het onherwinbare verlies. Daarom is de verhitte, hoog-entropische wereld zo simpel, omdat het allemaal neerkomt op verlies. Wie dat niet ziet is gek. Mensen zijn het grootste deel van hun leven op zoek naar warmte. Een aapje dat kan kiezen tussen twee kunstmatige moeders, een van staal mét voedsel of een van badstof zonder voedsel, kiest voor de laatste. Warmte en genegenheid, eeuwige baby's zijn we. Elkaar vlooien. Maar te veel warmte maakt je suf, je wordt er slaperig van. Dat is de beklemming van veel huwelijken – en is het eenmaal zover dan schreeuwt de geest moord en brand. Dus wat doe je, je koopt een auto of bouwt een boot, zoals Papa Afrika heeft gedaan, want beweging is de grondslag van alle leven. De moleculaire snelheid van een voorwerp bepaalt zijn temperatuur – voeg je daar de factor snelheid aan toe... Jezus, een raket onder zijn kont! Voor veel mannen is de auto nog de enige ontsnapping, de enige uitlaatklep voor de klamme warmte van alle gemaakte beloftes; hun huwelijk, hun hypotheek, de beledigingen van hun werk. Hard rijden en stiekem neuken. Daarom is overspel een burgerlijke daad Fransje, iets voor mensen die te veel beloven, want de belofte roept de overtreding op. Pas op voor lui die te veel beloven, wil ik maar zeggen.

Hij geeuwde.

– Man, wat ben ik moe.

Joe had de shovel, een gele Caterpillar met sterke, functionele vormen, gekocht om mee te doen aan de Paris-Dakar. Er had nog nooit iemand meegedaan aan de Paris-Dakar in een shovel, en omdat de reglementen het niet verboden zou Joe het als eerste proberen. Ik zag niet wat hij eraan vond, maar hij beschouwde de shovel als de kroon op de kinetische schepping. Het was een verschrikkelijke hoop werk om die zware machine zodanig te modificeren dat hij geschikt zou zijn voor de rally.

Joe's grootste probleem was de traagheid van dat ding. Motorvermogen had hij genoeg, maar het aantal omwentelingen van de tandwielen op de steekassen was te laag, legde hij uit, zodat hij nooit de gewenste snelheid kon bereiken. Bij een machinefabriek liet hij vier grotere steekastandwielen maken, een voor elk wiel, en intussen verbouwde hij de cabine. Door de stijve constructie zou het onmogelijk zijn om het uit te houden daarbovenin, helemaal op de te verwachten ondergrond van de steenwoestijn. Daarom kwam de cabine in haar geheel op veren te staan en plaatste Joe een luchtgeveerde chauffeursstoel uit een vrachtwagen om zijn nieren op hun plaats te houden wanneer hij met zo'n honderd kilometer per uur over stenen en door kuilen raasde. Om tot die voor een shovel krankzinnig hoge snelheid te komen, voerde hij het toerental op door een zwaardere veer in de brandstofpomp te monteren. Nu maakte de motor 2500 toeren, in de schuur stond een racewagen van bijna negenduizend kilo.

We waren in Halle, aan het eind van een zenuwslopend toernooi waar ik ternauwernood derde was geworden, toen we het hoorden van Engel. Joe telefoneerde naar huis vanuit de hotelkamer, het raam stond open en liet straatgeluiden en lenteadem binnen. Even later legde hij de hoorn behoedzaam op het toestel en keek me aan.

– Engel is dood, zei hij.

Ik begreep eigenlijk maar één ding en dat was dat ik een blind verlangen had naar de tijd vóór die mededeling, toen de constructie van de wereld nog niet was ontwricht.

Joe wilde meteen naar huis. Ik was het liefst in het hotel gebleven om de minibar te laten bijvullen en weer leeg te drinken net zo lang tot de wereld in haar oorspronkelijke staat hersteld zou zijn, maar niet veel later reden we in stilte door de nacht. Het radium op het controlepaneel verspreidde een groenige gloed, nooit eerder had het me zo aan een stem ontbroken om holle woorden van ontzetting te spreken.

We wisten niet meer dan dat Engel overleden was als gevolg van een ongeluk. Ik dacht banale dingen, zoals hoe zijn spullen naar huis zouden komen, dat de prijs van zijn werk omhoog zou gaan en hoe lang het zou duren voor het stoffelijk overschot niet meer op Engel zou lijken. Ik was teleurgesteld dat de dood van een vriend geen betere gedachten opleverde. Om vier uur 's nachts reden we Lomark binnen. Lichte plekken in de lucht gingen aan de nieuwe dag vooraf, we reden over de Lange Nek naar de Veerkop, naar Engels ouderlijk huis waar nog licht brandde. Joe vloekte en ik denk dat we op dat moment pas begrepen wat de dood van Engel voor zijn vader moest betekenen.

– Kom, we gaan naar binnen.

Joe reed me over het tegelpad langs de zijkant van het huis. In de voorkamer, onder de lamp boven tafel, zagen we een gebogen gestalte. We hadden het liefst rechtsomkeert gemaakt. In de achtertuin hingen de fuiken voor als straks de paling weer ging lopen, de buitenboordmotor hing in een olievat. Joe klopte op de achterdeur. We hoorden stommelen voordat het licht van de bijkeuken aanging en Eleveld opendeed. Het leek er niet op dat hij al naar bed was geweest.

– Jongens.

Joe stond schoorvoetend voor hem.

– Meneer Eleveld, we waren in Duitsland... we zijn meteen gekomen. Is het waar? Dat Engel...

– Het is verschrikkelijk jongens. Verschrikkelijk.

Gebogen ging hij ons voor de bijkeuken in, ik had nog nooit zoiets hartverscheurends gezien. Engels noren hingen aan een spijker, op de vloer stond een rij schoenen die hij vroeger gedragen had, netjes naast elkaar op kranten.

We zaten rond de tafel in de woonkamer. Eleveld was alleen thuis, hij had het nieuws die middag telefonisch gehoord van een politieman in Parijs.

– Of ik de vader was van Engel, vroeg die man, en beschreef hoe hij eruitzag. 'Ja meneer,' zei ik, 'dat is mijn zoon.' Toen zei hij dat hij slecht nieuws had.

Eleveld draaide van ons weg. Op tafel lagen prospectussen van Begrafenismaatschappij Griffioen. Ik trok ze naar me toe en bladerde uit ongemak door het boek *Ideeën voor rouwarrangementen*. Suggesties voor afbeeldingen op rouwkaarten waren treurwilgen, scheepjes op zee, christelijke pictogrammen en duiven met guirlandes in de snavel. Achterin vond ik de voorbeelden voor teksten waar Eleveld kruisjes bij had gezet:

6. Tot weerziens

10. Woorden schieten tekort

19. Vechten hoeft niet meer, rust nu maar uit

21. Een goede herinnering is zo dierbaar dat alleen bloemen erover kunnen spreken.

Uit de bijbehorende prospectus 'Richtprijzen bij het boek *Ideeën voor rouwarrangementen*' begreep ik waar Griffioen zijn Mercedes S600 van reed.

– Maar hoe is het gebeurd, vroeg Joe schor, weet u dat?

Eleveld schudde zijn hoofd.

– Mijn talen zijn niet zo best... zoals ik het begrepen heb heeft Engel een hond op zijn hoofd gehad. Van het balkon van een flat. Een hond.

Het leek er niet op dat Eleveld bevatte wat hij zojuist had gezegd: dat zijn zoon een hond op zijn hoofd had gekregen in Parijs. Het was zo surreëel dat zich heel even een hoopvol perspectief opende: wat als het niet waar was, dat Engel leefde en ons de stuipen op het lijf joeg met kúnst? Maar als je naar de oude Eleveld keek, wist je dat dat niet waar kon zijn; om onze reactie had Engel kunnen lachen, zijn vader zou hij zoiets niet aandoen. Over twee dagen zou hij worden thuisgebracht, de verzekeringsmaatschappij had een rouwtransporteur ingeschakeld die hem ophaalde uit een koelhuis langs de Seine.

We verlieten Eleveld in de ochtendschemering, in Lomark sloeg de klok vijf uur, overal was vogelgezang.

– Engel heeft de zwaartekracht ontdekt, mompelde Joe toen hij me inlaadde.

Maar hij had dezelfde twijfel als ik, want toen hij me thuis afzette zei hij: 'Ik geloof het pas als ik hem zie.'

Dat gebeurde op dinsdagmorgen. Engel lag opgebaard in de rouwkamer van Griffioen, ik ging erheen met Joe en Christof. Een medewerker sloot de deur zacht achter ons, we waren alleen in de koele, geluiddichte ruimte met de kist in het midden. Er stonden vier grote kaarsen omheen.

– 't Is 'm ook nog, zei Joe zacht.

Ik kwam omhoog en steunde op de rugleuning voordat ik hem zag, onder een frame van kaasdoek dat over het einde van de kist was gespannen. Onder zijn kin zat een beugel die de onderkaak op zijn plaats hield, hij had kleurloze lippen en ingevallen wangen. Zijn jukbeenderen staken op een heilige manier uit. Dit was Engel, mijn eerste dode. Mijn arm knikte, ik moest gaan zitten. Het zoemende koelelement onder de baar was een monotoon requiem bij het ontbreken van onze vriend. Aan de overkant van de baar zat Christof hoorbaar te huilen op een stoel. Ik had hem nog nooit horen huilen. Het irriteerde me. Hij stiet gefraseerde klanken uit op het ritme van zijn ademhaling. Het leek of hij zich Engels nagedachtenis toe-eigende door luidruchtiger te zijn dan wij.

Plotseling zag ik dat Joe, Christof en ik weer in een driepuntsverbinding stonden, net als toen we jong waren en ik Engel alleen nog maar kende als mijn zwijgende helper met het urinaal.

Joe haalde het frame van de kist en legde zijn geschonden hand op Engels wang. Geconcentreerd staarde hij naar het gezicht waarvan je nu kon zien dat het was ontwricht door de klap. Wat voor hond het was geweest wisten we niet, alleen dat het beest van de negende verdieping van een flatgebouw was gevallen in een buitenwijk van de Franse hoofdstad, precies op het hoofd van de één na laatste Eleveld van Lomark. Er was een verband tussen die familie en dingen die uit de lucht kwamen vallen, of dat nu honden waren of verkeerd bezorgde duizendponders van de geallieerde luchtmacht. Ik had een vinger gegeven voor Engels laatste gedachten voordat het noodlot hem trof in de vorm van de Canis familiaris, al vijftienduizend jaar de trouwe bondgenoot van de mens.

Die middag ging ik met ma naar Ter Stal voor een pak. Mijn arm was te dik geworden voor de mouw van het jasje – 'Da's verdorie ook voor het eerst,' mopperde ma – en mijn gedeformeerde onderstel zou het uiterste vergen van haar inventiviteit op de naaimachine. Bijpassende schoenen kon ik vergeten, het werden dezelfde blokken hout als altijd, zij het glanzend gepoetst.

– 't Is voor die jongen van Eleveld zeker? vroeg de kledingverkoopster.

Hoewel ik vond dat het meisje zich met haar eigen zaken moest bemoeien, nam ma gretig plaats in het vrouwenkoor dat zo graag andermans rampen bezingt.

– Verschrikkelijk zoiets, zei ze. Sommigen blijft niets bespaard. Fransje ging veel met hem om.

– En die vader, die is nu alleen zeker? Eerst z'n vrouw, nu z'n zoon…

Ma keek devoot naar boven.

– We kunnen Zijn bedoeling niet kennen.

– Hij kwam hier nooit, zei het winkelmeisje. Ik denk dat hij zijn kleren in de stad haalde, zo zag hij er wel uit.

Ze sjorde op onaangename wijze aan het jasje om het weer van mijn bovenlichaam te krijgen, ik zette me een beetje schrap in de hoop dat ze er een scheur in zou trekken. We verlieten Ter Stal met een zwart pak van kunstvezel waar je niet bij in de buurt kon roken omdat het gemakkelijk vlam vatte.

Op woensdag kwam ma met het *Weekblad* aanzetten waarin de rouwadvertentie was afgedrukt. Eleveld had om onbegrijpelijke reden gekozen voor 'Vechten hoeft niet meer, rust nu maar uit', wat me geschikter leek voor een bejaarde na een slopend ziekbed dan voor een jonge kunstenaar die een hond op zijn hoofd had gehad.

– Die man is in de war, zei ma met twee spelden in haar mond terwijl ze mijn nieuwe broek vermaakte.

Het waren schitterende voorjaarsdagen, de sapstroom in de bomen kwam op gang, in de struiken tussen het huis en de oude begraafplaats klonk het rinkelende gesjirp van mussen.

'Engel wordt op vrijdagmorgen begraven. Hij hield van bloemen.'

Ook dat was me onbekend, maar op vrijdagmorgen lag er rond zijn graf een berg bloemen in knisperig cellofaan. De dienst die daaraan voorafging was zoals we die van Nieuwenhuis kenden: de loze retoriek van de wederopstanding en hij die voortleeft in onze gedachten. Ik kon niet begrijpen dat er nog mensen waren die troost putten uit die frasen, slijtvast als Novilon-vloertegels.

Ik zat op de tweede rij in het gangpad, naast PJ, daarnaast Joe en Christof. Ik kon me niet goed concentreren op de dienst voor Engel. Uit mijn ooghoek zag ik dat Joe en PJ elkaars hand vasthielden, en wist dat dat ook Christof niet ontging. Zijn reactie zou weinig verschillen van de mijne. We konden niet anders dan het accepteren, maar met kramp in onze kaken omdat zulke rivaliteit in een vriendschap zich afspeelt in het verborgene, waar het hete beest van jaloezie aan de tralies knaagt en onze ziel vergiftigt met ontregelend gefluister. In Christof en mij in gelijke mate. Masturbatie was het enige werkzame antidotum, maar met de geleidelijke terugkeer van de energie na het orgasme keerde ook de jaloezie onveranderd terug.

Het sneed mij in tweeën als een rivier; op de ene oever was Joe degene die ik liefhad als geen ander, aan de overkant was hij mijn tegenstander omdat hij mijn kostbaarste droom had verstoord. Ik begreep niet hoe deze dingen naast elkaar konden bestaan en elkaar afwisselden in een oogknippering. Wat had ik me vergist, ik had Christof beschouwd als mijn grootste rivaal – Joe was het geworden.

En PJ werd alleen maar mooier. Ze droeg een lichtgrijs mantelpak van dunne wol, haar zwarte hakschoenen klikten op de stenen tegels toen ze voor me uit de kerk uit liep. Onder het getailleerde jasje schreeuwden haar billen erom aangehaald te worden, daarboven, op haar onderrug, lag Joe's hand zoals niet lang geleden de eeltloze hand van Vriend Schrijver daar gelegen had en die van Jopie Koeksnijder daarvoor. Ze had dezelfde hoge heupen als haar moeder.

Rond het graf huilden meisjes. Een aantal kende ik van school, Harriët Galama en Ineke de Boer bijvoorbeeld, en zelfs de vreselijke Heleen van Paridon die al sinds ik haar kende een neurotische huismoeder met poetsdwang leek, een heleboel anderen had ik nog nooit gezien. Medestudentes van Engel. Ze droegen uitzinnige outfits die op de kunstacademie waarschijnlijk doorgingen voor uitingen van hoogstindividuele smaak; dat ze daarin nogal op elkaar leken was onbelangrijk. Eén uitzonderlijk lang meisje met grote gele basketbalschoenen aan maakte foto's. Onder haar bruine visgraatjas droeg ze een zenuwslopende zuurstokroze rok; de combinatie met haar mooie gezichtje deed zeer aan mijn ogen.

Met zulke vrouwen was Engel omgegaan sinds hij Lomark had verlaten – hij had met ze geslapen op matrassen die op de grond lagen terwijl er een cd opstond van manisch-depressieve muzikanten met lang haar en een doodswens. Na de daad aten ze olijven of chocola en ervoeren een diep gevoel van uniciteit en onherhaalbaarheid. Nu Engel dood was, kwamen die meisjes naar Lomark en verbaasden zich over zijn provinciale wortels en over zijn vader die leek op een wielrenner uit het zwartwit tijdperk. Eleveld stond vooraan in de kring rond het graf en luisterde gebogen naar Nieuwenhuis die vanwege de paastijd voorlas uit Paulus' brief aan de Korinthiërs. Hij deelde ons het mysterie van het eeuwig leven mee: wij zullen niet sterven, maar wij zullen van gedaante veranderen. Dit was zijn omtrekkende beweging om de pijn en het onbegrip over de dood te verzachten. Hiertegenover stond Musashi, rechtop en in volle wapenrusting, voor wie de Weg van de samoerai het vastberaden accepteren van de dood is. Volgens Nieuwenhuis klonken er bazuinen voordat wij verrezen in onvergankelijkheid, Musashi zwijgt over dingen waar hij niets van weet. Hoe te sterven weet hij wel: '...wanneer u uw leven opoffert, moet u volledig gebruikmaken van uw wapens. Het is onjuist om dat niet te doen en te sterven terwijl een van uw wapens nog niet getrokken is.'

In het laatste leerstuk 'Leegte' vinden we nog wel dit: 'Waar niets is, dat wordt de geest van de leegte genoemd. De kennis van de mens kan dit niet bevatten.' Eén uitweg biedt Musashi ons uit de onwetendheid: 'Door te kennen wat bestaat, kunt u kennen wat niet bestaat. Dat is leegte.' En dat was ook waarom Nieuwenhuis en Paulus op mij afgleden als water: zij redeneerden niet vanuit het bestaande maar vanuit een maf soort heilsverwachting.

Ik hoorde kauwtjes in de lucht, in een reflex keek ik omhoog of ik Woensdag zag. Een vlam van gemis sloeg door mijn borstkas.

– Maar God zij gedankt, zei Nieuwenhuis met stervende stem, die ons de overwinning geeft door Jezus Christus, Onze Heer.

Intussen was Engel nog altijd dood en begon het grondeloze besef door te dringen dat ik hem nooit, nooit meer zou zien.

In Het Karrewiel waren witte bolletjes met ham of kaas. Er gaat geruststelling uit van de honger die we voelen wanneer we een geliefde hebben neergelaten in het graf; honger is onmiskenbaar een teken van leven. Het eten van witte bolletjes scheidt ons van degene die we achterlieten; wij eten, wij leven – zij worden gegeten, zij zijn dood. Met bolletjes in Het Karrewiel keren we met een gevoel van opluchting terug uit het voorportaal van het dodenrijk; onze tijd is nog niet gekomen.

Ik had gehoopt dat we bij elkaar zouden blijven die middag, maar iedereen ging een andere kant op. Joe wandelde met PJ naar het Witte Huis, Christof maakte zich met een bittere trek om zijn mond uit de voeten – hij was nog niet gewend aan deze uitzonderlijke rivaliteit in het hart van de vriendschap. Ik zat thuis in dat idiote pak en wist dat de wereld onherstelbaar veranderd was. En dit was nog niet het einde, er zat nog veel meer aan te komen. Met de dood van Engel was er een noodzakelijke stabilisator uit onze sociale constructie verdwenen; ik had een sterk gevoel van verdere ontbinding, niet ver van nu.

Om zes uur trok ik een blik knakworsten open en schudde ze op een bord dat ik in de magnetron zette. Voor ik de worsten at sleepte ik ze door de mosterd omdat de smaak van knakworsten zonder mosterd me herinnert aan ziekelijk gedeformeerde kippen in de vernietigingskampen van de bio-industrie. Dit hinderlijke bewustzijn overvalt me ook bij schnitzel of braadworst, waarbij steevast één woord door mijn hoofd spookt: VARKENSPIJN. Onder het eten luisterde ik met een half oor naar een kunstprogramma op Radio 1, waarin de vragenstellers voornamelijk geïnteresseerd waren in de persoon van de kunstenaar en bijna nooit doorvroegen over diens werk. Ik liet de zender opstaan omdat er soms een vonk van originaliteit en kwaliteit oversprong die heilzaam was tegen mijn lage verwachting van de dingen. Ik vermoedde dat de meisjes die ik vandaag rond Engels graf had gezien op een dag allemaal in dat soort programma's te horen zouden zijn, met de ernst van een kind dat voor het eerst naar zijn drol in de pot staart. Over dingen als armworstelen en shovels hoorde je ze op de radio nooit, dat waren verborgen werelden voor hen.

Halverwege de knakworsten werd een gesprek aangekondigd met de schrijver van de pas verschenen roman *Om een vrouw*, Arthur Metz. Het duurde een paar seconden voor het tot me doordrong dat het over Vriend Schrijver ging. Ik had hem in gedachten nooit bij zijn ware naam genoemd; de naam betekende dat ik hem moest erkennen als een mens van vlees en bloed die PJ beminde, met het pseudoniem bewaarde ik afstand tot dat hatelijke feit. Eerst draaiden ze nog een liedje, toen kwam de interviewster terug. Ik luisterde gespannen.

– Hier aan tafel zit de dichter en schrijver Arthur Metz, van wie vorige week de roman *Om een vrouw* is verschenen. Hij is hier om te praten over dat boek. Welkom, Arthur.

Onduidelijk geknisper in de microfoon.

– Kom iets dichter bij de microfoon Arthur, dan ben je beter te verstaan. Misschien is het goed om te vertellen dat de verteller van je boek een schrijver is die volgens mij nogal dicht bij jezelf ligt. Maar de eerste vraag die me te binnen schoot toen ik je boek las, was waar je het vrouwelijke personage Tessel vandaan hebt. Zij is de tragische heldin van het verhaal en ik had het idee dat zij model staat voor de moderne vrouw met al haar moeilijkheden, zoals de eis van eeuwige jeugd en de constante strijd tegen overgewicht bijvoorbeeld, wat voor veel vrouwen denk ik heel herkenbaar zal zijn. Heb je met *Om een vrouw* een moderne zedenschets willen schrijven?

Het duurde even voor het antwoord kwam, eerst schraapte de schrijver nogal luid zijn keel. Het eerste verstaanbare woord was 'euh'.

– Ik had het boek ook anders kunnen noemen, zei hij toen, *Hoer van de eeuw* ofzo, maar dat vond de uitgever niet euh… zo'n goed idee.

– Waarom *Hoer van de eeuw*? reageerde de interviewster. Dat lijkt nogal op een persoonlijke afrekening. Is het dat, een persoonlijke afrekening?

– Er bestaan geen grote romans zonder persoonlijke afrekening.

– Maar heb je de dingen in je boek dan zelf meegemaakt, is dat wat je zegt?

– Ik euh… schrijf niets wat niet binnen de mogelijkheden van mijn eigen bestaan ligt.

Metz perste zijn woorden één voor één te voorschijn als een schildpad die eieren legt in een kuil op het strand.

– Dat is wel heel algemeen, zou je specifieker kunnen zijn? Wat bedoel je met de mogelijkheden van je eigen bestaan? Bedoel je dat je met dit boek de werkelijkheid hebt beschreven die had kúnnen gebeuren?

– Euh… Ja.

– Het is dus puur fictie zeg je?

– Veel schrijvers krijgen op zeker moment te maken met een vrouw die zich aan hen opdringt als hun muze. Tessel leeft in de verschrikkelijke wetenschap dat zij leeg is van binnen en anderzijds ook niemand anders zijn leven vult met euh… liefde. Zij wil het belangrijkst zijn in het leven van iemand anders, om zichzelf te vergeten. Bij voorkeur een euh… schrijver.

– Maar waaróm wil ze dat?

– Haar gevoelens van leegte en euh… zinloosheid verjaagt ze met aanvallen van boulimische vraatzucht enerzijds, en verleiding. Anderzijds. Ze zoekt een schrijver om als zijn muze te worden vereeuwigd, om haar euh… eigenwaarde te herstellen. Tegen de leegte. Een gevaarlijke en beeldschone parasiet… eigenlijk.

– Inderdaad had ik onder het lezen ook het gevoel dat zij zowel monsterlijk als hulpeloos is. Je schrijft ergens dat ze 'muze van beroep' is, een muze zonder kunstenaar om haar te vereeuwigen. Ben je zelf ooit zo iemand tegengekomen, die je misschien geïnspireerd heeft bij dit boek? Ik bedoel, het heeft een erg autobiografische intensiteit.

Na een betrekkelijk lange stilte was er het schrapen van een aanstekerwieltje over een vuursteentje te horen, gevolgd door sigarettenrook die met duidelijk welbehagen tot in de verste vertakkingen van de bronchiën werd geïnhaleerd.

– We gaan eerst even luisteren naar wat muziek, zei de interviewster. Hier is het prachtige 'Suzanne' van Leonard Cohen.

Het was een veel te mooi liedje voor die kutdag; volle, welkome tranen liepen langs mijn wangen. Veel te vroeg keerden we terug naar het gesprek met de schrijver.

– Je hebt dit boek in een heel korte tijd geschreven, zei je tijdens de muziek Arthur. Was daar een reden voor?

Metz mompelde iets over noodzaak en woede, in feite leek hij helemaal niet over zijn boek te willen praten.

– Je snijdt ook nog een heel omstreden onderwerp aan, gooide de interviewster het over een andere boeg. Je stelt dat fysiek geweld tegen vrouwen de logische uitkomst is van elke intieme omgang. De scènes waarin de schrijver het meisje Tessel mishandelt horen tot de onsmakelijkste van het boek, maar schokkender is misschien nog wel dat je dat geweld lijkt goed te praten.

– Geweld euh… is veelvormiger dan veel mensen denken. Misschien is het beter om eerst naar de uitkomst te kijken, dus te kijken naar de gevolgen van menselijk handelen en pas dan te oordelen over wat geweld is en wat niet. Dat nuanceert de euh… strikte scheiding tussen dader en slachtoffer.

Hij herhaalde het woord slachtoffer nog eens, meer voor zichzelf leek het, alsof het een nieuw woord voor hem was.

– Maar fysiek geweld tegen vrouwen kun je toch nóóit goedpraten?!

– Ik euh… praat niks goed, klonk het dodelijk vermoeid, ik registreer een ontwikkeling. Als euh… Vriend van de Waarheid.

Hierna was het gesprek zo'n beetje afgelopen, de geïrriteerde interviewster probeerde de schrijver nog wel tot leven te wekken met een paar van haar morele stroomstoten, maar hij was weggezonken in het moeras van verachting en somberheid.

Ik was erg nieuwsgierig naar het boek, ik wist dat het Tessel-personage was geschapen naar het evenbeeld van PJ; het was opwindend om via radiogolven boodschappen van de schrijver te decoderen. Ik had het sterke vermoeden dat hij PJ's achternaam Eilander had versleuteld tot de voornaam Tessel/Texel. Bovendien had Metz de transparante redeneertrant van het depressieve gelijk, en dat interesseerde me.

Op het bord lagen drie koude knakworsten, op de mosterd begon zich het begin van een donkere korst te vormen waar binnen vierentwintig uur barstjes in zouden springen.

De volgende morgen ging ik naar boekhandel Praamstra, christelijk van signatuur en uitzonderlijk goed gesorteerd voor wie titels zocht als *Een persoonlijk gesprek met God* of *Het evangelie van Jezus in het leven van uw kind*, en bestelde de roman *Om een vrouw*. Auteur: Arthur Metz, levertijd: 'Normaal twee werkdagen maar het kan ook weleens een week duren, ik waarschuw u maar vast.'

Ik zou in bloedvorm moeten zijn om iets te kunnen betekenen op het internationale armworsteltoernooi dat op 6 mei in Poznań zou worden gehouden. Joe wist zeker dat Islam Mansur er zou zijn, de kans op de eerste prijs van vijftienduizend piek zou hij niet laten liggen. Ik verzwaarde het trainingsregime naar eigen inzicht en hoewel ik Joe doordeweeks wel zag – in de weekeinden was hij vaak in Amsterdam bij PJ of werkte hij bij Natte Rinus aan zijn shovel – deelde ik hem niets mee over de dingen die ik op de radio had gehoord. Hetgeen ontbreekt, kan niet worden geteld, zegt Prediker.

Op donderdag lag *Om een vrouw* voor me klaar bij Praamstra. 316 pagina's, dat is dan 29,50 alstublieft. PJ zou het zeker onder ogen krijgen daar in Amsterdam en het was maar zeer de vraag of ze er blij mee zou zijn – de vooraankondiging op de radio pakte niet goed voor haar uit. Ik voelde me alsof ik een geheim medisch dossier bij me droeg en begon thuis meteen te lezen. Het verhaal had mijn minste interesse, ik was op zoek naar het Tessel-personage. Ik vond haar in het hoofdstuk 'Kotsmeisje', dat eerst de sociaal-culturele achtergrond beschreef waartegen eetstoornissen zich voordeden:

'In 1984 werd de lezeressen van het tijdschrift *Glamour* gevraagd wat hen het gelukkigst zou maken. We verwachten rijkdom, genot en vakantiebestemmingen met zongarantie, maar dat is naïef: 42 procent antwoordde dat gewichtsverlies de sleutel was tot geluk. In dat decennium werd Tessel geboren uit Zuid-Afrikaanse ouders. Ze was gevoelig, intelligent en dik. Tessel groeide op in een maatschappij waarin overgewicht werd veroordeeld als karakterzwakte en zichtbaar gebrek aan zelfcontrole.

De cultus van het vetarme lichaam volgde op de toegenomen zelfbeschikking van de vrouw – voedingsindustrie, kleding- en cosmeticaproducenten reageerden met een dwingend model dat slankheid synoniem maakte met begeerlijkheid en succes. In de geschiedenis van de mensheid is geen periode te vinden waarin zulke vastomlijnde richtlijnen hebben bestaan voor de ideale maten. Geen enkel politiek-dictatoriaal systeem is erin geslaagd zo'n alomvattende Körperkultur te vestigen; het lichamelijke ideaal van het Derde Rijk is mogelijk gemaakt door de moderne industrie. Een gezond, slank lichaam met een uitgebalanceerde BMI (Body Mass Index) is in de commerciële propaganda het enige vehikel voor positief zelfbewustzijn, vriendschappen met andere gezonde, aantrekkelijke individuen en zelfverwerkelijking in de professionele sfeer.

Toen Tessel zich bewust werd van haar seksualiteit, kwamen de badkamerspiegels en reflecterende glasoppervlaktes in de openbare ruimte in haar leven. Ze was niet onaantrekkelijk, met blonde krullen en een mooi breed gezicht dat aan eskimomeisjes deed denken, maar haar bewegingsapparaat was omwikkeld met een laag vet die zichtbaar dikker was dan die van andere (voornamelijk blanke) meisjes in haar klas. Haar knieschijven lagen dieper verzonken door de omvang van haar bovenbenen, wanneer ze omlaag keek vormde haar hals een vlezig kraagje. Haar seksuele bewustzijn begon met weerzin tegen haar eigen lichaam.

Grote gebeurtenissen beïnvloeden ons leven maar zeer ten dele; een terloopse zin of een toevallige gebeurtenis is vaak van grotere betekenis op het verloop van een leven dan de eerste man op de maan of de ontdekking van de DNA-structuur. De beslissende regel in Tessels leven werd uitgesproken door haar moeder, op een middag toen ze nieuwe schoenen kochten in een smeltende winkelstraat van Kaapstad. "Kijk, dat is wel iets voor jou," zei haar moeder en Tessel begreep wat ze bedoelde.

Voor hen uit liep een dik jongetje naast zijn moeder. Hij droeg een korte broek waar zijn mollige kuitjes onderuit staken, hij had een petje van de Springboks op zijn hoofd. Het was een pedagogische misser, en Tessel bevroor.

Het dikke jongetje in de winkelstraat werd haar enige verwachting van de toekomst. Ze zou dikke jongetjes zoenen, naast dikke jongetjes in de banken van school en universiteit zitten, ze zou een dik jongetje trouwen en dikke jongetjes baren. Ze dacht aan zelfmoord.'

Ik keek op van de pagina en voelde dat mijn gezicht warm en rood was, het was of ik clandestien iemands dagboek zat te lezen, specifieker: dat van PJ. Waren dit de dingen die ze Metz in verliefdheid had verteld, voordat ze in haat en geweld uit elkaar waren gegaan? Het was sensationeel leesvoer, en Metz schreef godzijdank een stuk beter dan hij sprak. De schrijver vervolgde:

'In de tijd dat Tessel zover was om de praktische kant van zelfmoord te overwegen, besloten haar ouders om naar Nederland te emigreren. De toekomst van Zuid-Afrika doemde voor hen op als een orgie van geweld en een strijd van allen tegen allen. Tessel begreep dat ze deze breuk in haar levensloop kon gebruiken om haar leven als dikkerdje achter zich te laten. Haar nieuwe leven kon drastisch lichter zijn. Het begon ermee dat ze de vliegtuigmaaltijden oversloeg. Het borende hongergevoel waarmee ze op Schiphol aankwam, begroette ze als de eerste overwinning op het oude personage.

De eerste maanden was het gezin in transit. Met een indrukwekkend vertoon van wilskracht zette Tessel haar uithongering door. Ze at slechts het hoogstnoodzakelijke, en dan alleen om haar ouders gerust te stellen. Ze viel in twee maanden vijftien kilo af, en daarna nog eens zeven voor ze het nieuwe huis betrokken.

Zo betrad ze de nieuwe omgeving waar niemand wist dat ze ooit een dik meisje was, niemand had ooit een foto van haar in Zuid-Afrika gezien. Verbijsterd registreerde Tessel dat ze *mooi* gevonden werd, niet zomaar mooi maar beeldschoon, ze had vriendinnen, jongens waren verliefd. De metamorfose was geslaagd, in feite was ze bijna gehalveerd, maar zelf voelde ze zich nog altijd: dik. In kledingwinkels zou ze nog jarenlang eerst bij de grotere maten kijken.

Niet langer hongerde Tessel zich uit, dat was op te grote weerstand van haar omgeving gestuit, ze at nu volgens een streng regime kleine hoeveelheden vetarm, laagcalorisch voedsel op vaste tijden. Het innerlijke verzet tegen de geest-dodende discipline leidde tot vreetbuien, momenten waarop ze zichzelf toestond een kort moment grenzeloos te zijn, ze zich mocht laten gaan en het verdriet bedolf onder koekjes, mergpijpjes, chips, ijs, chocolade. En uit spijt dat ze tegen haar eigen regels had gezondigd, kotste ze in de wc haar maag weer leeg.

Zelfs een leek had de diagnose boulimia nervosa kunnen stellen.

Het is een bekend verschijnsel dat het lichaamsbeeld van de boulimiepatiënt niet overeenkomt met haar werkelijke om-vang. Iedereen ziet normale proporties maar de patiënt zelf neemt in de spiegel een opgezwollen monster waar. Kotsen is de enige controle over het monster, schaamtegevoelens verhe-vigen de eenzaamheid. Voor vrouwen die aan boulimie lijden, is de wereld een verwrongen spiegel waarin ze voortdurend proberen de juiste pose aan te nemen.

Wie zelden kotst denkt dat dit een pijnlijke, intensieve be-zigheid moet zijn, maar voor het kotsmeisje is het heel ge-makkelijk. Ze heeft zich erin bekwaamd zo te braken dat het voor de buitenwereld verborgen blijft: we zien geen rode ogen en ruiken geen zure adem. Ze steekt tandenborstels en eetle-pels in haar keel, of duwt twee vingers tegen haar huig als er niks anders voorhanden is. De bril van de wc staat omhoog, het uitzicht vervult haar met weerzin maar ze vermant zich en denkt: oké, daar gaat ie dan.

De nadelige effecten van maagzuur op het gebit (glazuur wordt in hoog tempo afgebroken waardoor gaatjes ontstaan) was in Tessels geval maar een klein probleem: haar vader was tandarts.'

Daarmee was mijn laatste restje twijfel weggenomen, uit de beschrijving rees niemand anders op dan PJ Eilander. Haar geheim lag open en bloot voor me op tafel.

'Tessel hield zich nu op gewicht met de onzichtbaarste vorm van automutilatie: kotsen. In haar groeiden existentiële leegte en de overtuiging van intrinsieke waardeloosheid. Dit waren haar laatste authentieke gevoelens. In de buitenwereld reageerde ze op emoties van anderen met gedrag dat ze had gekopieerd: ze wist dat troost bij verdriet hoorde, en dat vreugde moest worden begroet met bevestiging van die vreugde. Zelf kende ze alleen nog afgeleiden van gevoelens, echo's uit de tijd dat ze dik en ongelukkig was. Haar innerlijk was een koude verwoesting, vanuit de ruïnes riepen dikke jongetjes en meisjes die verdronken in eigen vet naar haar.

De bijzonderheid van Tessel was dat ze een in tweeën geknipte levensloop had: één deel waarin ze dik en ongelukkig was, ver weg op een ander continent, en een ander deel waarin ze werd begeerd en waar buiten de familiekring geen herinnering bestond aan wie en wat ze eens was. In zichzelf roeide ze iedere herinnering aan dat vroegere personage uit, aan het leven dat pijn deed, met gevoelens die diep en echt waren. Aan de buitenkant was hiervan niets te merken, men zag een intelligent, bovengemiddeld geestig meisje, dat plezierig in de omgang was.

Haar seksuele ontwikkeling was normaal: ze kuste soms met jongens en werd op haar zestiende ontmaagd door een jonge Turk in de badplaats Alanya waar ze met haar ouders en een vriendin op vakantie was. Haar eerste echte vriendje kreeg ze op haar zeventiende, een jongen uit haar dorp die geen schijn van kans maakte. Ze overheerste hem volkomen, Tessel had de onbegrensde macht van schoonheid en gewetenloosheid begrepen. Toen ze ging studeren vergat ze de jongen met hetzelfde gemak waarmee ze een haarspeld verloor. Hij had zijn taak vervuld; bij hem had Tessel de mogelijkheden van seks als wapen verkend en verfijnd. Ze was klaar voor het grotere werk.

Dit was Tessel toen ik haar ontmoette. Het was een elektrische ontlading toen ze zich aan me voorstelde bij de jaarlijkse literatuurmiddag van de Letterenfaculteit. Vier dagen later sliepen we voor het eerst met elkaar, in mijn bed lag een volmaakt prachtig, gewetenloos monster.'

Ik dacht terug aan PJ's gedrag in de Muizenstad, toen ze een doodsbange muis had opgejaagd en geïsoleerd van de rest. Joe en ik hadden ons daar onafhankelijk van elkaar ongemakkelijk over gevoeld, het was van een onmeisjesachtige wreedheid en toonde een kant van haar die we het liefst toedekten.

'Ik was gelukkiger dan ik ooit was geweest, Tessel combineerde ontroerende zachtheid met pornografische seksuele overgave. Zonder twijfel was ze de grappigste vrouw die ik ooit heb gekend. Ze was een droom omdat ze alles gaf wat ík verlangde: ze leverde op bestelling. Tot dit wonder was ze in staat: voor haar ouders was ze een ideale dochter, voor haar docenten een getalenteerd studente en voor haar kroegvrienden een liederlijk krengetje dat op cafétafels danste en mannen om haar vinger wond. En voor mij... voor mij was ze grote liefde. Ze gaf wat ik het liefste zag, en ik wilde erin geloven. Ze voedde de hoop – op liefde die voorbestemd is, op twee gescheiden helften die elkaar vinden te midden van miljoenen.

Ze reflecteerde feilloos wat in iedere sociale situatie van haar werd verlangd. Haar mimesis was volmaakt op één ding na; één levensgebied was ontoegankelijk voor haar omdat ze het niet kende en begreep: intimiteit. Dit kon ze niet imiteren, zoals een kameleon het wit niet kan aannemen.

Seks was Tessels vervangende strategie voor intimiteit.

Hoe kon ik weten dat ze vanaf dag één ook met anderen sliep. Toen ik op een dag een sms vond waaruit tenminste één minnaar bleek, heb ik haar twee vuistslagen in het gezicht gegeven.

Door veel mannen begeerd te worden was Tessels tegenspreuk voor de vloek van haar moeder: dat haar seksuele marktwaarde laag was en dat ze alleen dikke jongetjes zou aantrekken. Toen ik er via een krankzinnig toeval achter kwam dat het na de eerste keer niet was opgehouden, heb ik haar opnieuw geslagen en ditmaal ook verkracht. Ze kwam huilend klaar, ze zei dat het nog nooit zo lekker was geweest. Er waren negen andere mannen. Elke pik die in haar drong was een bevestiging dat ze gewild werd en mooi was. De bevrijding was altijd van korte duur omdat ze de innerlijke overtuiging van schoonheid miste. Ze zou opnieuw op zoek gaan, opnieuw gewild worden, opnieuw de vleugels van extase uitslaan en opnieuw ontgoocheld terugkeren bij het volgevreten, lillende beeld dat ze van zichzelf had. Als noodzakelijk tegenwicht zou ze altijd een geliefde hebben om veilig bij thuis te komen en de schijn van normaliteit op te houden.

Ergens in die troebele tijd zei ik dit tegen haar: "Je had me niet harder kunnen treffen."

Hier dacht ze even over na. Toen zei ze doodkalm: "Jawel hoor."

Ik heb niet doorgevraagd.

Tessel was de Hoer van de Eeuw.'

Ik kon niet verder lezen, ik trilde te erg. Ik luisterde naar een man die zich vertwijfeld afvroeg hoe hij had kunnen houden van een vrouw die alleen zijn verwachting van een vrouw had weerspiegeld. Hij ontleedde het kadaver met vaste hand. Het was schitterend en beangstigend.

Na Metz was Joe aan de beurt. Ik was de enige die alle stukjes van de puzzel bezat; ik had PJ gekend voordat Metz haar ontmoette, ik wist met wie ze nu was, en ook al voelde ik een moment van twijfel, Joe moest dit lezen, er stond hem een ramp te wachten.

De eerstvolgende keer dat hij bij me was schoof ik het boek plechtig naar hem toe over tafel. Hij nam het in handen, bekeek de voorkant (detail van een of ander wazig schilderij, voorstellende een vrouwenlichaam), las het tekstje op de achterkant en legde het terug op tafel. Hij fronste.

– Ik begrijp niet dat je dat soort shit leest, zei hij.

Dat was alles wat hij er ooit over heeft gezegd. Feitelijk had Metz Joe's reactie precies voorspeld: 'Wij willen hen niet zien voor wat ze zijn, en vergroten daarmee de schade die ze ons op den duur zullen toebrengen.'

– By the way, zei Joe in de deuropening, ik wil PJ meenemen naar Poznan, goed?

We vertrokken op 5 mei in alle vroegte. In Lomark hing bij veel huizen de vlag al uit. Een jaar geleden had Joe me voorgesteld armworstelaar te worden; Poznan had vanaf het begin als een belofte in de verte gelegen, het was het belangrijkste toernooi van allemaal. Ondanks de bizarre tijdversnelling waarin alles sinds de geschiedenis in Rostock was terechtgekomen, had ik me wezenloos getraind en nog gespard met Hennie Oosterloo. Ik probeerde verschillende openingszetten op hem uit en liet me soms bijna tegen het tafelblad drukken om te leren uit verloren posities terug te komen. Voor het overige was Oosterloo nutteloos, ik was hem nu veruit de baas.

Tegenover Joe en PJ gedroeg ik me normaal. Niets aan de hand, geen jaloezie, geen onthullende literatuur, business as usual. Alles zou zijn eigen dynamiek moeten hebben. Ik zou me daarbij opstellen als klinisch waarnemer. Joe had de waarschuwing genegeerd, hij was nu vogelvrij. Op een dag zou hij bij me terugkomen en vragen of hij dat boek mocht inzien en zich voor zijn kop slaan over zijn zelfgekozen blindheid.

Het was zeker tien uur rijden, Poznan. Joe zat onafgebroken achter het stuur, PJ masseerde soms zijn nek, we keken naar een volmaakt harmonieuze liefde. Soms leek al het voorgaande een kwaadaardig verzinsel, dan lachten we en zongen Joe en PJ liedjes en was het of Engel niet lag te rotten in zijn graf en dat verdomde omen van een boek nooit geschreven was.

We bereikten Poznan in de avond met kokende motor. Joe parkeerde de Oldsmobile voor de deur van Hotel Olympia, een geestloze kolos uit de dagen van het socialisme met een eindeloos aantal verdiepingen en genoeg bedcapaciteit voor een heel leger.

– Moet je zien, zei Joe toen we de lobby binnen kwamen.

Hij wees naar de digitale klok boven de receptie, die zowel de datum als de tijd aangaf: 5.5.19:45. Het duurde even voor ik zag dat het exact de datum van bevrijdingsdag was, een stimulerend toeval dat niet langer dan een minuut duurde, toen versprong de klok naar 19:46 en was het moment voorbij. Joe boekte twee kamers, een voor hem en PJ en een voor mij, zo was nu de stand van zaken.

Na een klop op de deur kwam Joe binnen.

– Lukt alles? Badkamer enzo?

Hij zonk in een stoel bij het raam en keek naar de straat beneden.

– Man, ik ben áf. Morgen de grote dag François.

En na een tijdje: 'Ik ga maar naar bed denk ik, ik zie de hele tijd die strepen op de weg voor me.'

O Joe, *kijk* alsjeblieft naar haar zoals je ooit op de dijk naar mij keek en mij zag – jezus Joe, je weet niet waar je mee speelt…

– Ik zie je morgenvroeg Fransje. Als je hulp nodig hebt, eerst een nul draaien en dan 517, dat is mijn kamernummer.

Het raam keek uit over beton en asfalt. Laat zonlicht kleurde de dingen oranje, ook hier was de mensheid uitsluitend vervuld van zichzelf. Ik sloot de zware kunststof gordijnen om ze even later weer te openen, ruimtes met gesloten gordijnen terwijl het buiten nog licht is maken me neerslachtig, ik denk omdat ze me aan de dood doen denken. Sinds Engels dood verdroeg ik ook de geur van stearine slecht, door de indringende geur ervan in de rouwkamer. Ik probeerde te lezen in *Go Rin No Sho* maar kon mijn aandacht er slecht bij houden. Toen heb ik het donker afgewacht, terwijl beneden mij de Polen hun levens leefden en in mijn innerlijk de veelheid van dingen aanspoelde. Er was niets meer dat ik kon doen.

Er werd geworsteld in een gymzaal in het zuiden van de stad. Twee wedstrijdtafels, zevenenvijftig inschrijvingen, ongeveer de helft lichtgewichten. Een sterk deelnemersveld. Vlak voor de gong die de eerste twee gevechten aankondigde, kwam eindelijk de man binnen op wie ik zo lang had gewacht: Big King Mansur. Hoewel het een even grote sensatie was als de entree van bijvoorbeeld Mohammed Ali, en ik een even aantal maagden had verwacht dat rozenblaadjes voor zijn voeten strooide, was het in feite gewoon een neger die een aftandse gymzaal binnen kwam. Erg groot was hij ook niet, gedrongen eerder, met ongewoon brede schouders. Hij had zijn hoofdhaar afgeschoren zodat het licht uit de hoge ramen van de gymzaal op zijn schedel reflecteerde. Naast hem liep een tengere vrouw met een zonnebril op, die vanwege haar klassieke petite-heid een Française moest zijn. Ze was het soort vrouw waar tennissers en voetballers mee trouwen, die je op tv altijd op de tribunes ziet met hun handen voor hun mond als het spannend is.

Joe stootte me aan, ik knikte dat ik hem had gezien. Mansur en de vrouw zochten een rustige hoek op, eigenlijk de enige rustige hoek in die stampvolle zaal, de vrouw werd erop uitgestuurd om twee stoelen te halen. Mansur trok met gerichte, langzame bewegingen zijn jasje en T-shirt uit en husselde in de sporttas tot hij een miniem hemdje vond. Toen hij zijn armen door de mouwopeningen stak, zag ik zijn machtige latissimi dorsi te voorschijn komen, de spiergroepen die in de wereld van de krachtsport ook wel 'vleugels' worden genoemd. Joe legde PJ uit wie Big King Mansur was, dat we naar de ongenaakbare wereldkampioen keken, het vreeswekkende Beest #1.

– En daar moet Fransje tegen? vroeg ze.

– Misschien, zei Joe. Als we geluk hebben.

Het publiek bestond uit mensen met ouderwetse lichamen, recht, dik en wit, net als in Rostock. We rekenden uit dat de vierde wedstrijd tussen mij en Islam Mansur zou zijn – als ik al mijn wedstrijden won… De eerste twee wedstrijden kostten me weinig moeite, de derde verloor ik bijna van een man die ik destijds in Luik aan het werk had gezien, een neger uit Portsmouth. Toen dacht ik aan Islam Mansur, hoe graag ik tegen hem wilde worstelen, dat vandaag die dag kon zijn, en versloeg de Engelsman op het nippertje.

Het kostte twee flessen bier om de spasmen enigszins in bedwang te krijgen. PJ masseerde mijn schouders, Joe liep getergd rond. Zou ik in staat zijn Mansur tegenstand te bieden? Kon ik erop hopen dat hij een slechte wedstrijd zou worstelen, ongeconcentreerd was? PJ's handen bezorgden me genotzuchtige rillingen, ik zoog bier aan als een krachtige pomp. Toen was het tijd. Uit mijn ooghoek zag ik Mansur loskomen uit zijn hoek en naar de tafel wandelen, hij was een volmaakte menselijke machine. Joe duwde me naar de wedstrijdtafel en hielp me op de kruk. Heel even legde hij zijn handen op mijn schouders – ik voelde het ontbreken van de vingers rechts – en keek me indringend aan.

– Ik vertrouw je, zei hij, en liet los.

Ik stond alleen tegenover een natuurkracht. Mansur ging zitten.

Arm-Heilige, eindelijk.

Hij greep het handvat vast (zijn linkerarm was verdomme even dik als zijn rechter, hij kon aan iedere arm wel een tegenstander hebben) en plaatste zijn elleboog in de box. Pas toen keek hij me aan; puilende ogen, veel oogwit. Zijn handpalmen waren blank, ik zette mijn arm op tafel en we grepen in elkaar. Muurvast. Het was of ik mijn hand tegen een warm gebouw zette.

Uit wat ik in voorgaande wedstrijden van Mansur had gezien, wist ik dat hij varieerde tussen de openingszetten Vuur en Stenen Slag en Rode Herfst Bladeren Slag ('De Rode Herfst Bladeren Slag houdt in dat u het langzwaard van uw vijand neerslaat. Zijn zwaard moet door uw geestkracht in bedwang gehouden worden'); ik bereidde me voor. Zijn hand was droog en zacht van binnen, de mijne was klein en klam. Mansur keek me onafgebroken aan, ik wist dat het onderdeel was van zijn strategie om de tegenstander te hypnotiseren met een onafgebroken borende blik. In een interview had hij eens gezegd dat zijn grootste kracht 'van binnenuit' kwam. 'Als je geest geconcentreerd is ben je in staat iedereen om je heen weg te denken. Je tegenstander is het centrum van je aandacht.' En hoewel dat vrij algemeen klinkt, voelde ik werkelijk hoe zijn energie zich samenbalde en ik zijn blik werd binnen gezogen. Ik werd de gloeiende kern van zijn aandacht, vacuüm getrokken door zijn blik.

– Go!

Werktuigelijk spande ik alles aan en voelde hoe die enorme hand alle macht naar zich toe trok. Even maakte ik me los van die ogen en keek naar zijn arm waarop trillende spieren lagen die door de huid wilden breken. Toen nam ik mijn plaats in zijn blikveld weer in. Zo waren we eindelijk het middelpunt van het universum geworden, Mansur en ik, en ik ervoer een diep gevoel van dankbaarheid en rechtvaardigheid. Ik wist dat de uitkomst onbelangrijk was, dat alleen de *bestemdheid* van dit moment ertoe deed, de inslag van twee hemellichamen die elkaar hadden gezocht in de onmetelijke ruimte, krachten die op schoonheid en vernietiging uit waren. Het moment van inslag verliep traag, geluidloos.

Ik doorstond zijn aanval, mijn verdediging was in de loop der tijd steeds beter geworden. Zijn nekspieren stonden strak als snaren, uit zijn schouder was een lage heuvel gegroeid die ik bij geen enkele andere worstelaar had gezien. Was dat PJ die gilde? Ik volgde de loop van een ader op Mansurs onderarm. Mijn hele leven had ik verlangd en gezocht naar iets dat zonder feilen, zonder vervuiling was, en in de droomachtige staat waarin ik verkeerde herinnerde ik me een verhaal over volmaaktheid – over Chinese ambachtslieden, meesters van de lakkunst, die aan boord gingen van een schip en pas begonnen te werken op volle zee; aan land zouden minuscule stofdeeltjes het lakwerk vervuilen en bederven.

De driepuntsverbinding van Mansur en mij hoorde tot die categorie, volmaakt, bovenmenselijk – ver buiten tijd en ruimte waren we nu, het lawaai van de zaal hoorde ik alsof het uit de diepte van een vallei kwam. Heel veel scherper was opeens het geluid van een droge tak die doormidden brak bij mijn oor – ik voelde hoe we het evenwicht verloren, hoe we werden teruggeslingerd de wereld in, het einde tegemoet.

Pas toen werd ik me bewust van een razende, gekmakende pijn in mijn onderarm, de vlammen sloegen eruit, en zag dat Mansur mijn hand losliet en verbaasd naar me keek. Halverwege mijn onderarm balde de pijn zich samen als een gloeiende knoop, ik wist dat het bot gebroken was. De spieren hadden het gehouden tegen Mansurs onmenselijke kracht maar het spaakbeen of de ellepijp was niet sterk genoeg geweest. Geknapt als een twijg; ik schreeuwde het uit van woede en pijn. Joe schoot op me af.

– Fransje, wát?!

Ik schudde het hoofd, dit was het einde van alles, het bot

was mijn achilleshiel gebleken, ik kon weer helemaal van voor af aan beginnen. Mansur kwam erbij staan.

– I think he broke his arm, zei Joe.

Mansur knikte.

– I'm sorry, zei hij. It was a good fight.

Hij keek naar mij, dacht even na en verbeterde zichzelf toen.

– It was a spiritual fight. You are a strong man.

Hij bracht zijn rechterhand kort naar zijn hartstreek op dezelfde manier waarop Papa Afrika dat altijd had gedaan, en verdween met de vrouw in de nieuwsgierige menigte rondom ons.

– We moeten nú naar een ziekenhuis, Joe! zei PJ. Hij is helemaal wit.

Ik was opeens slap van pijn en voelde dat ik elk moment kon gaan overgeven. De arm lag wezenloos in mijn schoot. Mijn enige wapen: stuk. Buiten stonden twee taxi's, de chauffeurs leunden rokend tegen de grill.

– Hospital! blafte Joe. Krankenhaus!

De rest is alles wat je ervan verwacht: pijnstillende injectie, ellepijp gezet, spalk, gips, mitella, kut. Bijzonderheid was dat we het equivalent van 965 piek meteen moesten afrekenen, waarvoor PJ haar creditcard leende. Hiervoor kregen we wel de röntgenfoto's mee. Nu kon ik helemaal niets meer, hooguit een paar blokletters krabbelen met de hand die uit een mouw van gips stak. In de taxi naar het hotel draaide Joe zich naar me om.

– Twee minuut negenendertig, toen brak je.

Twee minuut negenendertig, ik was verbaasd, in mijn beleving had het een eeuw geduurd.

– Je gaf hem niks toe, die anderen gingen er allemaal af binnen de minuut. Nou ja, dat is dus het belang van calcium. Denk je eens in, wat als dat bot niet gebroken was? Je maakte een kans, echt. Nou ja, een paar maanden Fransje, dan zijn we weer op pad.

PJ maakte een afkeurend geluid.

– Jullie zijn gek.

We hadden pijnstillers meegekregen waarvan ik om vijf uur de eerste kreeg toegediend die ik wegspoelde met bier.

– Slaap vanavond maar bij ons op de kamer, zei Joe, voor als je moet pissen enzo.

Aan die complicatie was ik nog niet eens toegekomen, Joe zou de rol krijgen die Engel ooit had... Ik besloot me te bedrinken.

Al met al was ik minder depressief door die arm dan verwacht, ik putte er troost uit dat het tegen de Arm-Heilige was gebeurd, het was mijn Breuk van Eer.

PJ was solidair met mij en dronk in hetzelfde tempo mee. We werden bediend door een meisje met een gezicht dat grenzeloos lijden uitdrukte. Voor de deur van het hotel hing Joe over de motorkap van de Oldsmobile en repareerde de lekke koeling met gaffertape. Het meisje bracht nieuw bier, PJ stak een rietje in mijn fles en zette het zo voor me neer dat ik er makkelijk bij kon. Ik dronk stug door om de spasmen te verminderen, want hoewel de arm was geïmmobiliseerd deden de schokken helse pijn. Ze haalde de röntgenfoto's uit de enveloppe en hield ze één voor één tegen het licht. Het waren maar sprieterige botjes als je ze zo zag. Een wonder dat ze het überhaupt twee minuut negenendertig hadden volgehouden.

– Een mooie breuk, zei ze, helemaal niet rafelig ofzo. Doet het pijn?

Ja geliefde Florence, het doet veel pijn. Zul je voor me zorgen?

– We moeten maar een beetje voor je zorgen de komende tijd, je kunt geen kant op zo. Ik heb mijn laatste tentamens in augustus, ik kan ook wel bij mijn ouders studeren.

PJ schoof de foto's terug in de enveloppe en zei: 'Kom, even toeristische informatie inwinnen, ik heb het wel gezien hier.'

Ze duwde me de eetzaal uit en de ontvangsthal door tot bij

de receptie, een schimmig verlichte nis aan het eind van de gang. In het hok zat de receptionist te lezen.

– Bitte, vroeg PJ, haben Sie vielleicht einen Stadtplan? Wir suchen ein gutes Restaurant, oder eine Bar vielleicht.

De man keek bozig op.

– Hier keine Bar! snerpte hij. Keine Bar in Poznan!

Hij had een Slavisch accent waarmee elke lettergreep scherp werd beklemtoond, zijn ogen vlamden van een soort woede.

– Hier gibt es nur Arbeitslosen und Banditen! In die Stadt gehen ist wie Hand in Maschine stecken!

Hij deed voor hoe de werkelozen en bandieten ons achter op het hoofd zouden slaan en onze zakken zouden leegstelen. PJ keek geamuseerd toe. Ze gooide het over een andere boeg.

– Darf ich vielleicht fragen, welches Buch Sie lesen? vroeg ze poeslief.

– Aber lesen ja, natürlich.

Hij gaf het PJ en we keken naar een comic met Vampirella in een sm-pakje op de cover, terwijl op de achtergrond ss-officieren een blonde maagd martelden.

– Sehr gut! zei de receptionist.

PJ bladerde het boekje door en liet een pagina zien waar ss'ers met bomen van pikken uit hun uniformbroeken een groep vrouwen verkrachtten, die door hun oorringen en weelderige zwarte haardossen nogal aan zigeunerinnen deden denken.

– Zo vind je het bij ons niet meer, zei PJ.

De lach van de receptionist toonde een ruïneus gebit. Hij opende een lade van zijn bureau en haalde er een ander boek uit dat hij PJ gaf: de Poolse uitgave van *Mein Kampf*. De gek las *Mein Kampf*... PJ's ogen schitterden.

– Wat zou hij nog meer in dat horrorkabinet hebben?

Ze gaf hem *Vampirella* en *Mein Kampf* terug, steunde op haar ellebogen op de balie en probeerde te zien wat er nog meer was. De man, uitgedaagd, haalde een morsig mapje foto's te voorschijn waarop hij in een bosrijke omgeving met één been poseerde op een dode beer. In zijn handen hield hij een enorm jachtgeweer.

– Schießen, gierde hij, gut!

Maar het pronkstuk van zijn verzameling moest nog komen: een *pistool*. Of een revolver, ik weet het verschil nooit. Hij hield het hoekige ding plat in zijn hand en gaf het PJ pas na temerig aandringen van haar kant. Hij was trots dat ze zoveel belangstelling toonde voor zijn verzameling.

– Het wordt steeds beter Fransje, moet je zien!

Ze richtte het pistool op de hal achter ons en kneep een oog dicht, ik kreeg kippenvel van het kakelende gelach dat achter de balie opsteeg.

– Arbeitslosen und Banditen! Abknallen!

Het laatste wat hij ons overhandigde was ons bundeltje paspoorten dat we de avond ervoor hadden moeten afgeven ter registratie. PJ ruilde het pistool tegen de paspoorten. Ze bladerde het bovenste door, zag dat het het mijne was en stak het in het zijvak van de kar. Haar eigen paspoort stopte ze in haar kontzak. Nu was alleen dat van Joe nog over. Ze keek vlug naar de ingang en toen weer naar het paspoort. Toen sloeg ze het open; ik snoof in protest, ik begreep precies wat ze daar deed: ze las Joe's echte naam. Dus zelfs zij had die niet geweten! Maar dat was verboden, niemand mocht dat! Ze keek bevreemd naar het heftige schudden van mijn hoofd.

– Ben jij niet nieuwsgierig dan?

Natuurlijk was ik nieuwsgierig, daar ging het niet om. Kutkreng, leg neer! Maar haar ogen gleden al over de identiteitspagina. Ze trok haar wenkbrauwen op en glimlachte. Toen draaide ze het opengeslagen paspoort naar mij toe, ik zag Joe's foto in een flits voor ik mijn ogen sloot. Ik mocht het niet zien. Alles kraaide alarm in het donker, ze had het recht niet, het was heiligschennis, *niemand* mocht zich zijn ware naam stiekem toe-eigenen, het was zijn enige geheim. Ik deed mijn ogen open toen ik dacht dat ze het begrepen zou hebben, maar op twintig centimeter voor mijn neus bungelde nog altijd Joe's identiteitspagina. Ze zocht een medeplichtige, ze lokte me haar verdorven universum in waar Metz voor had gewaarschuwd, o godverdomme, hoe kon ik haar niet ter wille zijn? Ik stelde scherp op het paspoort voor me. Joe's pasfoto, een beetje stoer, een beetje achteloos. O Joe, het spijt me het spijt me.

1. naam/surname/nom

RATZINGER

2. voornamen/given names/prénoms

ACHIEL STEPHAAN

Het paspoort verdween uit mijn blikveld, PJ gaf het terug aan de receptionist.

– Geben Sie ihm das bitte selbst zurück, zei ze. Er kommt gleich.

Hij knikte verbaasd, hij begreep niet wat zich zojuist had afgespeeld. PJ reed me terug naar de zaal en posteerde me voor mijn bier. Even later kwam Joe binnen en wreef zijn handen in een vlekkerige lap.

Achiel Stephaan Ratzinger.

De man van de receptie riep hem en gaf hem zijn paspoort. In de deuropening van de zaal lachte hij naar PJ en zei: 'Hebben jullie je paspoorten al, hij zegt…'

– Ja lief, hebben we.

– Prima. En we rijden weer.

PJ stak een sigaret voor hem op. Hij maakte vingerafdrukken van olie op het papier. Achiel Stephaan. Waarom hadden zijn ouders hem in godsnaam zo'n achterlijke Vlaamse naam gegeven? Naar een Vlaamse grootvader? Een goeroe uit Westmalle? Hoe dan ook, we keken naar een man zonder geheim. En het geheim was een Belgenmop. Achiel Stephaan; door zijn geliefde uitgeleverd aan de Filistijnen, verraden door zijn vriend.

Die nacht heb ik alles ondergekotst op hun kamer. Joe hielp me naar de plee, ik schreeuwde, ik denk dat ik gesmeekt heb om vergeving.

– Je was verschrikkelijk, zei Joe de volgende dag op de terugweg. Je hebt over me heen gekotst, mafkees.

Dat ik over zijn vingers had gepist bleef tussen ons. Achterin bewaarde PJ een hartgrondig stilzwijgen.

Het is een röntgenachtige ervaring om Joe's echte naam te weten. Achiel Ratzinger is het lot waaraan hij heeft proberen te ontkomen; het heeft hem alsnog ingehaald. Uit de bijbel herinner ik me dat sommige figuren andere namen krijgen wanneer hun leven zich ingrijpend wijzigt, ik krabbel een briefje voor ma met het verzoek om haar bijbel.

– Het is voor niemand ooit te laat, verzucht ze.

Ik heb al vrij snel beet. In Genesis hernoemt God zelf Abram en Sarai. 'En uw naam zal niet meer genoemd worden Abram; maar uw naam zal wezen Abraham; want Ik heb u gesteld tot een vader van menigte der volken.' Ook Abrahams vrouw Sarai krijgt een nieuwe naam, Sara.

In het Nieuwe Testament ontvangt Petrus een nieuwe naam, eerst bij Marcus: 'En Simon gaf Hij den toe naam Petrus; En Jakobus, den zoon van Zebedeüs, en Johannes, den broeder van Jacobus; en gaf hun toe namen, Boanerges, hetwelk is, zonen des donders.' Dit is ook terug te vinden in het evangelie van Johannes, waar Jezus zegt: 'Gij zult genaamd worden Cefas, hetwelk overgezet wordt Petrus.'

In Handelingen ondergaat de fanatieke christenjager Saulus een naamsverandering nadat er op de weg naar Damascus een hemels licht aan hem is verschenen. Een stem die zich bekendmaakt als Jezus roept: 'Saul, Saul, wat vervolgt gij Mij?' Saul bekeert zich en gaat verder door het leven als Paulus.

Het lijkt me dat de aartsvader en de discipelen een naam ontvangen die hoort bij hun nieuwe, hogere status. Mannen Gods met hun naam als onderscheidingsteken.

Ten slotte vind ik nog iets in de Openbaring van Johannes,

over dat we allemaal een nieuwe naam zullen krijgen als we ons oor lenen aan de Geest. 'Ik zal hem geven een witten keursteen, en op den keursteen eenen nieuwen naam geschreven, welken niemand kent, dan die hem ontvangt.'

Onze geheime naam die niemand kent – maar PJ en ik hebben onder die steen gekeken en zijn teleurgesteld over wat we daar zien: het ontluisterend soort *achieligheid* dat over Joe is gekomen waardoor je in zijn bijzijn soms de neiging tot giechelen krijgt. In zijn naam lag zijn achilleshiel besloten: nomen est omen. De mannen Gods krijgen namen die hen groter maken, met Achiel Stephaan hebben PJ en ik Joe kleiner gemaakt en van zijn waardigheid ontdaan. Onder zijn zelfgekozen naam is hij naakt.

In de weken die volgen doet PJ veel voor me, ze gaat met me uit rijden ('Wil je mijn zonnebril? Je zit zo te knijpen') en voert me met zichtbare gruwel knakworsten wanneer het avond wordt. Na zijn werk komt Joe en dan zitten we met z'n drieën bij elkaar waardoor Joe en PJ een echtpaar lijken met een zielig kind. Joe helpt me wanneer ik moet pissen. Alleen ma sta ik toe mijn gat af te vegen, ik duld nog altijd niemand anders achter mijn anus horribilis. Dat Joe soms even mijn pik tussen duim en wijsvinger vastpakt om hem in de onderbroek te wurmen is al erg genoeg. Hij veegt hem niet droog zoals ik zelf altijd doe, zodat ma mijn onderbroeken moet uitkoken om de pisvlekken eruit te krijgen. Wanneer Joe me helpt, wend ik mijn blik af alsof ik er niet bij ben. Ik zou me van kant gemaakt hebben als ik ooit een stijve had gekregen.

Joe's echte naam heeft PJ en mij dichter bij elkaar gebracht. Gevoelens van schuld komen boven wanneer ik weer alleen ben en naar het afnemende licht van de dag lig te kijken. Ik zie soms Engel voor me, de uitdrukking op zijn gezicht waarmee hij dit beoordeelt, en op de een of andere manier lijkt het onwaarschijnlijk dat het allemaal gebeurd zou zijn als hij er nog was geweest. Joe staat nu alleen tegenover een nieuwe driepuntsverbinding van een vrouw zonder geweten ('Zij is niet verdorven of slecht, ze mist alleen een geweten, dat is alles' – uit *Om een vrouw*) en twee vrienden die hem soms zachtjes haten.

Wanneer ik niet in de stemming ben voor schuld vertel ik mezelf dat het in feite niet veel meer is dan een uitruil van intimiteiten: hij kent mijn pik, ik zijn naam. Wat zou het dat we dat van hem weten, hij heeft PJ toch, het is niet meer dan rechtvaardig dat ik een deel heb teruggenomen. Ik ben maar een kruimeldief vergeleken bij hem. Maar wanneer ik die akelige lach van de receptionist van Hotel Olympia weer hoor, kan ik deze gedachtegang niet volhouden. Joe Speedboot is veel meer dan een puberale gril, het is zijn bestemming. De mannen Gods zijn andere mensen geworden door hun nieuwe naam en het is ondenkbaar dat ze terugkeren naar wie ze waren als Abram, Simon of Saul. Dit is Joe wél overkomen en we zien niet meer de geliefde tovenaarsleerling, maar Achiel Stephaan Ratzinger, een soort Christof die lang geleden zijn zieligheid heeft proberen te verdonkeremanen door Johnny Maandag te kiezen als nom de plume.

Ik zie dat PJ Joe in gedachten Achiel noemt; er is een zekere achteloosheid in het geheel van gedragingen geslopen waarmee ze liefde uitdrukt; elke kus en elke blik verziekt door ironie. Klinkend metaal, luidende schel. Tergend langzaam is ze bezig hem uit elkaar te trekken.

Ik geloof dat ieder mens een heilige kern moet hebben, één gebied waar hij door en door betrouwbaar is; de heilige kern die bij mij gecorrumpeerd is geraakt en die ik bij PJ nooit heb ontdekt. Alleen dat roofdierachtige opportunisme dat z'n eigen schoonheid heeft, zeker, en wanneer ze voor me zorgt geeft ze me het gevoel dat ik echt belangrijk ben voor haar. Dit heeft me sterker aan haar gebonden, de wetenschap dat ze de liefde niet heeft maar wel haar best doet, om redenen die wij niet kunnen kennen. Metz schrijft: 'Misschien heeft ze wel een hart, maar bewaart ze het op duizend plaatsen.' Ik denk dat PJ het heel graag wil, zijn zoals de anderen, dat ze jaloers is op de overgave en het zelfverlies waarmee Joe van haar houdt, en hem daarom veracht.

Ze heeft nog altijd een zichtbare fascinatie voor de boeken, mijn *Geschiedenis van Lomark en zijn bewoners*. De dag zal komen dat ze zal vragen of ze ze mag lezen. Ik zal toestemmen want als iemand het mag is zij het. Ze is welkom in mijn wereld zoals ik in de hare. Maar de dag waar het me hier om gaat is deze, de dag dat ze een tekening maakt op het gips om mijn arm. De tekening stelt Islam Mansur voor als King Kong, die mij (héél klein maar met een duidelijk herkenbare mitella om) in zijn handpalm houdt en me met een puilend oog aankijkt. THE GREATEST LOVESTORY EVER TOLD schrijft ze eronder. Ze kan goed tekenen, Mansur is treffend geïncarneerd als gorilla. Heel dichtbij is ze terwijl ze de gorilla blauw inkleurt, ik hoor haar diepe, rustige ademhaling, ik voel de warmte van haar lichaam als een kacheltje. De inkttoevoer stokt soms als er korreltjes gips in de penpunt komen. Onder een bepaald licht zijn haar wenkbrauwen bijna rossig.

– Hou 's stil, zegt ze wanneer er een spasme langstrekt.

Ik buig iets voorover om de beginnende erectie te verstoppen in de plooien van mijn broek. Wie zou er niet zenuwachtig van worden, van haar, en zelfs als je weet wie ze is blijf je ontvankelijk voor die verleidelijke immoraliteit die je kunt bagatelliseren tot grappige ondeugd. Dat is het punt: je kúnt haar manipulatieve aard herkennen als je wilt, daar je ogen voor te sluiten is een wilsdaad. Dat maakt PJ tot een zelfgekozen noodlot. En ik, ik wil niet gespaard worden.

King Kong is bijna af, PJ kijkt op. Ik wend mijn blik af en richt mijn ogen op het tafelblad en de dingen daarop. De stemming is opeens, hoe zal ik het zeggen, *geladen*, zodat ik moeite heb met slikken.

– Wat is er Fransje, vraagt ze zacht.

Ik voel me betrapt, mijn gedachten voelen soms even tastbaar als gebakken broodjes die je zo uit de oven kunt halen. Het volgende wat ik weet is dat haar hand, *haar hand* in mijn kruis ligt. Als ze mijn harde maar niet voelt, denk ik in paniek, voor ik begrijp dat het daarom begonnen is. Het is de hand van God waarmee ze zachte kneepjes geeft die me duizelig maken, nog nooit is mijn pik in andermans handen een ding geweest om zacht in te knijpen, alleen om krachtig af te zwengelen of hardhandig te schrobben; niet dit, niet zo. Ze werpt een snelle blik naar buiten en maakt mijn riem los. Ik beweeg niet, doodsbang voor elke verstoring. Ze opent de rits en laat haar hand in mijn onderbroek glijden. Goede hand, warme hand die ze om mijn pik sluit waardoor ik bijna stik van gelukzaligheid. PJ haalt hem te voorschijn en begint me langzaam af te trekken.

– Wat ben je hard, zegt ze meer tegen zichzelf dan tegen mij.

Haar hand gaat een beetje sneller zonder dat de vingers zich er strakker omheen sluiten, groter geluk is ondenkbaar. Ik hoor het ruisen tussen de stof van mijn broek en haar pols, haar ademhaling gaat sneller. Tussen haar wenkbrauwen staat een kleine denkrimpel. Ze vertraagt, strijkt met haar duim over de eikel en mijn blik verduistert tot het gruizige beeld van sneeuwval bij avond, ik spuit over haar hand en mijn broek. Ik hou het schreeuwen in, mijn bovenlichaam slaat voorover. Dan ebben de krampen weg en laat ze los. Ze glimlacht sereen en staat op om een theedoek uit de keuken te halen en het sperma van haar hand te vegen. Ook mijn broek maakt ze schoon.

Even later loopt ze met haar tas in de hand naar de deur, in de deuropening vraagt ze: 'Heb ik je zo goed genoeg verzorgd Fransje?' en schenkt me een klein lachje. Verpletterd hang ik achterover in mijn stoel en ik weet dat er geen grens is aan wat ik voor haar zal doen. Haar ontrouw is voorspeld, ze heeft zich even natuurlijk vermenigvuldigd als luizen op een kinderhoofd, en ook alles wat ik over mezelf heb gedacht is waar, het is alleen een kwestie van tijd geweest voordat het te voorschijn kwam. Deze wetenschap bevat een element van vrijheid; vermoedens zijn erger dan feiten.

Vandaag heb ik gekozen voor een einde aan mijn lijden; het genot van PJ ingeruild tegen mijn enige vriendschap lijkt een gunstige transactie. Als je je er niet zo beroerd over zou voelen is er niks aan de hand.

Met een gevoel van spijt zie ik een paar dagen later hoe de doktersassistente PJ's tekening op het gips doormidden knipt. De arm is erg geslonken en ik mag hem pas over een week of vier weer belasten. Eind juni is de langste dag, die regenachtig is en vlagerig grijs. Ma zegt dat het dan een natte zomer wordt en daar kun je je dan het best op instellen; half tot zwaar bewolkt met af en toe regen of motregen, met maxima van negentien tot tweeëntwintig graden en veel oorwurmen.

De eerste keer dat ik een blik worsten opentrek ben ik bang dat de arm weer zal breken, maar na een tijdje gaat alles weer als normaal. Het kost me moeite om het trainingsritme te hervinden, ik kan me niet voorstellen dat Joe en ik overal gewoon mee doorgaan als altijd, maar voor hem bestaat daar geen twijfel over. Die bestaat alleen in mijn hoofd waar de dingen van de afgelopen maanden samenvloeien in het moment dat ik klaarkom op PJ's hand. Dit is het leven dat daarna komt. Mijn onschuld bestond alleen maar uit schuld die nog niet was gematerialiseerd.

Joe zegt soms dingen als: 'Ik weet niet man, ik ben zo bang soms. Sinds Engel dood is heb ik dat, de hele tijd het gevoel dat er iets ergs gaat gebeuren.' Hij ruikt onder zijn oksel: 'Ik kan het zelfs ruiken. Angst.'

Hij werkt zich een breuk aan die shovel, hij zoekt extreme lichamelijke arbeid tegen kwellingen die hij niet goed onder woorden kan brengen. Ook hij zal mens worden, naakt, bang en eenzaam als iedereen.

Het kost hem een godsvermogen, de Paris-Dakar, hij heeft een paar sponsors gevonden waarvan Betlehem Asfalt de grootste is, verder wat middenstanders die wel in zijn voor een lolletje. Hij krijgt T-shirts mee met namen en logo's erop. We hebben goed verdiend met worstelen, en met die baan erbij zal hij het wel redden allemaal. Op 1 januari moet hij in Marseille zijn voor de start van de rally. Zestien dagen later zal dat hele circus weer tot stilstand komen in Sharm el-Sheikh, Egypte, want dat het de Paris-Dakar heet wil niet zeggen dat dat ook automatisch het begin- en eindpunt zijn. Dat wisselt.

Wanneer Joe op een dag een grote kaart van Afrika meebrengt en me de route laat zien, weet ik opeens zeker dat hij een bijbedoeling heeft: Sharm el-Sheikh ligt aan de Rode Zee, niet ver van het dorpje Nuweiba waar Papa Afrika zijn winkel had toen hij Regina ontmoette. Maar Joe zegt er verder niks over en ik dring niet aan. Hij rolt de kaart weer op, dan bedenkt hij zich.

– Zal ik 'm hier ophangen? vraagt hij. Dan kun je me een beetje volgen daar.

Het is een mooie grote schoolkaart, op een schaal van 1:7.500.000, een Wenschow Relief-Like-Map. Joe heeft de route er met een stift op uitgetekend.

Buiten steken de klaprozen verbijsterend rood af tegen de lucht die grijs is als schelpen, soms breekt 's avonds de zon door en kleurt de wolken. Op het dak van mijn huis springen houtduiven en eksters rond, ik hoor ze goed. Ze pikken in het mos dat op de asbest golfplaten ligt.

Ik beweeg weer volop maar Lomark voelt anders, de dijk, de straten, ze zijn me vreemd geworden. De hoop die Joe's komst eens veroorzaakte is gedoofd, wij zijn weer wat we waren en altijd zullen zijn. Joe is een verlosser zonder belofte; hij heeft geen vooruitgang gebracht, alleen beweging.

– We doen ons best, zei hij lang geleden, we bouwen een vliegtuig om het geheim te zien, maar dan kom je erachter dat er geen geheim is, alleen een vliegtuig. En dat is mooi.

Hij heeft onze wereld betoverd maar na een regenbui spoelen de kleuren er gewoon weer af.

De E 981 komt steeds dichterbij, je ziet de machines al in de verte en als het donker wordt is er een vloed aan kunstlicht daar. De Rijksweg is een en al versmalling en oponthoud, de mensen klagen maar daar zijn ze veel te laat mee. Egon Maandag wrijft in zijn handen, de E 981 betekent een megaorder voor hem, maar ik denk dat het uiteindelijk nadelig voor hem zal uitpakken omdat het ontbreken van een afrit funest is voor de logistiek van zijn bedrijf.

De zomer gaat over in de herfst, ik ben weer behoorlijk fit en worstel soms tegen Hennie Oosterloo om een beetje ritme te houden. Ik denk niet dat Joe en ik dit jaar nog toernooien zullen bezoeken, hij is te druk met andere dingen. Na de Paris-Dakar zien we wel verder.

Op een dag kom ik India tegen op de dijk, ze is het huis uit en studeert 'iets met mensen' in het westen. Uit de gele hemel valt motregen. India is blij me te zien, haar haar is zwartgeverfd zodat haar gezicht heel bleek lijkt.

– Fransje, wat heb ik jou lang niet gezien, zegt ze.

Het lijkt of ze gaat huilen. Ik schrijf op de blocnote dat het goed gaat, en dat ze wel een indiaan lijkt met dat haar. Het papier wordt zacht van neerdruppelend water. India haalt een laconieke hand door haar haar.

– Dit is geen haar, zegt ze, het is een stemming.

We gaan samen in de richting van Lomark, bij het afscheid is ze heel ernstig.

– Pas je een beetje op Joe, Fransje? Hij lijkt een beetje... zo verdwaald, de laatste tijd. Begrijp je wat ik bedoel?

Ik begrijp heel goed wat ze bedoelt en kijk haar na, in haar groene legerjas die Joe ooit ook gedragen heeft en die van hun vader is geweest als ik me niet vergis. Hij is donker van de regen en hangt zwaar rond haar schouders. Ze draait zich om en

293

steekt kort haar hand op, het meisje van wie je denkt dat ze heel licht naar perziken ruikt.

Op 20 december vertrekt Joe naar Marseille, waar de race op 1 januari begint. Hij heeft niet het geld om de shovel met een dieplader te brengen zodat hij het hele eind zelf moet rijden.

– Kan ik de boel meteen testen, zegt hij.

Hij heeft een minutieuze route uitgestippeld langs kleine weggetjes want op de hoofdwegen is de kans groter dat hij zal worden aangehouden en vervelende vragen moet beantwoorden. Eenmaal in de rally is hij buutvrij. Ik bewonder zijn stoïcijnse minachting voor tijd, moeite en zwaartekracht.

's Morgens heel vroeg zwaaien we hem uit met zijn drieën, Joe's moeder, PJ en ik. Het is koud, het regent, de wereld is vol blauwe schimmen. Regina houdt haar paraplu een beetje boven mij zodat alleen mijn linkerkant nat wordt. Ze is lelijk opgedroogd, zoals we hier zeggen wanneer een vrouw niet mooi oud wordt. Dof is ze, vermorzeld door de liefde.

De shovel staat grommend op de parkeerplaats bij de Rabobank voor, Joe zegt: 'Nou, ik ga maar 's' en PJ huilt een beetje. Ze omhelzen elkaar en Joe zegt iets bij haar oor dat ik niet versta. Ze knikt bedroefd en manhaftig, ze kussen. Daarna houdt Joe zijn moeder stevig vast en zegt dat ze zich geen zorgen moet maken, dat hij veilig zal terugkomen want 'in zo'n ding kan je niks gebeuren'. Hij schudt mijn hand en glimlacht.

– Denk aan je calcium Fransje, oké? Ik zie je volgend jaar.

Nog één keer omhelst hij PJ, ze wil niet loslaten.

– Tot gauw meisje, ik bel je.

Hij klimt in de cabine, het is een machtig gezicht, hij daar bovenin. Hij geeft gas, de ruitenwissers zwiepen over het glas, het monster komt in beweging. Joe steekt zijn hand door het open raam, draait het parkeerterrein af, toetert en rijdt de straat uit. Dit is het laatste wat we van hem zien, tot 1 januari.

Dan is er een dagelijks bulletin van RTL 5 op tv, van elf tot halftwaalf 's avonds, met al het nieuws over de rally. Ik kijk in de woonkamer van mijn ouders, we zien de rijders in een park bij een tribune, er is een fanfare en een cadmiumgele shovel steekt ver boven alle andere voertuigen uit – beplakt met stickervellen van Betlehem Asfalt, autoverhuurbedrijf Van Paridon, slagerij Bot en nog wat kleinere sponsors. Hij heeft het gered, hij heeft Marseille bereikt over de B-wegen en dat is al een wonder op zich. Nu hoeft hij nog maar 8552 kilometer tot Sharm el-Sheikh. Aan tafel mompelt pa dat Joe 'niet goed wijs is, sinds die bommen al niet'.

De eerste dag rijdt de karavaan naar Narbonne, de dag erop gaat ze naar Castellon in Spanje, vlakbij Valencia. In de haven van Valencia wordt het hele circus overgezet naar Noord-Afrika. In Tunis rijdt Joe de zon binnen, weer een dag later bereikt hij de woestijn. We vangen soms een glimp van hem op als er vanuit de lucht wordt gefilmd, met een grote, uitwaaierende stofwolk achter zich aan. De coureurs rijden in een rechte lijn naar het zuiden en op de vierde dag is Joe nog maar net voor de tijdslimiet binnen. Als je die niet haalt dan kun je naar huis. Ik hoor hem 'krap an' mompelen. Het lijkt erop dat hij zich heeft vergist, dat de shovel toch niet zo'n goed woestijnvoertuig is als hij had gedacht. Het landschap is schitterend maar moeilijk, de eerste rijders stranden op zandduinen en in diepe gaten in drooggevallen wadi's. De rest bereikt Ghadamès, een plaatsje net over de grens met Libië, in dat deel van de wereld waar de landkaarten geel worden van 6.314.314 vierkante kilometer woestijn. Joe is nu écht in de Sahara, met een shovel...

Op de zevende dag komt hij voor het eerst zelf in beeld, na een onbegrijpelijke rit van 584 kilometer langs de Algerijns-Libische grens. Het is al donker als hij uit de woestijn te voorschijn komt en het bivak binnen rijdt.

– Daar zul je 'm hebben, zegt ma die met een half oog meekijkt.

Joe's gezicht is bruin en vuil, de lampen van de cameraploeg verlichten hem tegen een koningsblauwe hemel en een decor van tenten, satellietschotels en mannen in motorrijpakken die door het beeld banjeren. Joe kijkt over de schouder van de interviewer en groet iemand buiten beeld. Op zijn T-shirt staat BETLEHEM ASFALT, LOMARK, met kleiner daaronder VOOR AL UW VERHARDE WEGEN. Waarom heeft hij gekozen voor een shovel, vraagt de interviewer.

– Van een vrachtwagen naar een shovel is een kleine stap, zegt Joe. Op de kameel na leek het me het beste transportmiddel voor de woestijn.

– En is dat ook zo?

Joe grijnst vermoeid.

– Nee.

– Heb je het zwaar?

– Alles doet me zeer, en het is jammer dat je niet zoveel van de woestijn ziet. Ik ben hier voor de woestijn, maar je moet je de hele dag concentreren op de weg. Vooral de *ergs*, duinen enzo, dat zand is soms net talkpoeder. Het is een bewegend landschap waarin je je weg zoekt.

– Je rijdt onder de naam Joe Speedboot, wat betekent dat?

– Dat ik zo heet, meer niet.

Er klinkt een gluiperig lachje.

– Echt?

– Zo is het.

– Nou, heel goed Joe. Wat verwacht je van de rit van morgen?

– Ik heb nog geen tijd gehad om het roadbook op te halen, ik moet nog eten en tanken, en de koppeling hapert.

– Het wordt een zware dobber kan ik je alvast vertellen, vijfhonderd kilometer naar Sabha, veel rotsen en over de zandheuvels van de Murzuk Erg. Hoe klinkt dat?

– Komt wel goed.

– Succes morgen Joe, we zien je in Sabha.

Joe verwijdert zich uit het licht, we krijgen beelden van de afgelopen dag te zien, onder meer van een Nederlandse uitvoerder in de bouw die zich op zijn motor tegen een zandduin op worstelt. Hij zal twee uur voor Joe binnenkomen.

Er is zichtbaar verschil tussen de amateurklasse en de klassementsrijders; de klassementsrijders zijn altijd vroeg in het bivak waar hun begeleidingsteam op ze wacht; ze nemen een douche, trekken iets fris aan en verschijnen even later spic en span voor de camera's. De amateurs hebben geen begeleidingsteam en vaak niet eens een mecanicien. En omdat ze vaak laat aankomen in het bivak, is de woestijn aan hen het best af te zien. Ze zijn vuil, moe en opgewonden, ze slapen vaak maar een paar uur per nacht. Om vijf uur 's morgens worden ze gewekt door de eerste Antonov-transportvliegtuigen die naar het volgende kamp vertrekken, waar in korte tijd een kleine stad verrijst in de woestijn, met keukens, toiletten, een perstent, reusachtige satellietschotels en zelfs een volledig uitgeruste operatiekamer. Binnen een uur is alles bedekt met stof en zand, uit de perstent klinkt gevloek in vele talen.

Het gaat goed met Joe, de rit gaat in noordoostelijke richting en hij legt een van de moeilijkste afstanden van de rally af zonder noemenswaardige problemen. Even na zonsondergang bereikt hij Sabha. De cameraploeg begint de lol in te zien van een Nederlandse deelnemer in een shovel: ze hebben zijn vertrek uit het kamp die ochtend gefilmd en wachten hem op wanneer hij aankomt. De puinbak voor op de shovel is opgeheven, hoog in de cabine steekt Joe een duim op. Langs de zijkant van de shovel zijn twee ladderconstructies bevestigd waarmee hij zichzelf uit het zand kan bevrijden als hij komt vast te zitten, achterop hangen twee enorme reservewielen.

De coureurs zijn vermoeid, geblesseerd en kreupel. Er gebeuren veel ongelukken, één man is omgekomen.

Zaterdagmiddag komt PJ onverwachts langs. Ze is in Lomark vanwege haar moeders verjaardag de volgende dag. Ze draagt een jas met een zilverige bontkraag en schudt water uit haar haren. Ik maak thee en ben dankbaar haar te zien.

– Volg je Joe een beetje? vraagt ze.

Aan beide oorlelletjes hangt een glinsterende druppel regenwater. ELKE AVOND, schrijf ik. HIJ IS GROOTS.

We kijken samen naar de schoolkaart van Afrika, gisteren reed Joe weg uit Sabha in de Libische woestijn, op de kaart zijn geen nederzettingen aangegeven tot de oase van Siwa, in Egypte net over de grens, waar hij als het goed is morgen aankomt. Het is een grote lege zee, Joe is alleen tussen het zand en de sterren.

– Hij heeft nog maar twee keer gebeld, zegt PJ. Een keer uit Frankrijk en nog een keer uit Tunesië, of weet ik veel waar vandaan. Ik heb het gevoel dat de maan nog dichterbij is.

We drinken thee, PJ bekwaamt zich in het rollen van sigaretjes voor mij. Het zijn wat kreukelige peukjes maar ik zal ze met liefde roken.

– Schrijf je erover, over Joe?

Inderdaad schrijf ik weer, om de leegte te verdrijven, maar ik weet niet of de toon me bevalt. Het proza is even rechtlijnig als de grens tussen Libië en Egypte, en even illusieloos misschien.

– Mag ik het lezen? Waarom lach je?

DACHT DAT JE HET NOOIT MEER ZOU VRAGEN.

– Ja, echt? Vind je het goed?

ÉÉN VOORWAARDE – VAN BEGIN TOT EIND.

– O, heel graag, ik wil je heel graag horen praten. Begrijp je dat? Die boeken zijn jouw stem voor mij.

Even later ligt ze op haar buik op het tapijt met een stapel cahiers voor zich. De kachel brandt, ik rook en kijk naar hoe ze leest, ze heeft mijn bureaulamp naast zich neergezet en slaat met regelmatige tussenpozen de pagina om. Als ze lacht klop ik op tafel, ik wil weten wat ze leest.

– Je schrijft zo grappig, zegt ze. Over Christof vooral, je

denkt echt te slecht over hem. 't Is zo'n schatje.

Ik denk aan Joe, die op dat moment naar het oosten davert door een wereld van zand en gesteente, alleen met zijn gedachten en zijn ogen op de sporen voor hem. PJ maakt geluidjes onder het lezen. Ik wilde dat ik meer geschreven had om haar hier te kunnen houden, dit gelijkmatige geluk mag altijd duren. Ik probeer in te schatten hoe lang ze erover zal doen, zeker tien uur denk ik, misschien langer. Links ligt de stapel die ze nog moet, rechts wat ze al heeft gehad, over de tijd dat Joe's bom ontplofte op de wc van school, de warme gloed van de beginjaren voordat zij er was. PJ zelf verschijnt in boek elf of twaalf. Vandaag zal ze dat niet halen, ze vraagt hoe laat het is en schrikt als ze de tijd ziet op de keukenklok.

– Vind je het goed als ik morgenvroeg terugkom Fransje? Het is... fantastisch, ik zou het liefst in één keer doorlezen.

Die avond zie ik dat Joe nog steeds in de race is, hij heeft een relatief eenvoudige dag gehad, hij ziet er heel gelukkig uit. Het programma heeft hem gepromoveerd tot onderwerp van een dagelijks rubriekje dat 'Speedboot in het Zand' heet. Het duurt nauwelijks anderhalve minuut, volgt zijn verrichtingen van de dag en sluit af met een klein interviewtje waarin Joe een paar spitsvondigheden debiteert. Vandaag heeft hij een T-shirt aan van schildersbedrijf Santing met het logo van de winterschilder erop.

– 't Is eigenlijk voornamelijk een strijd tegen de verveling, vat hij de rally voor ons samen. Je ziet de hele dag geen mens, praat alleen maar tegen jezelf en 's avonds smeer je zalf op je kont tegen de doorligplekken. Een smal leven, als je het mij vraagt.

Die doorligzalf heeft hij van mij, ik had een paar tubes liggen die nog niet zo heel lang over de datum waren.

– Je voelt je toch niet alleen Joe? vraagt de interviewer zuigend.

– Zolang je niet verdwaalt ben je nooit alleen.

Ma zit naast me op de bank te knikken.

– Joe kan het mooi zeggen.

De volgende morgen douche ik bij mijn ouders, ruim het huis op en wacht op PJ. Of ik bezoek krijg, wil ma weten. Tegen vieren wordt het alweer donker en zijn de sigaretten op. Ik begin aan de vierde fles bier wanneer de deur opengaat en PJ binnenkomt. Ze zegt niet waarom ze zo laat is, ik gebaar haar een bier te nemen. Ze opent de koelkast, pakt een fles en wipt handig de kroonkurk van de fles.

GEFELICITEERD MET JE MOEDER, schrijf ik.

– Pff, er is familie over, echte Afrikaners, het gaat de hele dag over dat land. Heel vermoeiend allemaal. Heb je het gezien, 'Speedboot in het Zand'?

IN ZIJN ELEMENT.

– Ik moet zo om hem lachen, alles wat hij zegt is zo a-typisch voor dat wereldje.

Ze doet een greep in haar tas en haalt er een boek uit, de *Historiën* van Herodotus. Ze slaat het open en zoekt een pagina.

– Mijn vader heeft dit opgezocht, zegt ze. Over de Westelijke Woestijn in Egypte, waar Joe nu is. Hier, vanaf vierentwintig.

Ik lees over Cambyses, een of andere heerser in een of andere tijd die een groot leger de woestijn in stuurt om een stam die de Ammoniërs heet tot slaaf te maken: ...die van hen, die uitgezonden waren om tegen de Ammoniërs te trekken, braken op uit Thebae en gingen met gidsen, en kwamen, dat weet men, in de stad Oasis, bewoond door Samiërs, die van den Aeschrionischen stam zouden zijn, en een zevendaagschen weg door de woestijn van Thebe af wonen; deze streek heet in de Helleensche taal Makaroon Nêsos (d.i. het eiland der gelukzaligen). In deze streek moet, naar gezegd wordt, het leger gekomen zijn, doch daarna weet niemand, behalve de Ammoniërs zelven en die het van dezen hoorden, iets over hen te zeggen: want noch bereikten zij de Ammoniërs, noch keerden zij terug. Het volgende echter wordt ook door de Ammoniërs zelf gezegd: nadat genen uit dat Oasis door de woestijn tegen hen opgetrokken waren, kwamen zij ergens ongeveer midden in tusschen de Ammoniërs en Oasis, en daar zij aan het ontbijt waren, woei een groote en ongewone zuidewind tegen hen aan, aandragend golven van zand, en bedolf hen, en op zulk een wijze verdwenen zij. Zoo nu zeggen de Ammoniërs, dat het met dat leger is gegaan.'

– Een heel leger verdwenen, zegt PJ. Stel je voor dat archeologen dat ooit vinden, goed geconserveerd in het zand… Mijn vader had het over vijftigduizend man.

BEN JE BEZORGD?

– Een beetje, wat als hij verdwaalt? Het is zo ongelofelijk groot en leeg, ik bedoel, als een heel leger spoorloos kan verdwijnen.

Ze kijkt naar de boeken op de grond die daar nog precies zo liggen als gisteren, en zegt: 'Zal ik maar weer beginnen, ik moet nog best wat.'

Even later ligt ze met een kussen onder haar buik te lezen in mijn Historiën, ik blader door die van Herodotus en denk aan het verdwenen leger, overvallen door een ongewone zuidenwind, aandragende golven van zand… Daar ergens is Joe, misschien is hij de grens met Egypte al gepasseerd, op weg naar de oase van Siwa. Hij is al drie weken weg en ruim over de helft van de rally, zijn materiaal is heel gebleven, op goede dagen kan hij zich meten met de vrachtwagenklasse. In mijn ogen volbrengt hij een wonder, maar ik kan de gedachte niet van me afzetten dat hij wordt achtervolgd door zijn schaduw die Achiel Stephaan heet.

– Hé, ik wist niet dat je verliefd op me was, zegt PJ vanaf de vloer.

Ze klinkt verrast, plagerig. Ik heb er minder schaamte over dan verwacht, misschien omdat ze me heeft zien klaarkomen zodat je kunt zeggen dat we nu bij elkaar horen, op de een of andere manier. Zoals ze naar me kijkt, het is de blik die aan iets voorafgaat, die kan ik inmiddels vrij goed herkennen. Ze staat op en pakt haar bier van tafel.

– Maar je overdrijft, zegt ze. Jullie zijn hier gewoon niet zoveel gewend. Durban was niet zoveel bijzonders. En of ik dat ben…

BIJZONDER GENOEG OM EEN ROMAN OVER TE SCHRIJVEN.

– Jouw dagboeken bedoel je?

METZ.

Ze schrikt; ik weet niet waarom ik dit doe, misschien ben ik pissig dat ze zo laat was, misschien wil ik alleen maar weerloos zijn.

– Heb je dat gelezen?

Er is koelte neergedaald in haar stem, ze is op haar hoede. Ik knik.

– Wat vond je ervan?

DE MAN KAN SCHRIJVEN.

– Dat bedoel ik niet, zegt ze scherp. Van wat hij over mij schrijft, geloof je dat?

GELOOF IS EEN DAAD VAN LIEFDE.

– Wat bedoel je?

DUS GELOOF IK JOU.

PJ kan een lach niet bedwingen.

– Je bent een sofist Frans Hermans.

MIJN DAGBOEK, ZIJN ROMAN – WIE BEN JIJ?

Ze kijkt en denkt.

– Dit Fransje, dít wat hier nu is, meer kan ik er niet over zeggen. Het is allemaal niet zo geheimzinnig, dat maakt Arthur ervan.

UITEINDELIJK HETEN WE ALLEMAAL ACHIEL?

– Ja, zo kun je dat misschien wel zeggen. Achiel ja.

Het is de eerste keer dat die naam hardop klinkt, en we lachen. Ze komt naast me staan.

– Heb ik je al eens verteld dat ik erg op intelligentie val?

En zo is de stemming weer omgeslagen naar het soort broeierigheid dat ik me herinner van de keer dat ze me aftrok. Ze zinkt op haar knieën naast me en legt haar handen op mijn dijbeen.

– Intelligentie is onweerstaanbaar.

Mijn hoofd begint te gloeien, dit is waar ik op heb gehoopt, nee, voor heb gebeden. Ze ritst mijn broek open maar ik wijs gealarmeerd naar de gordijnen, mijn ouders kunnen ons zo zien. PJ staat op, sluit het donker buiten en doet de schuif op de deur. In het voorbijgaan neemt ze de theedoek van het haakje.

– Waar waren we. O ja.

Ik ben zo hard als een fles, ze vraagt 'ben je schoon?' en ik knik. Dan neemt ze me in haar mond. Ik streel haar haren, de binnenkant van haar mond is nat en warm, haar hoofd beweegt op en neer. Ik kijk schuin op haar gezicht en zie mijn pik in en uit haar mond glijden, ze lacht naar me, het is te veel. Krachtig slingert het zaad op haar gezicht. Sorry sorry. Pas wanneer ik helemaal leeg ben laat ze los en veegt het zaad af in de theedoek. Haar handen glijden onder mijn trui, zo onvoorstelbaar veel warmer dan de voorgeschreven zevenendertig graden Celcius. De huid reageert met oncontroleerbare rillingen. Ze trekt mijn trui uit over mijn hoofd en wurmt de vogelarm door de mouw zodat ik nu halfnaakt voor haar zit. Het licht boven tafel schijnt fel op mijn witte, ongelijkmatig gewelfde bovenlichaam, ik kom half overeind en knip de lamp uit. Paradijs bij het licht van de bureaulamp op de vloer.

– Kom.

PJ helpt me overeind en we gaan naar het bed. Ik laat me vallen, ze haalt de strik uit mijn klompschoenen en maakt de veters los. Ze doet mijn schoenen uit en mijn broek, ik lig weerloos voor haar. Onder haar truitje draagt ze een witte bh. Er zijn bleke striemen op haar buik, mijn hand vraagt om haar. Met haar handen achter haar rug haakt ze de bh los, haar armen glijden door de bandjes en ik zie haar borsten. Ik heb haar lief.

Ze bevoelt mijn pik, haar broek en slip glijden op de grond. Ik zie de schaduw tussen haar benen, daar waar ik nog nooit eerder was. PJ komt schrijlings op me zitten en tast onder zich. 'Heb je ooit eerder…?' Ik schud mijn hoofd. Dan laat ze zich tot de helft op mijn pik zakken, zucht diep en rillerig en spietst zich op me vast. Haar ogen zijn dicht, de mijne wijd-open. Ze buigt voorover en legt haar handen op mijn borst terwijl haar onderlichaam zelfstandig van de rest op en neer beweegt. Meer dan dit hoeft niet, dit is alles waar ik om vraag.

Haar hals is gebogen en een waterval van krullen hangt voor haar gezicht, daarachter is haar luide ademhaling en soms een klaaglijke toon alsof ze onuitsprekelijke pijnen lijdt. Haar bekken schuift krachtig op en neer, ons schaamhaar schuurt over elkaar, mijn hand dwaalt over haar billen, over haar on-derrug naar haar buik en haar schuddende borsten, 'ja, ja, pak ze vast,' hijgt ze. De tepels zijn hard, ik verdeel mijn aandacht en voel mijn pik niet meer die in haar weggesmolten is. Wan-neer PJ uitstoot dat ze klaarkomt grijp ik in haar nek, strek mijn vingers uit over haar hoofdhuid en voel heftige schokken door haar lichaam trekken. Ze valt zwaar op me, haar adem is een storm bij mijn oor. Ze blijft lang liggen, ik blijf bewe-gingloos en krijg langzaam het gevoel terug in mijn pik die daar beneden in haar steekt. PJ komt overeind en laat zich van me afglijden.

– Jezus, wat lekker.

Ze daalt mijn lichaam af.

– Je bent nog steeds hard.

Ze begint me af te trekken, mijn pik glimt van haar vocht.

– Ik wil dat je komt Fransje.

Ze buigt zich over me heen en vlindert met haar tong over mijn eikel.

– Kom maar.

Haar hand rukt onafgebroken, ik spuit kermend in haar mond.

Om drie uur 's nachts word ik wakker, de kachel suist en ik trek een deken over ons heen. PJ slaat haar ogen half op, glimlacht en slaapt verder. Ik wil niet slapen maar kijken, maar ga weer onder. Ik word wakker wanneer ik voel dat haar lichaam zich losmaakt van het mijne en uit bed glijdt. Het is nog nacht, ze trekt haar kleren aan.

– Ik moet gaan, fluistert ze alsof er nog iemand in de kamer is.

Ze strijkt met lichte hand over mijn voorhoofd, dan is ze weg. Een golf koude lucht van buiten deint door de kamer, ik val weer in slaap.

Een paar uur later rijdt Joe weg uit het kamp in Siwa voor een afstand rond de oase. Hij dendert de zandduinen rond Siwa in, de puinbak steekt hoog boven de cabine uit; een gehoornd beest dat in de woestijn verdwijnt.

– Het is schitterend, zegt Joe die avond op tv, als je in het donker opeens die lichtkoepel aan de hemel ziet waar de oase is. Gas d'r op en tussen de dadelpalmen door naar huis. Je moet je zó lang achter elkaar concentreren, aan het eind van de dag kun je iedere rijder vragen of hij bijvoorbeeld ook die autoband heeft zien liggen halverwege, of een paar schoenen op de weg. Iedereen is vreselijk scherp op de kleinste afwijkingen in dat smalle beeld de hele dag.

Dinsdagmorgen begint de karavaan aan de tocht door het deel van de woestijn dat de Grote Zandzee heet, waar honderd meter hoge zandduinen zijn. Joe is chagrijnig, iemand heeft 's nachts een generator achter zijn tentje gezet zodat hij uit zijn slaap werd gedreund. Halverwege de dag rijden ze de Witte Woestijn in, een hallucinant landschap van kalksteen en verblindend wit zand. Ze naderen Dakhla en dalen een plateau af naar de oase. Morgen begint de bewoonde wereld weer. Bijna honderd rijders zijn uitgevallen in de woestijn, daar zullen er nog een paar bij komen, uiteindelijk bereiken slechts drie op de tien deelnemers Sharm el-Sheikh.

Op de veertiende dag bereikt Joe de Nijl. Bij Luxor steekt hij de rivier over en duikt de volgende morgen de Oostelijke Woestijn in. Noordwaarts gaat het, en het een na laatste laatste bivak wordt opgeslagen in Abu rish, aan de verbindingsweg tussen Beni Suef aan de Nijl en de Golf van Suez. Op de zestiende en laatste dag volgt de langste afstand van de rally; zo'n vierhonderd kilometer wordt afgelegd over asfalt, via Suez naar Abu Zenima aan de kust van de Golf van Suez, en daar verlaten ze de weg voor nog eens vierhonderd kilometer offroad door het Sinaï-massief, dat kraakt van hitte. Ze steken de Sinaï dwars over en komen uit bij Wadi Watir. Bij het plaatsje Nuweiba aan de Golf van Akaba rijden ze de weg weer op voor de laatste kilometers naar Sharm el-Sheikh in het zuiden.

Het heeft mij niet verbaasd dat een paar kilometer voor Nuweiba het laatste van Joe vernomen is in de rally. Hij is voor het laatst gezien in de bergen nabij de kust en wordt pas tegen de avond gemist, wanneer hij na de tijdslimiet nog niet binnen is. Die avond bij 'Speedboot in het Zand' komt de interviewer voor het eerst in beeld, en doet op dramatische toon verslag van de verdwijning van Joe Speedboot en zijn raceshovel.

Ik lach me dood, het is tot op de laatste minuut spektakel met hem.

Pas eind januari duikt Joe weer op in Lomark. Zonder shovel. Hij lacht een beetje om de opschudding die hij heeft veroorzaakt. Hij is zo mager als een riem en de zon heeft zijn haardos gebleekt. Zijn gezicht en onderarmen zijn roodbruin.

Eerst is hij een paar dagen bij PJ in Amsterdam geweest, nu komt hij zijn moeder geruststellen.

– En hier Fransje, hier nog iets gebeurd?

Zijn vaste vraag als hij een tijdje is weg geweest. Mijn keel zit dicht, er malen ondergangsgedachten in mijn hoofd. Ik schrijf: VEEL RTL 5 GEKEKEN.

– Dat was grappig ja. Ik denk niet dat Santing er een liter verf meer om verkoopt, maar hij was in beeld.

WAT HEB JE MET DE SHOVEL GEDAAN?

Hij lacht slim.

– Laten staan.

BIJ WIE? PAPA AFRIKA?

– Laat ik zeggen dat hij een grondverzetbedrijfje kan beginnen. Of zoiets.

Joe vouwt zijn handen in zijn nek en zinkt genoeglijk achterover in zijn stoel. Ik begrijp opeens iets, een heel helder inzicht is het: dat hij niet klein te krijgen is. Het verraad van mindere goden krijgt hem niet van zijn plaats. Hij zal lijden om ons, hij zal een bos omhakken en een rivier verleggen tegen de pijn, maar er ongebroken uit te voorschijn komen. Dit besef maakt dat ik een hol wil graven in de grond om voor eeuwig in te verdwijnen.

Joe gaat naar Christof vanavond, maandag moet hij weer

naar zijn werk. Hij voelt zijn zakken na, pakt zijn aansteker van tafel en glimlacht.

– Kom, zegt hij, ik stap maar weer 's op.

EN TOEN

We schrijven later, vele jaren later. Er is veel gebeurd en ik begrijp eindelijk de peilloze waarheid van de Alles-Wordt-Minder-Mannen op hun bank bij de rivier: alles is inderdaad minder geworden. Zelfs het verdriet daarover is minder. Je leert te leven met zulke vaststellingen als uitgebleekt gebeente.

Nadat Joe terugkwam van de Dakar heeft Christof hem keurig gevraagd of het goed was dat hij PJ zou uitnodigen voor het jaarlijkse gala van zijn studentenvereniging. Hij kon geen ander meisje vinden. 'Dat moet je aan PJ vragen,' zei Joe, 'niet aan mij.'

Zo ging PJ mee naar het gala van het Utrechts Studenten Corps in een nauwsluitende zilvergrijze rok en niemand die begreep hoe Christof aan zo'n schoonheid kwam.

Die nacht werd hij ontmaagd. Nu kwamen wij alle drie samen in haar schoot.

In de zomer die volgde heeft Christof Joe op een Utrechts terras verteld dat ook hij een relatie had met PJ, en dat ze definitief voor hem, Christof, had gekozen. En dat ze Joe niet meer wilde zien, daar kwam het eigenlijk op neer. Ze hield nu eenmaal niet van de rafelige, pijnlijke zenuwuiteinden aan het einde van een relatie.

Joe sloeg Christof niet op z'n bek, noch heeft hij zijn kop eraf getrokken, hij is in zijn auto gestapt en blies ter hoogte van Oosterbeek de motor op. Het laatste eind is hij naar huis gelopen, 's nachts heeft hij zijn rugzak ingepakt en een briefje op tafel gelegd dat hij nog zou bellen, en dat is alles wat we erover weten. Ze zeggen dat ze hem nog op een shovel hebben zien zitten bij de aanleg van de E 981, en dat hij een zwarte baard had, zodat het net zo goed iemand anders kan zijn geweest.

Verbaast het iemand dat Christof PJ uiteindelijk heeft gekregen? Mij niet zo, ook hij zou zijn kans krijgen en hij heeft haar gegrepen toen ze zich voordeed. Christof had PJ één belangrijk voordeel te bieden boven haar andere minnaars: orde en zekerheid, door de eeuwen heen de enige eis die de burgerij aan haar autoriteiten stelt. Dit was van minder belang geweest als ze niet zwanger was geworden van hem. Christofs familie heeft hemel en aarde bewogen om haar te weerhouden van een abortus, en niet veel later begon een shovel (geen Caterpillar maar een Liebherr, Joe zou gegruwd hebben) met het bouwrijp maken van een stuk grond tussen Lomark en Westerveld waarop het huis van Christof en PJ zou komen te staan.

Christof heeft zijn studie versneld afgemaakt en is in dienst getreden bij Betlehem Asfalt, PJ is nooit afgestudeerd.

Ik weet eindelijk ook weer op wie Christof lijkt, de vraag die jarenlang een soort obsessie voor me is geweest. Ik heb het teruggevonden in het boek *Hitlers handlangers*: sprekend Heinrich Himmler, ik zweer het je. Dat boek stond al honderd jaar bij mijn ouders op het boekenplankje. Tijdens een medische inspectie in gevangenkamp Lüneburg moest Himmler zijn mond opendoen en beet op dat moment een cyaankalicapsule stuk. De foto is kort daarna gemaakt. Linksboven op de foto is de glimmende neus van een laars in beeld, Himmler heeft zijn brilletje nog op en ligt met een deken rond zijn middel op de betonnen vloer. Precies Christof, zoals hij daar ligt.

Ik vond dat boek terug op de avond na ma's begrafenis. Ze overleed na een explosieve lymfeklierkanker. We hadden haar begraven en zaten 's avonds met familie in de woonkamer toen ik *Hitlers handlangers* op het plankje zag staan. Ik bladerde het door en vond het fotokatern. Dirk keek mee over mijn schouder.

– Da's net die maat van je, zei hij.

Er is één ding waar ik nog altijd met het grootste plezier aan terugdenk, en dat is de trouwdag van Christof en PJ. Ze trouwden in de kerk en PJ's jurk stond op knappen vanwege het kind dat ze kort daarop zou baren. Nieuwenhuis had de bek vol liefde, ik zat in het gangpad. Bij het verlaten van de kerk keek PJ me kort aan. Het echtpaar reed weg in een gehuurde Bentley. De receptie werd die middag gehouden bij de oude heer Maandag thuis, in de villa die hij buiten het dorp liet bouwen nadat de Scania het trapgevelpand in de Brugstraat had verwoest. Het was een blakende zomerdag, er waren nog volop klaprozen en korenbloemen. Christof was koning die dag, zijn vader hield een toespraak over prinsen op witte paarden, zijn laatste woorden waren: 'En om met mijn zoon te spreken: "Wie koopt een wit paard voor haar?"' Op dat moment kwam Christof achter het huis vandaan met een witte merrie aan de halster, zijn huwelijkscadeau voor PJ, en toegegeven, het had absoluut klasse.

PJ huilde, zoals ze ook had gehuild op de dag dat Joe vertrok met zijn shovel bij de Rabobank voor. Ze kuste Christof en gaf het paard onhandige klopjes op zijn hals, ze was nooit zo'n paardenmeisje. De gasten stonden er bewonderend omheen, oh en ah enzo, en Christof grijnsde van oor tot oor. Op dat moment klonk er motorgeronk in de lucht, een egaal, heerlijk grommen dat niemand opviel, de lucht was vol vliegtuigjes op mooie dagen. Alleen kreeg dit geluid een steeds dwingender aanwezigheid, het drong zich als het ware aan de trouwpartij op. Iemand keek om, steeds meer hoofden draaiden in de richting van het geluid dat opeens heel dichtbij was. Iemand riep: 'Dat ding gaat neerstorten!' en het gezelschap viel uiteen alsof iemand een stinkbom in hun midden had laten vallen.

Een hemelsblauw vliegtuig.

Het stormde laag over de velden op de villa af. Erachter hing een banier met een tekst. Christofs moeder stootte de eerste tafel om terwijl ze dekking zocht, ik rilde door het heldere glasgerinkel. Het vliegtuig leek nog altijd te dalen en scheerde toen over ons heen. Velen vluchtten het huis in, het weiland was vol rennende mensen maar ik keek omhoog toen het terras verduisterd werd en had de kristalheldere associatie van een groot en dreigend kruis dat ons zou verpletteren. De vliegenier trok op, ik zag dat hij een skibril op had en zijn tanden ontblootte in een grijns. Daar ongeveer is mijn lachbui begonnen.

Midden op het terras staarde één vrouw als bevroren naar het vliegtuig aan de hemel: Kathleen Eilander. Haar mond was een beetje opengezakt, ze wees met krachteloze hand.

– Daar... zei ze. Dat...

Ik weet niet of veel mensen de woorden op de banier op dat moment gelezen hebben, maar later zong de tekst rond. Ik zei het al, spektakel tot op het laatst met Joe. Dit stond er:

HOER VAN DE EEUW

In beste letters. Ik ben bijna gestikt van het lachen. Hij had dus eindelijk dat boek gelezen en er op deze schitterende dag zijn voordeel mee gedaan!

Het was een beetje zielig dat niemand er in die paniek aan had gedacht om het paard vast te houden want dat galoppeerde nu door de velden god weet waar naartoe. Het vliegtuig maakte een ruime bocht en kwam terug voor een laatste saluut. Op dat moment kwam een woedende, nee *ziedende* Christof naar buiten rennen met het jachtgeweer van zijn vader. Zijn moeder gilde terwijl hij doorlaadde, het geweer schouderde en op het verdwijnende vliegtuig vuurde. Hij miste, of het was al te ver weg in de richting van het dorp. Kathleen Eilander zette een stoel rechtop, ging zitten en keek het vliegtuig na. 'Het paard!' riep iemand, Christof vloekte en ging er met een paar mensen achteraan.

Wie achterbleven keken in stille verbijstering naar de verwoesting. PJ stond als een bollend zeil van kant en zijde te midden van de ruïnes van haar trouwdag. Het was of ze niet kon kiezen tussen woede of een lachaanval. Aan mijn lachbui kwam geen einde, en eigenlijk duurt die tot op de dag van vandaag voort. PJ keek naar mij en toen naar de kleurige slinger bruiloftsgasten die door de weilanden achter een wit paard aan rende, en schudde licht haar hoofd. Ze schonk twee glazen champagne in van een van de weinige tafels die overeind gebleven waren, tikte de glazen tegen elkaar, goot het ene glas leeg in mijn mond en dronk het andere zelf in twee slokken leeg.

– Hoer van de eeuw, zei ze peinzend terwijl ze langs haar mond veegde. Hoer van de eeuw. Tss…

Twee weken later kreeg PJ een zoon, in de herfst betrokken ze het huis waar ze nog altijd wonen. Het jongetje heb ik voor het eerst gezien toen het naast Christof over de Poolseweg fietste met een oranje vaantje achter op zijn fiets. Christof stak een hand naar me op, het dikke jongetje ploegde voorwaarts. Het leek niet op Heinrich Himmler.

Technisch gesproken is het zelfs mogelijk dat het jongetje mijn zoon is, want PJ en ik zijn nooit opgehouden met elkaar te slapen – en mijn kloten doen het voortreffelijk. Zegt PJ. Ze komt langs als Christof in het buitenland is. Pa sluit dan de gordijnen van de woonkamer, op zulke dagen is er geen gebrek aan haar. PJ krijgt ouderdomskloofjes bij haar oren, mijn liefde voor haar is nooit bekoeld. Ze is nog altijd mijn enige lezer.

Wanneer ik over Joe schrijf, de dingen die gebeurden en hoe wij onze ziel verloren, is ze niet op haar gemak. 'Hij was een dromer,' zegt ze, alsof daarmee iets verklaard of vergoelijkt wordt.

Een enkele keer vraagt ze of ik haar wil optillen met mijn goede arm, dan breng ik mijn hand onder haar kont en houdt zij zich in evenwicht aan mijn schouder, zodat ik haar langzaam van de grond til. Dan zit ze een tijdje op mijn hand als op een wielrenzadel. Wanneer ik haar optil ben ik even weer zo sterk als een beer en voelt zij zich zo licht als een veertje. Dit verschaft haar veel genot. Daarna neuken we als beesten.

Ik draai nog altijd mijn rondjes door het dorp en ga weleens bij Hennie Oosterloo langs in zijn tuinhuis achter De Uitspanning. Hij zet zijn arm op het midden van de tafel omdat hij mij de rest van zijn zwakzinnige leven zal associëren met armworstelen, maar dan schud ik mijn hoofd en moet soms bijna huilen. Ik herinner me de seppuku, de schone, rechte snede, maar dat is uiteindelijk niets voor mij. Ik heb mijn eer niet verloren, ik heb haar weggegeven, en wel bij vol verstand.

De E 981 is in gebruik genomen, een gletsjer van asfalt heeft nieuwe tijd voor zich uit gewalst en wij zijn verdwenen achter een metershoge geluidswal van aarde en kunststof. We horen inderdaad niks, net zomin als wij nog worden gehoord. Automobilisten die langsflitsen zien misschien vanuit een ooghoek het puntje van onze kerktoren boven het scherm uitsteken, met daarop de hoan die kroanig blef, maar verder heeft de wereld ons aan het zicht onttrokken. Maar daarachter zijn wij niet gestorven, noch zijn wij van gedaante veranderd. Wij zijn hier nog.

Lof voor *Alles over Tristan*:

'Steeds opnieuw neemt het verhaal een wending die verrast, die het dilemma van de biograaf nieuw leven inblaast en die je doet meeleven met de keuzes die hij moet maken.' – *Trouw*

'Wieringa heeft met veel gevoel voor sfeer een thrillerachtige roman geschreven over de lijdensweg van een biograaf.' –*Haagsche Courant*

'Wieringa heeft het allemaal verzonnen, maar het verhaal overtuigt tot en met de laatste letter.' – *Rails*

'De spanning blijft constant, nergens verslapt het verhaal.' – *Het Financieele Dagblad*

'Hiermee bewijst Wieringa zonder meer zijn vakmanschap als schrijver.' – *De Telegraaf*

Lof voor *Joe Speedboot*:

'Een wervelend geschreven ontwikkelingsroman... Op bijna iedere bladzijde is wel een mooie zin of humoristische zinswending te vinden. *Joe Speedboot* komt de Nederlandse literatuur binnenzeilen met geweld en zwier. Het literaire seizoen moet nog beginnen, maar in de stroom boeken die de komende maanden voorbij gaat komen, zou Wieringa's roman wel eens het vlaggenschip kunnen zijn.' – Pieter Steinz, *NRC Handelsblad*

'Wieringa slaagt er wonderbaarlijk goed in de wereld van deze niet-zo-aardige jongens voelbaar te maken. Je gaat geloven in hun onwaarschijnlijke stunts, je gaat zelfs meeleven met de grove, explosieve Fransje, die zijn frustraties zelden direct benoemt. Daar komt bij dat Wieringa een enorm gevoel voor ritme heeft. Nergens verliezen zijn zinnen spanning. Het blijft lopen, het blijft swingen. Een kei van een boek.' – *Trouw*

'Vanaf de allereerste pagina een boek om verliefd op te worden. Het doet denken aan het werk van John Irving en Paul Auster. (...) Het schrijverschap van Wieringa is met *Joe Speedboot* volledig tot wasdom gekomen.' – *Het Parool*

'Ik ben vol van *Joe Speedboot* van Tommy Wieringa. Bijna te vol om er een stuk als dit over te schrijven. Ik heb in geen jaren zo'n memorabel boek gelezen.' – Atte Jongstra, *Leeuwarder Courant*

'Fraai taalgebruik, mooie metaforen en een ode aan de verbeelding.' – *De Telegraaf*

'De mix van vaart, humor en diepgang leest zo lekker dat je kunt wegzakken in de volle taal en het zinderende jongensverhaal. Wieringa toont met zo'n dijk van een boek het lef om grote namen naar de kroon te steken. Bijna achteloos, en niet zonder knipoog. Klasse is dat.' – *Het Financieele Dagblad*

'In het ontzuilde, losgeslagen, multiculturele dorp van *Joe Speedboot* draait alles om taal, onalledaagse, vernieuwende, bijzondere taal. Alleen al daarom is dit boek een protest tegen cultureel populisme.' – Elsbeth Etty, *NRC Handelsblad*

'Sommige zinnen lijken meer op hun plaats in een dichtbundel. Zo maakt Wieringa het alledaagse wat fraaier, en het verveelt geen moment.' – *Vrij Nederland*

'Hoe kreeg Tommy Wieringa dit voor elkaar? Zoveel vrolijke schrijflust? Wat bezielde hem dit denderende, meeslepende en bijzondere boek te schrijven? (…) Dit is een prachtig boek over opgroeiende jongens, jongens die naar elkaar kijken en elkaar willen blijven vasthouden. Die in elkaar verstrikt raken. Over de mythes daarvan en het verlangen ernaar terug.' – *De Groene Amsterdammer*

'*Joe Speedboot* is een prachtige roman die ontroert en regelmatig een glimlach op je gezicht tovert.' – *Veronica magazine*

'Tommy Wieringa verdient een ereplaats met zijn roman *Joe Speedboot*, een met veel vaart geschreven verhaal dat soms doet denken aan *The Catcher in the Rye* van J.D. Salinger, maar meer nog aan *Vernon Little God* van DBC Pierre. Een originele roman die veel in zich heeft: humor, vriendschap, levenswijsheid, liefde.' – *de Volkskrant*

'Wieringa boeit en betovert. De roman is een lust om te lezen.' – *Metro*

'Meeslepend en ontroerend.' – *Spits*

'Het is een zinderend geschreven roman, die spettert van het vertelplezier. Bovendien excelleert Wieringa in rake metaforen, pakkende dialogen en poëtische zinnen.' – *HP/DE TIJD*

'Een meeslepend boek dat je ook na lezing nog bezighoudt.' – *AD Magazine*

'Behoort in alle boekhandels in stapels bij de kassa te liggen.' – *Haarlems Dagblad*

'Met dit boek vestigt Tommy Wieringa ongetwijfeld een ferme reputatie.' – *De Morgen*

'*Joe Speedboot* is een boek waarvan je gelukkig wordt.' – *De Standaard*